‖ 제2판 ‖

수학과 사회

박종안·이재진·이준열 지음

KM 경문사

머리말

초·중·고를 포함하여 십여 년 동안 수학을 공부해왔음에도 불구하고 우리가 살고 있는 실생활에서 수학이 사용되고 있는 예를 찾아보란 질문에 만족할 만한 대답을 하는 학생은 그리 많지 않다. 수학이 다른 자연과학이나 공학에 많이 쓰이고 있음은 잘 알고 있지만 실생활이나 여러 가지 사회 현상에서도 빈번히 사용되고 있는 사실은 인식하지 못하기 때문이다. 특히 최근 수학은 우주 로켓이나 미세 로봇의 개발 등 물질적인 첨단과학의 발전에 크게 기여함은 물론 우리 인간의 행동양식이나 가치, 상호작용, 갈등, 의사결정 등과 같은 연구에도 깊은 관심을 보이고 있다.

어떻게 각 개인의 의사결정이 하나로 통합되어 사회 전체의 의견으로 나타내어질까? 또 두 집단 사이에 이해관계가 서로 관련되어 있을 때 어떤 전략을 선택하는 것이 각 집단에 가장 유리할까? 우리가 살아가면서 겪게 되는 수많은 의사결정과정은 대부분이 어떤 물질적인 양적 요소보다는 정보나 문화적인 요소를 많이 내포하여 수학과는 아무런 관련이 없는 듯 보이지만 본질적으로는 수학적인 요소로 이해되고 규명될 수 있다. 이 책에서는 실생활이나 사회적으로 자주 일어나는 문제를 수학적으로 생각하고 계획하여 해결하는 방법에 대하여 알아본다.

많은 학생이 수학이 갖는 추상성 때문에 어려움을 겪고 점차 수학에 대한 흥미를 잃어가고 있다. 아무쪼록 이 책이 그런 학생들에게 수학적인 사고만 있으면 사칙연산과 같은 간단한 수학만으로도 우리 사회에 자주 일어나는 중요한 문제를 해결할 수 있고 그만큼 수학이 우리 사회와 밀접하게 연관되어 있다는 사실을 깨닫는데 조그마한 도움이 되었으면 한다.

끝으로 원고본으로 불편하게 배우면서도 즐거운 마음으로 수업에 동참하고 교정까지 도와준 학생들과 이 책의 발간에 아낌없는 도움을 주신 경문사 임직원에게 감사한 마음을 보낸다.

2014년 8월
저자

차 례

MATHEMATICS AND SOCIETY

제 **1** 장

의사결정

최근 수학은 우주 로켓이나 미세 로봇의 개발 등 물질적인 첨단 과학의 발전에 크게 기여함은 물론 우리 인간의 행동 양식이나 가치, 상호 작용, 갈등, 의사결정 등과 같은 연구에도 깊은 관심을 보이고 있다. 어떻게 각 개인의 의사결정이 하나로 통합되어 사회 전체의 의견으로 나타내어질까? 또 두 집단 사이에 이해관계가 서로 관련되어 있을 때 어떤 전략을 선택하는 것이 각 집단에 가장 유리할까?

우리가 살아가면서 겪게 되는 수많은 의사결정 과정은 대부분이 어떤 물질적인 양적 요소보다는 정보나 문화적인 요소를 많이 내포하여 수학과는 아무런 관련이 없는 듯 보이지만 본질적으로는 수학적인 요소로 이해되고 규명될 수 있다. 이 장에서는 실생활이나 사회적으로 자주 일어나는 문제를 수학적으로 생각하고 계획하여 해결하는 방법에 대하여 알아본다.

제1절 여러 가지 선거

선거는 각 개인의 의사를 반영하여 집단 내에서 통합된 하나의 결과를 이끌어 내는 과정이다. 학교의 학생 회장, 국회의원, 대통령 등을 선출할 때는 물론 체조나 다이빙 경기에서의 우승자, 올림픽 개최지의 선정과 같은 의사결정과정에서도 선거가 이루어진다. 이 절에서는 선거의 여러 가지 방법과 그 장단점을 알아본다.

예제 1.1.1 학생수가 37명인 영호 반에서 반장 선거를 하였다. 네 명의 학생 A, B, C, D가 반장 후보로 나왔으며 학급 학생 모두에게 투표용지를 한 장씩 나누어주고 자기가 좋아하는 순서대로 적게 하여 개표하여 보니 표 1.1.1과 같았다. 이 표에서 첫 번째 그림은 A를 1위, B를 2위, C를 3위, D를 4위로 적은 학생의 수가 14명임을 뜻한다. 이 결과를 이용하여 반장을 선출할 수 있는 방법을 생각하고 그에 따라 당선자가 누구인지를 결정하여라.

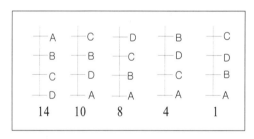

표 1.1.1

풀이 (1) **다수결 방식** : 1위를 가장 많이 득표한 후보가 당선된다.
위에서 후보 A가 1위를 가장 많이 차지했으므로 A가 당선자이다.

(2) **과반수 방식** : 1위를 차지한 득표수가 전체 투표수의 절반을 넘는 후보가 당선자이다. 위의 경우 1위를 과반수이상 차지한 후보가 없으므로 당선자는 없다.

(3) **보르다(Borda) 계산방식** : 각 투표지에서 1위, 2위, 3위, 4위를 차지한 후보들에게 각각 4점, 3점, 2점, 1점을 주고 모든 투표지의 점수를 합하여 점수가

가장 높은 후보가 당선자이다. 위의 경우 A, B, C, D가 받은 점수는 다음과
같다.

$$A: 14 \times 4 + 10 \times 1 + 8 \times 1 + 4 \times 1 + 1 \times 1 = 79$$
$$B: 14 \times 3 + 10 \times 3 + 8 \times 2 + 4 \times 4 + 1 \times 2 = 106$$
$$C: 14 \times 2 + 10 \times 4 + 8 \times 3 + 4 \times 2 + 1 \times 4 = 104$$
$$D: 14 \times 1 + 10 \times 2 + 8 \times 4 + 4 \times 3 + 1 \times 3 = 81$$

따라서 점수가 가장 높은 후보 B가 당선자이다.

(4) 헤어(Hare) 방식 : 1위를 가장 적게 차지한 후보를 차례로 제외하여 마지막에
남는 후보가 당선자이다. 위에서 1위를 가장 적게 차지한 후보는 B이므로 후
보 B를 제외하고 표를 다시 작성하면 아래와 같다.

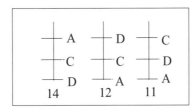

표 1.1.2

표 1.1.2에서 C가 1위를 가장 적게 차지했기 때문에 후보 C를 제외하고 표를
다시 작성하면 표 1.1.3과 같다.

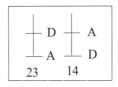

표 1.1.3

다시 위의 표에서 1위를 가장 적게 차지한 후보 A를 제외하면 후보 D만 남
으므로 후보 D가 당선자이다. 위의 절차를 아래와 같이 하나의 표로 나타내
면 후보 D가 당선자임을 쉽게 알 수 있다.

	1차	2차	3차	4차
A	14	14	14	*
B	4	*	*	*
C	11	11	*	*
D	8	12	23	37

표 1.1.4

(5) **상호 선호 비교 방식**: 두 후보사이의 선호도를 비교하여 우세한 후보에게는 1점, 열세한 후보에게는 0점, 비겼을 때에는 0.5점을 준다. 이런 방법으로 각 후보가 얻은 점수를 합하고 합한 점수가 가장 높은 후보가 당선자이다. 이 문제에서 A와 B를 비교하면 14:23으로 A보다 B를 더 선호하므로 A에게는 0점, B에게는 1점을 준다. 이와 같은 방법으로 두 후보자의 선호도를 모두 비교하여 각 후보의 점수를 구하면 아래와 같다.

	A	B	C	D	점수
A	*	× 14:23	× 14:23	× 14:23	0
B	O 23:14	*	× 18:19	O 28:9	2
C	O 23:14	O 23:14	*	O 25:12	3
D	O 23:14	× 9:28	× 12:25	*	1

표 1.1.5

따라서 점수가 가장 높은 후보 C가 당선자이다.

예제 1.1.1에서 각 선거방식의 당선자를 나타내면 다음 표와 같다.

선거방식	당선자
다수결 방식	A
과반수 방식	없음
보르다 계산 방식	B
헤어 방식	D
상호 선호 비교 방식	C

표 1.1.6

문제 1.1.1 학생수가 26명인 어느 학급에서 청량음료 A, B, C, D의 선호도를 조사하였더니 다음과 같았다.

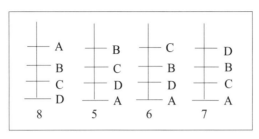

표 1.1.7

아래에서 제시한 방법으로 학생들이 가장 좋아하는 청량음료를 결정하여라.

(1) 다수결 방식   (2) 과반수 방식

(3) 보르다 계산 방식   (4) 헤어 방식

(5) 상호 선호 비교 방식

앞의 예제 1.1.1에서 보듯이 똑같은 개표 결과에서도 당선자를 결정하는 방법에 따라 당선자가 달라짐을 알 수 있다. 그러므로 선거 전에 반드시 그 선거의 성격에 맞는 당선자 결정 방법을 선택해야 한다. 또 방식에 따라서는 몇 후보가 동점일 수도 있으며 그럴 경우에도 물론 사전에 해결 방법을 반드시 결정해 놓아야 한다.

예제 1.1.2 아래 표는 예제 1.1.1에서 살펴보았던 투표자 37명의 투표결과이다. 다음 물음에 답하라.

투표수	14	10	8	4	1
1위	A	C	D	B	C
2위	B	B	C	D	D
3위	C	D	B	C	B
4위	D	A	A	A	A

표 1.1.8

(1) 과반수 방식으로 당선자를 결정하여라. 당선자가 없으면 1위를 많이 차지한 상위 두 후보를 과반수 방식으로 당선자를 결정한다. 당선자는 누구인가?

(2) 최하위를 가장 많이 차지한 후보를 차례로 제외하여 마지막 남는 후보가 당선된다면 당선자는 누구인가?

풀이 (1) 1위를 차지한 표수가 전체 표수의 절반을 넘는 후보가 없으므로 1위를 많이 차지한 상위 두 후보 A와 C만 남기고 다른 후보들을 모두 제외하면 다음과 같다.

투표수	14	23
1위	A	C
2위	C	A

표 1.1.9

따라서 C가 당선자이다.

(2) 최하위를 가장 많이 차지한 후보 A를 제외하면 다음과 같다.

투표수	14	10	8	4	1
1위	B	C	D	B	C
2위	C	B	C	D	D
3위	D	D	B	C	B

표 1.1.10

위의 표 1.1.10에서 최하위를 가장 많이 차지한 후보 D를 제외하면 다음과 같다.

투표수	18	19
1위	B	C
2위	C	B

표 1.1.11

여기서 최하위를 가장 많이 차지한 후보 B를 제외하면 후보 C만 남으므로 당선자는 C이다.

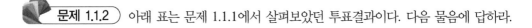 **문제 1.1.2** 아래 표는 문제 1.1.1에서 살펴보았던 투표결과이다. 다음 물음에 답하라.

투표수	8	5	6	7
1위	A	B	C	D
2위	B	C	B	B
3위	C	D	D	C
4위	D	A	A	A

표 1.1.12

(1) 과반수 방식으로 당선자를 결정하여라. 당선자가 없으면 1위를 많이 차지한 상위 두 후보만 남기고 다른 후보들은 모두 제외한 후 과반수 방식으로 당선자를 결정한다. 당선자는 누구인가?

(2) 최하위를 가장 많이 차지한 후보를 차례로 제외하여 마지막 남는 후보가 당선된다면 당선자는 누구인가?

예제 1.1.3 다음은 어떤 선거에서의 투표 결과이다.

투표수	5	3	5	3	2	4
1위	A	A	C	D	D	B
2위	B	B	E	C	C	E
3위	C	D	D	B	B	A
4위	D	C	A	E	A	C
5위	E	E	B	A	E	D

표 1.1.13

상호 선호 비교 방식으로 1위가 2명 이상이면 1위 중에서 다음에 주어진 방법으로 당선자를 결정하라.

(1) 보르다 계산 방식으로 당선자를 결정한다.

(2) 상호 선호 비교 방식으로 당선자를 결정한다.

(3) 1위를 더 많이 차지한 후보를 당선자로 한다.

(4) 위에서 D:E는 13:9이다. 이럴 경우 D에게는 13−9=4점을, E에게는 9−13=−4점을 준다. 이런 방법으로 1위인 후보가 얻은 점수를 구하고 이 점수가 높은 사람을 당선자로 한다.

풀이 두 후보자의 선호도를 모두 비교하여 각 후보의 점수를 구하면 아래와 같다.

	A	B	C	D	E	점수
A	*	O 13:9	O 12:10	O 12:10	× 10:12	3
B	× 9:13	*	O 12:10	O 12:10	O 17:5	3
C	× 10:12	× 10:12	*	O 14:8	O 18:4	2
D	× 10:12	× 10:12	× 8:14	*	O 13:9	1
E	O 12:10	× 5:17	× 4:18	× 9:13	*	1

표 1.1.14

따라서 점수가 가장 높은 후보는 A와 B이다.

(1) 보르다 계산 방식으로 A와 B의 점수를 계산하면 다음과 같다.

$$A : 5 \times 8 + 3 \times 4 + 2 \times 7 + 1 \times 3 = 69$$
$$B : 5 \times 4 + 4 \times 8 + 3 \times 5 + 1 \times 5 = 72$$

따라서 점수가 높은 B가 당선자이다.

(2) A와 B의 선호도를 비교하면 A: B=13:9로 A가 더 선호되므로 A가 당선자이다.

(3) A는 1위를 8표, B는 1위를 4표 얻었으므로 A가 당선자이다.

(4) A와 다른 후보자의 선호도는 다음과 같다.

$$A : B = 13 : 9, \ A : C = 12 : 10, \ A : D = 12 : 10, \ A : E = 10 : 12$$

따라서 A의 점수는 $(13-9)+(12-10)+(12-10)+(10-12)=6$이다. 한편, B와 다른 후보자의 선호도는

$$B : A = 9 : 13, \ B : C = 12 : 10, \ B : D = 12 : 10, \ B : E = 17 : 5$$

이므로 B의 점수는 $(9-13)+(12-10)+(12-10)+(17-5)=12$이다. 따라서 점수가 더 높은 B가 당선자이다.

 문제 1.1.3 다음은 어떤 선거에서의 투표 결과이다.

투표수	12	7	3	2
1위	C	B	A	D
2위	B	A	B	A
3위	A	D	D	B
4위	D	C	C	C

표 1.1.15

헤어 방식으로 당선자를 결정하라. 1위가 2명 이상이면 1위 중에서 다음에 주어진 방법으로 당선자를 결정하라.

(1) 보르다 계산 방식으로 당선자를 결정한다.

(2) 상호 선호 비교 방식으로 당선자를 결정한다.

(3) 1위를 더 많이 차지한 후보를 당선자로 한다.

(4) 위 표에서 A와 B의 선호도를 비교하면 A : B=5 : 19이다. 이럴 경우 A에게는 5−19= −14점을, B에게는 19−5=14점을 준다. 이런 방법으로 1위인 후보가 얻은 점수를 구하고 이 점수가 높은 사람을 당선자로 한다.

예제 1.1.4 (순위결정) 아래 표는 예제 1.1.1에서 살펴보았던 투표결과이다.

투표수	14	10	8	4	1
1위	A	C	D	B	C
2위	B	B	C	D	D
3위	C	D	B	C	B
4위	D	A	A	A	A

표 1.1.16

아래에 주어진 방법을 이용하여 각 후보의 순위를 결정하라.

(1) 다수결 방식   (2) 보르다 계산 방식

(3) 헤어 방식   (4) 상호 선호 비교 방식

풀이 (1) **다수결 방식**: 1위를 차지한 득표수가 많은 순서대로 후보의 순위를 결정한다. 이 문제의 경우 A: 1위, C: 2위, D: 3위, B: 4위이다.

(2) **보르다 계산 방식**: 보르다 계산 방식으로 각 후보의 점수를 계산하여 점수가 많은 순서대로 후보의 순위를 결정한다. 이 문제의 경우 A: 79점, B: 106점, C: 104점, D: 81점이므로 B: 1위, C: 2위, D: 3위, A: 4위이다.

(3) **헤어 방식**: 제외된 순서대로 최하위를 결정한다. 이 문제의 경우 B, C, A의 순서대로 제외되고 마지막에 D가 남았으므로 B: 4위, C: 3위, A: 2위, D: 1위이다.

(4) **상호 선호 비교 방식**: 상호 선호 비교 방식으로 각 후보의 점수를 계산하여 점수가 많은 순서대로 후보의 순위를 결정한다. 이 문제의 경우 A: 0점, B: 2점, C: 3점, D: 1점이므로 C: 1위, B: 2위, D: 3위, A: 4위이다.

위의 결과를 간단히 표로 나타내면 다음과 같다.

	다수결 방식	보르다 계산방식	헤어 방식	상호 선호 비교 방식
1위	A	B	D	C
2위	C	C	A	B
3위	D	D	C	D
4위	B	A	B	A

표 1.1.17

 문제 1.1.4 아래 표는 문제 1.1.1에서 살펴보았던 투표결과이다.

투표수	8	5	6	7
1위	A	B	C	D
2위	B	C	B	B
3위	C	D	D	C
4위	D	A	A	A

표 1.1.18

아래에 주어진 방법을 이용하여 각 후보의 순위를 결정하라.
(1) 다수결 방식   (2) 보르다 계산 방식
(3) 헤어 방식   (4) 상호 선호 비교 방식

일반적으로 공정한 선거에서 당선자를 결정할 때 다음과 같은 사항들을 고려한다.

┤ 선거 제도를 만들 때 고려사항 ├

① MC(Majority criterion): 1위를 차지한 후보의 표수가 전체 투표수의 절반을 넘는 후보는 그 선거의 당선자이다.

② CC(Condorcet criterion): 두 후보끼리 비교하여 어떤 다른 후보보다도 더 선호되는 후보가 있으면 그는 그 선거의 당선자이다.

③ MOC(Monotonicity criterion): 한 방법으로 결정된 당선자 갑은 몇 명의 투표자가 이전보다 갑에게만 더 유리하게 투표하고, 나머지 투표자는 전과 같게 투표한 재선거에서도 당선자이다.

④ IC(Independence-of-Irrelevant-Alternatives criterion): 어떤 방법으로 결정된 당선자는 한 낙선자가 사퇴하여 그 낙선자를 제외하고 다시 계산한 후에도 당선자이다.

예제 1.1.5 다음 표에서 다수결 방식으로 당선자를 결정한다면 당선자는 누구인가? 다수결 방식은 선거제도의 고려사항 중 CC를 만족하는가?

투표수	48	47	5
1위	A	B	C
2위	B	E	B
3위	C	D	E
4위	D	C	D
5위	E	A	A

표 1.1.19

풀이 A가 1위를 가장 많이 차지하였으므로 다수결 방식에서의 당선자는 A이다. 이제 낙선한 후보 B와 다른 후보 사이의 선호도를 비교하여 보면 다음과 같다.

A:B=48:52,　　　　B:C=95:5,　　　　B:D=100:0,　　　　B:E=100:0

위로부터 B가 어떤 다른 후보보다도 더 선호됨을 알 수 있다. 따라서 다수결 방식에서는 어떤 후보보다도 더 선호된다고 하여 반드시 당선되는 것은 아님을 알 수 있다. 즉, 다수결 방식은 선거제도의 고려사항 중에서 CC를 만족하지 않는다.

문제 1.1.5 다음 표에서 다수결 방식의 선거제도를 이용한다면 누가 당선자인가? 다수결 방식은 선거제도의 고려사항 중 IC를 만족하는가?

투표수	3	2	2
1위	A	B	C
2위	B	C	B
3위	C	A	A

표 1.1.20

다수결 방식은 단순 명료하여 여러 경우에 사용되며 선거제도의 고려사항 중에서 MC와 MOC를 만족한다. 특히 후보 수가 적은 경우에 적절한 방법이다. 그러나 각 투표지의 1위만을 고려하고 나머지 순위는 전혀 고려하지 않으므로 1위로 투표하고 싶은 후보가 전혀 당선될 가능성이 없으면 마음에는 들지 않으나 당선 가능성이 많은 다른 후보를 1위로 투표하는 경우가 생겨 투표자의 진실한 마음이 담긴 투표가 되지 않을 수도 있다.

또 위 예제와 문제 1.1.5에서 보듯이 다수결 방식은 선거제도의 고려사항 중에서 CC와 IC를 만족하지 않는다.

예제 1.1.6 다음 표에서 보르다 계산방식의 선거제도를 이용한다면 누가 당선자인가? 보르다 계산방식은 선거제도의 고려사항 중 MC를 만족하는가?

투표수	7	3	3
1위	A	B	C
2위	B	C	D
3위	C	D	B
4위	D	A	A

표 1.1.21

풀이 보르다 계산방식을 이용하여 각 후보의 점수를 계산하면 다음과 같다.

$$A:\ 4\times7+1\times3+1\times3=34$$
$$B:\ 3\times7+4\times3+2\times3=39$$
$$C:\ 2\times7+3\times3+4\times3=35$$
$$D:\ 1\times7+2\times3+3\times3=22$$

따라서 보르다 계산방식을 이용하면 위의 점수가 가장 높은 B가 당선자이다. 그러나 A는 전체 13표 중에서 7표를 차지하여 절반을 넘고도 당선되지 못했으므로 보르다 계산방식은 MC를 만족하지 않는다.

문제 1.1.6 다음 표에 대하여 물음에 답하라.

투표수	6	2	3
1위	A	B	C
2위	B	C	D
3위	C	A	B
4위	D	D	A

표 1.1.22

(1) 보르다 계산방식의 선거제도를 이용한다면 누가 당선자인가?

(2) 보르다 계산방식은 선거제도의 고려사항 중 CC를 만족하는가?

(3) 보르다 계산방식은 선거제도의 고려사항 중 IC를 만족하는가?

다수결 방식과는 달리 보르다 계산방식은 모든 순위를 고려하여 당선자를 결정하기 때문에 후보가 많은 경우에 자주 사용되며, 실제로 각종 스포츠의 최우수선수상, 음악상, 위원회에서의 총장 선출 등에 사용된다. 그러나 위 예제와 문제 1.1.6에서 보듯이 보르다 계산방식은 선거제도의 고려사항 중에서 MOC만 만족할 뿐 그 외의 어느 것도 만족하지 않는다.

예제 1.1.7 다음 표에서 헤어 방식을 이용하면 당선자는 누구인가? 헤어 방식은 선거제도의 고려사항 중 MOC를 만족하는가?

투표수	7	8	10	4
1위	A	B	C	A
2위	B	C	A	C
3위	C	A	B	B

표 1.1.23

풀이 처음에 1위를 가장 적게 차지한 B를 제외하고 표를 다시 작성하면 다음과 같다.

투표수	11	18
1위	A	C
2위	C	A

표 1.1.24

위에서 1위를 적게 차지한 A를 제외하면 C만 남게 되므로 C가 당선자이다. 한편 표 1.1.23에서 마지막 열에 해당되는 투표자 4명이 마음을 바꾸어 C에 더 유리하게 1위 : C, 2위 : A, 3위 : B로 투표했다면 투표결과는 아래와 같이 바뀌게 된다.

투표수	7	8	14
1위	A	B	C
2위	B	C	A
3위	C	A	B

표 1.1.25

여기서 1위를 가장 적게 차지한 후보 A를 제외한 후 다음 1위를 적게 차지한 C를 제외하면 B만 남게 되므로 B가 당선자이다. 원래는 C가 당선자이었으나 투표자의 일부가 전보다 C에게 더 유리하게 투표하고 나머지는 종전과 같이 투표했는데도 당선자는 종전의 C가 아닌 B로 바뀜을 알 수 있다. 따라서 헤어 방식은 선거제도의 고려사항 중 MOC를 만족하지 않는다.

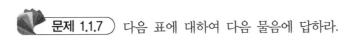 **문제 1.1.7**) 다음 표에 대하여 다음 물음에 답하라.

투표수	10	6	5	4	2
1위	A	B	C	D	D
2위	C	D	B	C	A
3위	D	C	D	B	B
4위	B	A	A	A	C

표 1.1.26

(1) 헤어 방식을 이용하면 당선자는 누구인가?
(2) 헤어 방식은 선거제도의 고려사항 중 CC를 만족하는가?
(3) 헤어 방식은 선거제도의 고려사항 중 IC를 만족하는가?

헤어 방식은 후보의 수가 3 또는 4인 경우에 자주 사용되며, 실제로 이 방식을 약간 변형하여 올림픽 개최지를 결정하는 방법으로 사용된다(1장 부록 참조). 그러나 위 예제와 문제 1.1.7에서 보듯이 헤어 방식은 선거제도의 고려사항 중에서 MOC, CC, IC를 만족하지 않는다.

예제 1.1.8) 다음 표에서 상호 선호 비교 방식을 이용한다면 누가 당선자인가? 상호 선호 비교 방식은 선거제도의 고려사항 중 IC를 만족하는가?

투표수	2	6	4	1	1	4	4
1위	A	B	B	C	C	D	E
2위	D	A	A	B	D	A	C
3위	C	C	D	A	A	E	D
4위	B	D	E	D	B	C	B
5위	E	E	C	E	E	B	A

표 1.1.27

풀이 두 후보 사이의 선호도를 비교하여 각 후보의 점수를 구하면 아래와 같다.

	A	B	C	D	E	점수
A	*	× 7:15	O 16:6	O 13:9	O 18:4	3
B	O 15:7	*	× 10:12	△ 11:11	O 14:8	2.5
C	× 6:16	O 12:10	*	O 12:10	× 10:12	2
D	× 9:13	△ 11:11	× 10:12	*	O 18:4	1.5
E	× 4:18	× 8:14	O 12:10	× 4:18	*	1

표 1.1.28

따라서 점수가 가장 높은 A가 당선자이다. 이제 C가 개인 사정으로 사퇴하게 되어 C를 제외하고 다시 표를 작성하면 아래와 같다.

투표수	2	6	4	1	1	4	4
1위	A	B	B	B	D	D	E
2위	D	A	A	A	A	A	D
3위	B	D	D	D	B	E	B
4위	E	E	E	E	E	B	A

표 1.1.29

이 표를 이용하여 두 후보 사이의 선호도를 조사하면 다음과 같다.

	A	B	D	E	점수
A	*	× 7:15	O 13:9	O 18:4	2
B	O 15:7	*	△ 11:11	O 14:8	2.5
D	× 9:13	△ 11:11	*	O 18:4	1.5
E	× 4:18	× 8:14	× 4:18	*	0

표 1.1.30

따라서 점수가 가장 높은 B가 당선된다. 원래 당선자는 A이었으나 낙선된 C가 사퇴하여 C를 제외하고 다시 계산하면 당선자는 A가 아닌 B로 바뀌었으므로 상호 선호 비교 방식은 선거제도의 고려사항 중 IC를 만족하지 않는다.

문제 1.1.8 상호 선호 비교 방식은 선거제도의 고려사항 중 CC, MC, MOC를 만족함을 보여라.

위 예제와 문제 1.1.8에서 보듯이 상호 선호 비교 방식은 선거제도의 고려사항 중에서 IC를 제외하고 모두를 만족한다. 그러나 이 방식에서는 동점인 후보가 다른 방식에 비하여 자주 생기는 단점이 있다.

이제까지 각 선거제도의 장단점을 살펴보았다. 각 선거제도가 만족하는 선거제도의 고려사항을 요약하면 아래와 같다.

선거제도 \ 고려사항	MC	CC	MOC	IC
다수결 방식	○	×	○	×
과반수 방식	○	○	○	○
보르다 계산 방식	×	×	○	×
헤어 방식	○	×	×	×
상호 선호 비교 방식	○	○	○	×

표 1.1.31

위 표에서 보듯이 우리가 이제까지 살펴본 선거제도 중에서 과반수 방식을 제외한 어떤 선거도 선거제도를 만들 때 고려사항 모두를 만족하지는 않는다. 또 과반수 방식은 위 고려사항 모두를 만족하지만 후보가 많은 경우에 이 방식을 적용할 경우 대부분 당선자가 없다. 사실 1951년에 미국의 경제학자 애로우(Arrow)는 위의 고려사항 모두를 만족하며 항상 당선자가 있는 선거제도는 만들 수 없다는 불가능정리를 발표하여 결점이 없는 완전한 선거를 꿈꾸던 많은 사람을 놀라게 하였다.

정리 1.1.1 애로우(Arrow)의 불가능정리

위 선거제도의 고려사항을 모두 만족하며 항상 당선자가 있는 선거제도는 존재하지 않는다.

예제 1.1.9 (승인투표) 어느 대학에서 30명의 학생이 대학수학을 수강하고 있다. 기말시험을 보기 위한 적당한 요일에 O표 하라고 하였더니 다음과 같았다.

학생수	8	6	4	4	4	4
수요일		O	O	O		O
목요일	O			O		O
금요일			O	O	O	

표 1.1.32

되도록 많은 학생이 선택한 요일에 시험을 볼 수 있도록 요일을 선택하라.

풀이 각 요일을 선택한 학생 수는 다음과 같다.

수요일: 6+4+4+4=18   목요일: 8+4+4=16   금요일: 4+4+4=12

수요일이 학생들이 가장 많이 선택한 날이므로 수요일에 시험을 보는 것이 합리적이다.

문제 1.1.9 어떤 직종에 A, B, C, D, E, F 6명이 지원하였다. 5명의 심사위원 가, 나, 다, 라, 마에게 그 직종에 적합한 후보에 O표 하라고 하였더니 다음과 같았다.

	가	나	다	라	마
A	O	O	O		
B		O	O	O	O
C			O		
D	O	O	O	O	O
E	O		O		O
F	O		O	O	O

표 1.1.33

심사위원의 의견을 가장 많이 반영한다면 어떤 지원자를 뽑아야 할까?

1 학생수가 30명인 어느 학급 수학 여행지의 선호도를 조사하였더니 다음과 같았다.

투표수	12	8	10
1위	금강산	경주	제주도
2위	제주도	제주도	경주
3위	경주	금강산	금강산

아래에서 제시한 방법으로 수학 여행지를 결정하라.
(1) 다수결 방식 (2) 과반수 방식
(3) 보르다 계산 방식 (4) 헤어 방식
(5) 상호 선호 비교 방식

2 어느 아파트의 입주자 대표 선거에 A, B, C, D, E의 5명이 지원하였다. 7명의 동 대표가 모여 입주자 대표 선출을 위한 투표를 하였더니 다음과 같았다.

투표수	2	2	1	1	1
1위	C	E	C	D	A
2위	E	B	A	E	E
3위	D	D	D	A	C
4위	A	C	E	C	D
5위	B	A	B	B	B

아래에서 제시한 방법으로 입주자 대표를 선출하라.
(1) 다수결 방식 (2) 과반수 방식
(3) 보르다 계산 방식 (4) 헤어 방식
(5) 상호 선호 비교 방식

3 다음 표는 어느 선거의 투표결과를 나타낸 것이다.

투표수	45	40	15
1위	B	D	A
2위	C	A	C
3위	E	C	E
4위	A	E	D
5위	D	B	B

아래에 주어진 방법을 이용하여 각 후보의 순위를 결정하라.

(1) 다수결 방식　　　　　　　　　(2) 보르다 계산 방식

(3) 헤어 방식　　　　　　　　　　(4) 상호 선호 비교 방식

4 다음 표는 어느 선거의 투표결과를 나타낸 것이다.

투표수	5	3	5	3	2	3
1위	A	A	C	D	D	B
2위	B	D	E	C	C	E
3위	C	B	D	B	B	D
4위	D	C	A	E	A	C
5위	E	E	B	A	E	A

(1) 아래에 주어진 방법을 이용하여 당선자를 결정하라.

　　(i) 다수결 방식　　　　　　　　(ii) 보르다 계산 방식

　　(iii) 헤어 방식　　　　　　　　(iv) 상호 선호 비교 방식

(2) 아래에 주어진 방법을 이용하여 각 후보의 순위를 결정하라.

　　(i) 다수결 방식　　　　　　　　(ii) 보르다 계산 방식

　　(iii) 헤어 방식　　　　　　　　(iv) 상호 선호 비교 방식

5 같은 학과 친구인 A, B, C, D, E는 여름방학을 이용하여 함께 등산하기로 하고 설악산, 오대산, 한라산, 지리산, 태백산 중 등산하고 싶은 산에 O표 하라고 하였더니 다음과 같았다.

	A	B	C	D	E
설악산	O	O	O		
오대산		O			O
한라산			O	O	
지리산	O	O		O	O
태백산	O		O		O

친구들의 의견을 가장 많이 반영하도록 등산할 산을 결정하여라.

6 다음 표는 어느 선거의 투표결과를 나타낸 것이다.

투표수	1	1	1
1위	A	C	B
2위	B	A	D
3위	D	B	C
4위	C	D	A

(1) 상호 선호 비교 방식으로 당선자를 결정하라.

(2) A, B, C, D의 순서대로 A와 B의 선호도를 비교하여 우세한 사람이 다시 C와 선호도를 비교하고 거기서 우세한 사람이 마지막으로 D와 선호도를 비교하여 우세한 후보가 당선된다면 누가 당선자인가? 이 선거에서 모든 투표자가 당선자보다 더 선호하는 후보가 있는가?

7 다음 표는 어느 선거의 투표결과를 나타낸 것이다.

투표수	13	12	10	8	7
1위	A	C	D	B	C
2위	B	B	C	C	D
3위	C	A	B	D	B
4위	D	D	A	A	A

(1) 1위를 많이 차지한 상위 두 후보만 남기고 다른 후보들은 모두 제외한 후 과반수 방식으로 당선자를 결정한다면 누가 당선자인가?

(2) 위의 (1)의 방법은 MC를 만족하는가? 만족하지 않는다면 그 반례를 찾아라.

(3) 아래 표를 보고 다음 물음에 답하여라.

투표수	14	10	8	4	1
1위	A	C	D	B	B
2위	B	B	C	D	C
3위	C	D	B	C	D
4위	D	A	A	A	A

(i) 위의 (1)의 방법으로 당선자를 결정한다면 당선자는 누구인가?

(ii) 위의 (1)의 방법은 CC를 만족하는가?

8 다음 표는 어느 선거의 투표결과를 나타낸 것이다.

투표수	13	12	11	8	7
1위	A	C	D	B	C
2위	B	B	C	C	D
3위	C	A	B	D	B
4위	D	D	A	A	A

(1) 최하위를 가장 많이 차지한 후보를 차례로 제외하여 마지막 남는 후보가 당선된다면 누가 당선자인가?

(2) 아래 표를 보고 다음 물음에 답하여라.

투표수	2	1	1	3
1위	A	A	A	B
2위	B	B	C	D
3위	C	D	D	C
4위	D	C	B	A

(i) 위의 (1)의 방법으로 당선자를 결정한다면 당선자는 누구인가?

(ii) 위의 (1)의 방법은 MC를 만족하는가?

(iii) 위의 (1)의 방법은 CC를 만족하는가?

9 '모든 투표자가 후보 B보다 후보 A를 더 선호한다면 B는 당선자일 수 없다'는 것이 **파레토 기준**(Pareto Criterion)이다.

(1) 다수결 방식은 파레토 기준을 만족함을 보여라.

(2) 보르다 계산 방식은 파레토 기준을 만족함을 보여라.

(3) 헤어 방식은 파레토 기준을 만족함을 보여라.

(4) 상호 선호 비교 방식은 파레토 기준을 만족함을 보여라.

10 다음 물음에 답하라.

(1) 상호 선호 비교 방식은 MC를 만족함을 보여라.

(2) 다수결 방식은 MOC를 만족함을 보여라.

11 투표자의 수가 50이고 5명의 후보 A, B, C, D, E가 출마한 회장 선거를 생각하여 보자.

(1) 투표 결과를 보르다 계산 방식으로 계산하니 A, B, C, D가 얻은 점수는 각각 250점, 200점, 150점, 100점이었다. 후보 E가 얻은 점수는 얼마인가?

(2) 투표 결과를 상호 선호 비교 방식으로 계산하니 A, B, C, D가 얻은 점수는 각각 3점, 2점, 1점, 1점이었다. 후보 E가 얻은 점수는 얼마인가?

교황 선출 방법

교황은 추기경들의 비밀회의인 콘클라베에서 선출된다. 교황 피선거권은 로마 가톨릭 남성 신자이면 누구에게나 주어지나 지금까지 교황은 추기경들 가운데서 선출되어 왔다. 교황을 뽑을 수 있는 선거권은 80세 미만의 추기경들에게만 주어지며 그 수는 최대 120명이고 현재 선거권이 있는 추기경은 119명이다. 교황 선출은 교황이 타계한 뒤 15~20일 후 시작되며 이는 과거에 여러 지역에 있는 추기경들이 로마까지 도달하는 시간을 2주로 설정한 데서 유래되었다.

선거인 자격이 있는 추기경들은 바티칸 시스티나 성당에서 '나는 교황을 뽑는다.'라고 적힌 직사각형의 투표용지에 한 사람을 기명하는 방법으로 총 투표의 3분의 2 이상 득표자가 나올 때까지 무기명 투표한다. 선거가 시작되는 첫째 날에는 오후에 한 차례만 투표를 실시하나 여기서 교황이 선출되지 않으면 그 다음날부터는 오전과 오후 두 차례씩 투표하고 투표가 30회를 넘으면 과반수 방식으로 교황을 선출한다. 추기경들은 콘클라베가 열리는 동안 서신이나 전화, 그 밖의 어떤 통신수단으로도 외부와 연락할 수 없다.

투표가 집계될 때마다 모든 투표용지는 화학약품으로 불태워지며 투표 결과는 연기 색깔로 알린다. 검은 연기가 나면 교황이 선출되지 않았다는 표시이며 흰 연기를 피워 올리면 새 교황이 권좌에 올랐다는 뜻이다. 콘클라베는 교황으로 선출된 추기경에게 이 결정을 받아들일지 묻고 당선자가 이를 수락하면 콘클라베 의장은 차기 교황이 어떤 이름을 쓸 것인지를 묻고 추기경들에게 이를 알린 뒤 경하한다. 이어 추기경들 중 가장 연장자는 성베드로 광장이 보이는 바티칸 대성전 발코니로 나가 "우리는 교황을 선출했다."라는 뜻의 라틴어인 "하베무스 파팜(Habemus papam)"이라고 공식 선언한다.

올림픽 개최지는 국제올림픽 위원회에서 각 위원이 개최 후보 도시 중 하나를 선택하여 투표하고 그 중에서 과반수 표를 얻은 도시로 결정한다. 만약 과반수 표를 얻은 도시가 없으면 가장 표를 적게 얻은 도시를 제외하고 나머지 도시에 대하여 다시 투표하여 같은 방식으로 결정한다.

아래는 2000년 하계 올림픽 개최지를 선정하기 위해서 1993년에 행하여진 89명의 국제올림픽 위원들의 투표 결과이다.

	1차 투표	2차 투표	3차 투표	4차 투표
북경	32	37	40	43
시드니	30	30	37	45
맨체스터	11	13	11	*
베를린	9	9	*	*
이스탄불	7	*	*	*
기권	0	0	1	1

1차, 2차, 3차 투표에서 어느 도시도 과반수의 표를 얻지 못해 각 투표에서 가장 표를 적게 얻은 이스탄불, 베를린, 맨체스터를 차례로 제외하고 4차 투표에서 비로소 올림픽 개최 도시를 결정할 수 있었다. 위에서 보듯이 1차, 2차, 3차 투표까지 가장 많은 표를 얻은 북경이 강력한 2000년 하계 올림픽 개최지로 예상되었으나 4차 투표에서 역전되어 결국 2000년 하계 올림픽 개최지는 시드니로 돌아갔다.

올림픽 체조경기 채점 방식

올림픽 체조 경기의 심판진은 A심판 3명, B심판 6명으로 구성되어 있고 각 심판은 모두 10점 만점으로 채점한다. A심판은 주심의 역할을 하는 심판으로 선수의 스타트나 난이도 등을 평가하고, B심판은 선수의 연기에 대한 감점사항을 주로 평가한다. 채점은 심판들의 점수를 모아 가장 높은 점수의 하나와 가장 낮은 점수의 하나를 제외한 나머지 점수를 평균하여 결정된다.

다음 표는 가상으로 세 체조 선수 A, B, C에 대한 심판들의 채점을 나타낸 표이다.

	심판1	심판2	심판3	심판4	심판5	심판6	심판7	심판8	심판9	최종 점수
A	9.1	5.9	5.9	5.9	5.9	5.9	5.9	5.9	5.9	5.9
B	9	9	5.5	5.5	5.5	5.5	5.5	5.5	5	6.0
C	9	5	5	5	5	5	5	5	5	5.0

위 표에서 최종 점수가 가장 높은 순서대로 B가 1위, A가 2위, C가 3위이다. 그러나 위의 점수를 자세히 살펴보면 8명의 심판이 A를 1위로 평가하고 단 1명만이 B를 1위로 평가했음을 알 수 있다. 즉, 한 명의 의견이 다른 모든 심판의 의견과 상반된 결과를 가져온 결과이고, 그 만큼 B가 1위라는 사실은 설득력이 없다. 이것은 심판2를 제외한 모든 심판은 선수 간의 점수 편차를 그리 크지 않게 채점한데 비하여 유독 심판2만은 특정 선수 B에게 유리하게 점수 편차를 크게 했기 때문이다. 이처럼 올림픽 체조 채점 방식은 심판 몇 명에 의하여 악용될 소지가 있기 때문에 이런 방식을 선택할 경우 이를 막기 위한 사전 장치가 필요하다. 실제로 이와 비슷한 방법으로 혁신도시를 선정하기로 한 지방의 어느 도는 선정과정에서 위와 비슷한 상황이 발생하여 각 후보 도시 주민들 사이의 큰 갈등을 불러 일으켰다.

제2절 가중치 선거

우리나라 대통령 선거나 국회의원 선거에서는 모든 투표권자가 한 표만을 갖는 평등선거이다. 그러나 주식회사의 주주 총회에서는 투표자가 자기가 갖고 있는 주식 수만큼의 투표수를 가진다. 이처럼 투표자가 갖는 투표수가 각각 다를 수 있는 선거를 **가중치 선거** (weighted voting)라고 한다. 이 절에서는 가중치선거에서 각 투표자가 어떤 제안된 안의 통과 또는 부결의 결정에 얼마의 영향력을 갖고 있는지에 대하여 알아보자.

> **정의 1.2.1**
>
> 투표자 A_1, A_2, $\cdots$, A_n이 갖고 있는 투표수가 각각 a_1, a_2, $\cdots$, a_n이고 어떤 제안된 안이 q표 이상 받아야 통과되는 가중치선거를 간단히 $[q : a_1,\ a_2,\ \cdots,\ a_n]$으로 나타낸다.

예를 들어 A_1, A_2, A_3, A_4가 각각 4표, 3표, 2표, 1표의 투표수를 가지며 6표 이상 찬성해야 통과되는 가중치선거는 [6: 4, 3, 2, 1]로 나타내어진다.

일반적으로 q는 $\dfrac{a_1 + a_2 + \cdots + a_n}{2} < q \leq a_1 + a_2 + \cdots + a_n$인 범위에서 결정된다.

예제 1.2.1 아래와 같이 주어진 가중치선거에서 다음 물음에 답하라.

(1) 가중치선거 [11: 12, 5, 4]에서 다른 투표자의 선택에 관계없이 한 투표자에 의하여 통과 또는 부결이 결정될 수 있는가?

(2) 가중치선거 [11: 8, 7, 4, 2]에서 선거의 결과에 전혀 영향을 줄 수 없는 투표자가 있는가?

(3) 가중치선거 [50: 49, 48, 3]에서 각 투표자의 영향력은 [2: 1, 1, 1]에서 각 투표자의 영향력과 같음을 보여라.

풀이 (1) 12표를 갖는 투표자는 통과기준인 11표를 넘으므로 다른 투표자의 선택에 관계없이 통과 또는 부결을 결정할 수 있다.

(2) 2표를 갖는 투표자를 A라 하자. A는 혼자 또는 다른 투표자와 둘이서는 11 표 이상을 만들 수 없다. 또 다른 여러 투표자와 합쳐 11표 이상이 될 경우 A가 갖고 있는 2표를 제외해도 여전히 11표 이상이 되므로 A는 위의 선거 결과에 전혀 영향을 줄 수 없다.

(3) 가중치선거 [50: 49, 48, 3]에서는 혼자서는 누구라도 통과 또는 부결을 결정할 수 없지만 다른 투표자와 둘이서는 항상 통과 또는 부결을 결정할 수 있다. 가중치선거 [2: 1, 1, 1]도 정확히 똑같은 상황이므로 가중치선거 [50: 49, 48, 3]에서 각 투표자의 영향력은 [2: 1, 1, 1]에서 각 투표자의 영향력과 같다.

🔖 **문제 1.2.1** 가중치선거 [12: 9, 5, 4, 2]에서 혼자 찬성하여 통과하게 할 수는 없으나 반대하여 부결되게는 할 수 있는 투표자가 있는가?

🔖 **예제 1.2.2** 어느 나라의 국회의원 수는 모두 300명이며 세 정당 A, B, C의 국회의원 수는 다음과 같다.

A 당	148
B 당	145
C 당	7
합계	300

표 1.2.1

어떤 안이 통과되려면 151표 이상 받아야 하고 각 정당은 당론을 정하여 모든 국회의원은 당론대로 투표한다고 한다.

(1) 이 가중치선거를 $[q : a_1, a_2, \cdots, a_k]$ 꼴로 나타내어라.

(2) 이 가중치선거에서 각 정당의 영향력을 알아보아라.

풀이 (1) $[151 : 148, 145, 7]$

(2) 위 가중치선거에서 어느 정당도 혼자서는 통과 또는 부결을 결정할 수 없지만 다른 한 정당과 연합하면 항상 통과 또는 부결을 결정할 수 있으므로 각 정당의 영향력은 모두 같다. 한편 영향력의 합은 1이므로 각 정당의 영향력은 모두 $\frac{1}{3}$ 이다.

문제 1.2.2 가중치선거 [6: 5, 4, 3]에서 각 투표자가 투표 결과에 미치는 영향력을 구하여라.

위 예제 1.2.2에서 알 수 있듯이 가중치선거에서 각 투표자가 투표 결과에 미치는 영향력은 그 투표자가 갖고 있는 투표수에 항상 비례하는 것은 아니다. 가중치선거에서 각 투표자의 영향력을 수치로 나타내는 방법에 대하여 알아보자.

정의 1.2.2

두 집합 A, B에서 집합 B의 모든 원소가 집합 A의 원소일 때 B를 A의 **부분집합**이라 하고 $B \subset A$로 나타낸다.

예를 들어 $A = \{1, 2\}$이면 A의 부분집합은 $\varnothing$, $\{1\}$, $\{2\}$, $\{1, 2\}$이다. 일반적으로 A가 n개의 원소로 이루어진 집합이면 A의 부분집합의 수는 2^n이다.

예제 1.2.3 집합 $A = \{a, b, c, d\}$의 부분집합을 모두 구하여라.

풀이 $\varnothing$
$\{a\}$, $\{b\}$, $\{c\}$, $\{d\}$,
$\{a, b\}$, $\{a, c\}$, $\{a, d\}$, $\{b, c\}$, $\{b, d\}$, $\{c, d\}$,
$\{a, b, c\}$, $\{a, b, d\}$, $\{a, c, d\}$, $\{b, c, d\}$,
$\{a, b, c, d\}$

 문제 1.2.3 집합 $A = \{1, 2, 3\}$의 부분집합을 모두 구하여라.

정의 1.2.3

가중치선거에서 통과된 경우에 찬성으로 투표했던 어떤 투표자가 마음을 바꾸어 반대로 투표하면 제안된 안이 통과에서 부결로 바뀔 때 그 투표자를 이 경우의 **임계투표자** (critical voter)라고 한다.

예를 들어 네 명의 투표자 a, b, c, d가 각각 4표, 3표, 2표, 1표의 권한을 갖는 가중치선거 [6: 4, 3, 2, 1]에서 어떤 제안된 안에 대하여 a, b, d가 찬성하고 c가 반대하여 통과되었다고 하자. 이 때 찬성으로 투표했던 a가 마음을 바꾸어 반대로 투표하면 제안된 안도 통과에서 부결로 바뀌게 되므로 a는 이 경우의 임계투표자이다. 그러나 d는 찬성에서 반대로 바꾸어 투표해도 제안된 안은 여전히 통과되므로 임계투표자가 아니다. 이 경우에는 제안된 안에 대하여 d는 전혀 영향을 미치지 못하나 a는 결정적인 영향을 미친다고 볼 수 있다. 따라서 투표자는 임계투표자가 되는 경우에만 그 투표에 영향을 미치게 된다.

예제 1.2.4 네 명의 투표자 a, b, c, d가 각각 5표, 3표, 2표, 1표의 권한을 갖는 가중치선거 [6: 5, 3, 2, 1]에서 다음 각 경우에 임계투표자를 구하여라.
(1) a, b, c가 찬성하고 d가 반대하는 경우
(2) a, b, c, d 모두 찬성하는 경우

풀이 (1) a가 찬성에서 반대로 바꾸어 투표하면 찬성표수는 5표로 제안된 안은 부결되고, 따라서 a는 임계투표자이다. 그러나 b는 찬성에서 반대로 바꾸어 투표하면 찬성표수는 7표로 제안된 안은 여전히 통과되므로 b는 임계투표자가 아니다. c도 찬성에서 반대로 바꾸어 투표해도 제안된 안은 여전히 통과되므로 임계투표자가 아니다.
(2) a, b, c, d 어느 누구도 찬성에서 반대로 바꾸어 투표해도 제안된 안은 여전히 통과되므로 임계투표자가 아니다.

문제 1.2.4 투표자 a, b, c, d, e가 각각 5표, 3표, 2표, 1표, 1표의 권한을 갖는 가중치선거 [7: 5, 3, 2, 1, 1]에서 다음 각 경우에 임계투표자를 구하여라.
(1) b, c, d, e가 찬성하고 a가 반대하는 경우
(2) a, c, e가 찬성하고 b, d가 반대하는 경우

예제 1.2.5 어떤 구청의 위원회는 각 동의 대표위원 a, b, c로 구성되어 있다. 이 위원회에서 a는 3표, b는 2표, c는 1표의 투표수를 가지며 어떤 안이 통과되려면 적어도 4표 이상을 받아야 한다. 아래의 방법으로 **반자프 영향력지표(Banzhaf index)**를 구하여 각 대표위원 a, b, c가 투표 결과에 어느 정도의 영향을 미치는지 알아보아라.

┌─ **가중치선거 $[q : a_1, a_2, \cdots, a_n]$에서 반자프 영향력지표 구하는 법** ─┐

투표자 $A_1, A_2, \cdots, A_n$의 투표수가 각각 $a_1, a_2, \cdots, a_n$이라고 하자.

① 집합 $A_1, A_2, \cdots, A_n$의 모든 부분집합을 구한다.

② 위 ①의 각 부분집합에 대하여 부분집합 안에 있는 모든 투표자가 찬성하고 나머지 투표자는 반대한다고 가정하여 찬성표수를 계산하고 그 찬성표수가 q 이상이면 통과, q 미만이면 부결로 결정한다.

③ 위 ②에서 통과된 각 경우의 임계투표자를 구한다.

④ 위 ③에서 A_i가 임계투표자인 경우의 수 t_i를 구한다.

⑤ 투표자 A_i의 **반자프 영향력지표**는 다음과 같다.

$$\text{투표자 } A_i \text{의 반자프 영향력지표} = \frac{t_i}{t_1 + t_2 + \cdots + t_n}$$

└────────────────────────────────┘

풀이 위의 선거는 가중치선거 [4: 3, 2, 1]이다. 다음 표는 위에서 제시한 방법으로 집합 {a, b, c}의 모든 부분집합에 대하여 각 경우의 찬성표수, 통과 또는 부결, 임계투표자를 나타낸 것이다.

경우	부분집합	찬성 표수	통과 또는 부결	임계투표자
1	∅	0	부결	없음
2	{a}	3	부결	없음
3	{b}	2	부결	없음
4	{c}	1	부결	없음
5	{a, b}	5	통과	a, b
6	{b, c}	3	부결	없음
7	{a, c}	4	통과	a, c
8	{a, b, c}	6	통과	a

표 1.2.2

따라서 투표자 a, b, c가 임계투표자가 되는 경우의 수는 각각 3, 1, 1이고 각 투표자가 임계투표자가 되는 경우의 수의 합은 3+1+1=5이다. 그러므로 각 투표자의 반자프 영향력지표는 다음과 같다.

투표자	임계투표자 수	반자프 영향력지표
a	3	3/5 (60%)
b	1	1/5 (20%)
c	1	1/5 (20%)
합계	5	1 (100%)

표 1.2.3

따라서 세 투표자 a, b, c가 이 투표 결과에 미치는 영향은 각각 60%, 20%, 20%라고 할 수 있다.

문제 1.2.5 세 투표자 a, b, c가 각각 4표, 3표, 2표의 권한을 갖는 가중치선거 [5: 4, 3, 2]에서 반자프 영향력지표를 구하여 투표자 a, b, c가 투표 결과에 어느 정도의 영향을 미치는지 알아보아라.

예제 1.2.6 주민의 수가 각각 300명, 200명, 100명, 100명인 네 지역으로 구분되어 있는 어느 자치 단체의 위원회는 각 지역을 대표하는 위원 a, b, c, d로 구성되고, 각 위원이 갖는 투표수는 a는 3표, b는 2표, c는 1표, d는 1표이다. 어떤 안이 통과되려면 5표 이상을 받아야 한다고 할 때, 반자프 영향력지표를 구하여 각 대표 위원이 투표 결과에 어느 정도의 영향을 미치는지 알아보아라.

풀이 위의 선거는 가중치선거 [5: 3, 2, 1, 1]이다. 다음 표는 위에서 제시한 방법으로 집합 {a, b, c, d}의 모든 부분집합에 대하여 각 경우의 찬성표수, 통과 또는 부결, 임계투표자를 나타낸 것이다.

경우	부분집합	찬성 표수	통과 또는 부결	임계투표자
1	∅	0	부결	없음
2	{a}	3	부결	없음
3	{b}	2	부결	없음
4	{c}	1	부결	없음
5	{d}	1	부결	없음
6	{a, b}	5	통과	a, b
7	{a, c}	4	부결	없음
8	{a, d}	4	부결	없음

9	{b, c}	3	부결	없음
10	{b, d}	3	부결	없음
11	{c, d}	2	부결	없음
12	{a, b, c}	6	통과	a, b
13	{a, b, d}	6	통과	a, b
14	{a, c, d}	5	통과	a, c, d
15	{b, c, d}	4	부결	없음
16	{a, b, c, d}	7	통과	a

표 1.2.4

위 표에서 투표자 a, b, c, d가 임계투표자가 되는 경우의 수는 각각 5, 3, 1, 1이고 각 투표자가 임계투표자가 되는 경우의 수의 합은 5+3+1+1=10이다. 그러므로 각 투표자의 반자프 영향력지표는 다음과 같다.

투표자	임계투표자 수	반자프 영향력지표
a	5	5/10 (50%)
b	3	3/10 (30%)
c	1	1/10 (10%)
d	1	1/10 (10%)
합계	10	1(100%)

표 1.2.5

따라서 a, b, c, d가 투표 결과에 미치는 영향은 각각 50%, 30%, 10%, 10%이다.

문제 1.2.6 투표자가 a, b, c, d가 각각 4표, 3표, 2표, 1표의 권한을 갖는 가중치선거 [6: 4, 3, 2, 1]에서 각 투표자의 반자프 영향력지표를 구하여 각 투표자가 이 선거에 미치는 영향력을 알아보아라.

예제 1.2.7 어떤 위원회는 위원장 A와 네 명의 위원 B, C, D, E로 구성되어 있다. 이 위원회에서 어떤 제안된 안이 통과되기 위해서는 위원장과 두 명의 위원이 찬성하거나, 네 명의 위원이 찬성해야 한다. 이 투표에서 위원장과 각 위원의 반자프 영향력지표를 구하여라.

풀이 집합 {A, B, C, D, E}의 부분집합의 개수는 $2^5 = 32$이다. 예제 1.2.6처럼 모든 부분집합을 구하여 반자프 영향력지표를 구하기에는 경우의 수가 다소 많으므로 다음과 같이 제안된 안이 통과되는 경우만 생각하고, 그 경우의 임계투표자를 결정하여 보자.

통과되기 위한 찬성 투표자들의 집합	임계투표자
{A, B, C}	A, B, C
{A, B, D}	A, B, D
{A, B, E}	A, B, E
{A, C, D}	A, C, D
{A, C, E}	A, C, E
{A, D, E}	A, D, E
{B, C, D, E}	B, C, D, E
{A, B, C, D}	A
{A, B, C, E}	A
{A, B, D, E}	A
{A, C, D, E}	A
{A, B, C, D, E}	없음

표 1.2.6

위 표에서 A, B, C, D, E가 임계투표자가 되는 경우의 수는 각각 10, 4, 4, 4, 4이고 각 투표자가 임계투표자가 되는 경우의 수의 합은 10+4+4+4+4=26이다. 그러므로 각 투표자의 반자프 영향력지표는 다음과 같다.

투표자	임계투표자 수	반자프 영향력지표
A	10	10/26 (38%)
B	4	4/26 (15.5%)
C	4	4/26 (15.5%)
D	4	4/26 (15.5%)
E	4	4/26 (15.5%)
합계	26	1(100%)

표 1.2.7

문제 1.2.7 투표자가 A, B, C, D, E인 가중치선거에서 어떤 제안된 안이 통과되기 위해서는 적어도 A, B, C가 모두 찬성하거나 C, D, E가 모두 찬성해야 한다. 이 투표에서 각 투표자의 반자프 영향력지표를 구하여라.

정의 1.2.4

주어진 사람이나 사물을 일렬로 나열한 것을 **순열**이라고 한다. 예를 들어 a, b, c로 이루어진 순열은 다음과 같이 6개가 있다.

abc, acb, bac, bca, cab, cba

일반적으로 n개의 사물로 이루어진 순열은 $n! = n(n-1)(n-2) \cdots 2 \cdot 1$개가 있다.

예제 1.2.8 a, b, c, d로 이루어진 모든 순열을 구하여라.

 풀이 abcd, abdc, acbd, acdb, adbc, adcb

bacd, badc, bcad, bcda, bdac, bdca

cabd, cadb, cbad, cbda, cdab, cdba

dabc, dacb, dbac, dbca, dcab, dcba

문제 1.2.8 a, b, c, d, e로 이루어진 순열 중에서 b로 끝나는 것을 모두 구하여라.

이제까지 투표자들의 부분집합을 이용하여 임계투표자를 결정하고 이를 각 투표자의 선거에 대한 영향력을 알려주는 반자프 영향력지표를 구하는데 이용하였다. 이제 투표자들의 순열을 이용하여 각 투표자의 영향력을 알려주는 또 다른 방법을 알아보자.

정의 1.2.5

n명의 투표자가 q표 이상 찬성해야 통과되는 가중치선거에서 투표자들로 이루어진 하나의 순열 $A_1 A_2 A_3 \cdots A_n$에 대하여, 이 순열의 맨 앞의 투표자 A_1부터 차례로 투표자가 갖고 있는 투표수를 더하여 어떤 투표자 A_k의 투표수가 더해지는 순간 처음으로 합한 투표수가 q 이상이면 투표자 A_k를 이 경우의 **핵심투표자**(pivotal voter)라고 한다.

예를 들어 네 투표자 a, b, c, d가 각각 3표, 3표, 2표, 2표의 권한을 갖는 가중치선거 [7: 3, 3, 2, 2]에서 순열 abcd의 경우 a의 투표수는 3, a와 b의 투표수의 합은 6이므로 a와 b의 찬성만으로는 제안된 안이 통과될 수 없다. 그러나 a, b, c의 투표수의 합은 8이고 a, b, c 모두가 찬성하면 그 안은 통과되므로 이 경우에는 투표자 c가 통과 또는 부결을 결정하는 핵심투표자가 된다. 한 순열에서 핵심투표자는 부결에서 통과로 바뀌게 하는 결정적인 역할을 하므로 핵심투표자가 되는 경우가 많을수록 선거에 미치는 영향력이 크다고 할 수 있다. 또 어떠한 순열에서도 마지막 투표자의 투표수까지 합한 수만큼 찬성하면 제안된 안은 통과되므로 각 순열 마다 반드시 한 명의 핵심투표자가 있음을 알 수 있다.

예제 1.2.9 네 명의 투표자 a, b, c, d가 각각 5표, 3표, 2표, 1표의 권한을 갖는 가중치선거 [6: 5, 3, 2, 1]에서 다음 각 순열의 핵심투표자를 구하여라.

(1) abcd   (2) cbda

풀이 (1) a의 투표수는 5이므로 a의 찬성만으로는 제안된 안이 통과될 수 없다. 그러나 a와 b의 투표수의 합은 8이고 a, b 모두가 찬성하면 그 안은 통과되므로 b가 핵심투표자이다.

(2) c의 투표수는 2, c와 b의 투표수의 합은 5이므로 c와 b의 찬성만으로는 제안된 안이 통과될 수 없다. 그러나 c, b, d의 투표수의 합은 6이고 c, b, d 모두가 찬성하면 그 안은 통과되므로 d가 핵심투표자이다.

문제 1.2.9 투표자 a, b, c, d, e가 각각 5표, 3표, 2표, 1표, 1표의 권한을 갖는 가중치선거 [7: 5, 3, 2, 1, 1]에서 다음 각 순열의 핵심투표자를 구하여라.

(1) bcdea   (2) acebd

예제 1.2.10 세 명의 투표자 a, b, c가 각각 3표, 2표, 1표의 권한을 갖는 가중치선거 [4: 3, 2, 1]에서 아래의 방법으로 **샤플리-슈빅 영향력지표(Shapley-Shubik index)**를 구하여 각 투표자 a, b, c가 투표 결과에 어느 정도의 영향을 미치는지 알아보아라.

┌───┐
│ **가중치선거 $[q : a_1, a_2, \cdots, a_n]$에서 샤플리-슈빅 영향력지표 구하는 법**

투표자 $A_1, A_2, \cdots, A_n$의 투표수가 각각 $a_1, a_2, \cdots, a_n$이라고 하자.

① $A_1, A_2, \cdots, A_n$으로 이루어진 모든 순열을 구한다.

② 위 ①의 각 순열에 대하여 핵심투표자를 결정한다.

③ 위 ②에서 A_i가 핵심투표자인 경우의 수 t_i를 구한다.

④ 투표자 A_i의 **샤플리-슈빅 영향력지표**는 다음과 같다.

$$\text{투표자 } A_i \text{의 샤플리-슈빅 영향력지표} = \frac{t_i}{n!}$$
└───┘

풀이   a, b, c로 이루어진 각 순열의 핵심투표자를 나타낸 것이다.

경우	순열	핵심투표자
1	abc	b
2	acb	c
3	bac	a
4	bca	a
5	cab	a
6	cba	a

표 1.2.8

위의 표에서 보듯이 a가 핵심투표자가 되는 경우의 수는 4이다. 따라서 모든 순열의 수 6에 대한 a가 핵심투표자가 되는 경우의 수는 4의 비율, 즉 $\frac{4}{6}$가 투표자 a의 샤플리-슈빅 영향력지표이다. 마찬가지로 b와 c의 샤플리-슈빅 영향력지표를 구하면 다음과 같다.

투표자	핵심투표자 수	샤플리-슈빅 영향력지표
a	4	4/6 (66.7%)
b	1	1/6 (16.7%)
c	1	1/6 (16.7%)
합계	6	1 (100%)

표 1.2.9

따라서 a, b, c가 이 투표 결과에 미치는 영향은 각각 66.7%, 16.7%, 16.7%이다.

문제 1.2.10 세 투표자 a, b, c가 각각 4표, 3표, 2표의 권한을 갖는 가중치선거 [5: 4, 3, 2]에서 샤플리-슈빅 영향력지표를 구하여 투표자 a, b, c가 투표 결과에 어느 정도의 영향을 미치는지 알아보아라.

예제 1.2.11 네 투표자 a, b, c, d가 각각 3표, b는 2표, c는 1표, d는 1표의 권한을 갖는 가중치선거 [5: 3, 2, 1, 1]에서 샤플리-슈빅 영향력지표를 구하여 각 투표자가 투표 결과에 어느 정도의 영향을 미치는지 알아보아라.

풀이 a, b, c, d로 이루어진 각 순열에 대하여 핵심투표자를 나타내면 다음과 같다.

순열	핵심투표자	순열	핵심투표자
abcd	b	cabd	b
abdc	b	cadb	d
acbd	b	cbad	a
acdb	d	cbda	a
adbc	b	cdab	a
adcb	c	cdba	a
bacd	a	dabc	b
badc	a	dacb	c
bcad	a	dbac	a
bcda	a	dbca	a
bdac	a	dcab	a
bdca	a	dcba	a

표 1.2.10

위의 표에서 보듯이 a가 핵심투표자가 되는 경우의 수는 14이다. 따라서 모든 순열의 수 24에 대한 a가 핵심투표자가 되는 경우의 수는 14의 비율, 즉 $\frac{14}{24}$ 가 투표자 a의 샤플리-슈빅 영향력지표이다. 마찬가지로 b, c, d의 샤플리-슈빅 영향력지표를 구하면 다음과 같다.

투표자	핵심투표자	샤플리-슈빅 영향력지표
a	14	14/24 (58.3%)
b	6	6/24 (25%)
c	2	2/24 (8.3%)
d	2	2/24 (8.3%)
합계	24	1 (100%)

표 1.2.11

문제 1.2.11 투표자가 a, b, c, d가 각각 4표, 3표, 2표, 1표의 권한을 갖는 가중치선거 [6: 4, 3, 2, 1]에서 각 투표자의 샤플리-슈빅 영향력지표를 구하여 각 투표자가 이 선거에 미치는 영향력을 알아보아라.

예제 1.2.12 어떤 위원회는 위원장 A와 네 명의 위원 B, C, D, E로 구성되어 있다. 이 위원회에서 어떤 안이 통과되기 위해서는 위원장과 두 명의 위원이 찬성하거나, 네 명의 위원이 찬성해야 한다.

(1) 이 선거제도를 가중치선거 $[q: a_1, a_2, \cdots, a_k]$ 꼴로 나타내어라.

(2) 이 투표에서 위원장과 각 위원의 샤플리-슈빅 영향력지표를 구하여라.

풀이 (1) [4: 2, 1, 1, 1, 1]

(2) A, B, C, D, E로 이루어진 순열은 5! = 120 개나 되어 각 순열의 핵심투표자를 구하기에는 너무 경우의 수가 많다. 대신에 A, B, C, D, E를 다음과 같이 배열하여 A가 언제 핵심투표자가 되는지 살펴보자.

A○○○○   ○A○○○   ○○A○○   ○○○A○   ○○○○A

위에서 알 수 있듯이 A가 세 번째나 네 번째에 위치했을 때 A는 핵심투표자가 되고 이런 경우의 수는 48이다. 한편, B, C, D, E의 영향력은 모두 같으므로 이들 각각이 핵심투표자가 되는 경우의 수는 전체 순열의 수 5! = 120에서 A가 핵심투표자가 되는 경우의 수 48을 빼어 4로 나눈

$$(5! - 48) \times \frac{1}{4} = 18$$

이다. 따라서 각 투표자의 샤플리-슈빅 영향력지표는 다음과 같다.

투표자	핵심투표자	샤플리-슈빅 영향력지표
A	48	48/120 (40%)
B	(120−48)/4=18	18/120 (15%)
C	(120−48)/4=18	18/120 (15%)
D	(120−48)/4=18	18/120 (15%)
E	(120−48)/4=18	18/120 (15%)
합계	120	1(100%)

표 1.2.12

문제 1.2.12 어떤 도시의 발전 위원회는 위원장 A와 다섯 명의 위원 B, C, D, E, F로 구성되어 있다. 이 위원회에서 어떤 안이 통과되기 위해서는 위원장과 세 명의 위원이 찬성하거나, 5명의 위원이 찬성해야 한다.

(1) 이 선거제도를 가중치선거 $[q : a_1, a_2, \cdots, a_k]$ 꼴로 나타내어라.

(2) 이 투표에서 위원장과 각 위원의 샤플리-슈빅 영향력지표를 구하여라.

1 가중치선거 $[q: 8, 4, 1]$에서 다음에 답하여라.

(1) q의 범위를 구하여라.

(2) 다른 투표자의 선택에 관계없이 한 투표자에 의하여 통과 또는 부결이 결정될 수 있는 투표자가 있도록 q를 구하여라.

(3) 선거의 결과에 전혀 영향을 줄 수 없는 투표자가 있도록 q를 구하여라.

(4) 혼자 찬성하여 통과하게 할 수는 없으나 반대하여 부결되게는 할 수 있는 투표자가 있도록 q를 구하여라.

2 가중치선거 $[9: a, 4, 1]$에서 다음에 답하여라.

(1) a의 범위를 구하여라.

(2) 다른 투표자의 선택에 관계없이 한 투표자에 의하여 통과 또는 부결이 결정될 수 있는 투표자가 있도록 a를 구하여라.

(3) 선거의 결과에 전혀 영향을 줄 수 없는 투표자가 있도록 a를 구하여라.

(4) 혼자 찬성하여 통과하게 할 수는 없으나 반대하여 부결되게는 할 수 있는 투표자가 있도록 a를 구하여라.

3 투표자 a, b, c, d, e, f가 각각 6표, 4표, 3표, 2표, 2표, 1표의 권한을 갖는 가중치선거 $[10: 6, 4, 3, 2, 2, 1]$에서 다음 각 경우에 임계투표자를 구하여라.

(1) a, d, e가 찬성하고 b, c, f가 반대하는 경우

(2) b, c, d, e, f가 찬성하고 a가 반대하는 경우

4 투표자 a, b, c, d, e, f가 각각 5표, 3표, 2표, 1표, 1표, 1표의 권한을 갖는 가중치선거 $[6: 5, 3, 2, 1, 1, 1]$에서 다음 각 순열의 핵심투표자를 구하여라.

(1) abcdef   (2) cfbeda

5 다음 물음에 답하여라.

(1) 가중치선거 $[10: 4, 3, 2, 1]$에서 각 투표자의 반자프 영향력지표와 샤플리-슈빅 영향력지표를 구하여라.

(2) 가중치선거 $[N: a_1, a_2, \cdots, a_k]$에서 $N = a_1 + a_2 + \cdots + a_k$일 때 각 투표자의 반자프 영향력지표와 샤플리-슈빅 영향력지표를 구하여라.

6 가중치선거 [7: 4, 3, 2, 1]에서 반자프 영향력지표와 샤플리-슈빅 영향력지표를 구하여라.

7 가중치선거 [11: 6, 5, 3, 3, 1]에서 반자프 영향력지표와 샤플리-슈빅 영향력지표를 구하여라.

8 가중치선거 [8: 5, 3, 1]에서 각 투표자의 영향력은 [2: 1, 1, 0]에서 각 투표자의 영향력과 같음을 보여라. 또 계산하지 않고 각 투표자의 반자프 영향력지표와 샤플리-슈빅 영향력지표를 구하여라.

9 어떤 위원회는 위원장 A와 세 명의 위원 B, C, D로 구성되어 있다. 이 위원회에서 어떤 안이 통과되기 위해서는 위원장과 한 명 이상의 위원이 찬성하거나, 세 명의 위원이 찬성해야 한다.
  (1) 이 선거제도를 가중치선거 $[q: a_1, a_2, \cdots, a_k]$ 꼴로 나타내어라.
  (2) 이 투표에서 위원장과 각 위원의 반자프 영향력지표를 구하여라.
  (3) 이 투표에서 위원장과 각 위원의 샤플리-슈빅 영향력지표를 구하여라.

10 유엔 안전보장이사회는 중국, 프랑스, 러시아, 영국, 미국으로 이루어진 상임이사국과 10개의 비상임이사국으로 되어 있다. 여기서 어떤 안이 통과되려면 상임이사국 전체의 찬성과 적어도 비상임이사국 4개 나라의 찬성이 있어야 한다. 유엔 안전보장이사회의 선거제도를 가중치선거 $[q: a_1, a_2, \cdots, a_k]$ 꼴로 나타내어라.

11 과거의 유엔 안전보장이사회는 5개의 상임이사국과 6개의 비상임이사국으로 구성되어 있었다. 여기서 어떤 안이 통과되려면 상임이사국 전체의 찬성과 적어도 비상임이사국 2개 나라의 찬성이 있어야 했다. 과거의 유엔 안전보장이사회의 선거제도를 가중치선거 $[q: a_1, a_2, \cdots, a_k]$ 꼴로 나타내어라.

12 어떤 도시의 운영위원회는 시장 A와 여섯 명의 위원 B, C, D, E, F, G로 구성되어 있다. 이 위원회에서 어떤 안이 통과되기 위해서는 시장과 세 명 이상의 위원이 찬성하거나, 다섯 명 이상의 위원이 찬성해야 한다.
  (1) 이 선거제도를 가중치선거 $[q: a_1, a_2, \cdots, a_k]$ 꼴로 나타내어라.
  (2) 이 투표에서 시장과 각 위원의 샤플리-슈빅 영향력지표를 구하여라.

제3절 공평분배

생일 케이크를 나누어 먹거나 부모님이 물려준 재산을 자녀들에게 분배하는 경우, 이혼할 때 함께 모은 재산을 분할하는 경우와 같이 어떤 것을 적절히 나누어야 할 때가 있다. 이 절에서는 어떤 것을 몇 사람에게 나누어야 할 때 분배받는 사람 모두가 만족하도록 분배하는 방법에 대하여 알아본다.

> ### 정의 1.3.1
>
> 분배에 참여한 n 사람 모두 적어도 전체의 $\dfrac{1}{n}$ 을 차지했다고 생각하는 분배를 **공평분배**(fair division)라고 한다.

공평분배 문제는 케이크처럼 여러 조각으로 나눌 수 있는 경우와 집이나 보석처럼 조각으로 나눌 수 없는 경우로 크게 나뉜다. 먼저 케이크를 공평하게 나누는 방법에 대하여 알아보자.

예제 1.3.1 다음 표는 세 조각으로 나누어진 케이크에 대한 A, B, C가 생각하는 가치를 나타낸 것이다.

	첫째조각	둘째조각	셋째조각
A	34%	36%	30%
B	40%	34%	26%
C	35%	30%	35%

표 1.3.1

A에게 첫째조각, B에게 둘째조각, C에게 셋째조각을 주는 분배는 공평분배인가?

풀이 A, B, C는 자기가 생각하기에 각각 전체의 34%, 34%, 35%를 갖게 되고 이것은 모두 전체의 $\frac{1}{3}$ 이상이므로 이 분배는 공평분배이다.

분배에 참여한 모두에게 전체의 $\frac{1}{n}$ 이상씩만 분배하면 공평분배이기 때문에 공평분배라 하더라도 때로는 참여자에게 가장 큰 가치를 부여한 것을 분배하지 못하는 경우도 있다. 예제 1.3.1에서 A는 첫째조각보다 둘째조각을 원하고 B는 둘째조각보다는 첫째조각을 원한다. 이럴 경우 A와 B는 각자에게 분배된 조각을 서로 교환하면 두 사람 모두 가장 원하는 조각을 분배 받을 수 있다.

문제 1.3.1 다음 표는 세 조각으로 나누어진 케이크에 대한 A, B, C가 생각하는 가치를 나타낸 것이다.

	첫째조각	둘째조각	셋째조각
A	45%	36%	19%
B	40%	40%	20%
C	33%	34%	33%

표 1.3.2

A에게 첫째조각, B에게 둘째조각, C에게 셋째조각을 주는 분배는 공평분배인가?

예제 1.3.2 세 사람 A, B, C가 케이크를 다음과 같이 나누어 가졌다. 이와 같은 분배는 공평분배인가?
① A는 자기가 생각하기에 가치가 똑같게 케이크를 세 조각으로 나눈다.
② B는 위의 세 조각 중 한 조각을 선택한다.
③ C는 남은 두 조각 중 한 조각을 선택한다.
④ A는 남은 한 조각을 갖는다.

풀이 A는 자기가 똑같게 나눈 세 조각의 케이크 중 하나를 갖고, B는 자기가 생각하기에 세 조각에서 가장 가치가 큰 것을 선택했으므로 A와 B는 적어도 전체 케이크의 $\frac{1}{3}$을 차지한다. 그러나 C는 B가 선택한 조각만 $\frac{1}{3}$ 이상이고 나머지 두 조각은 모두 $\frac{1}{3}$ 미만이라 생각할 수 있으므로 공평분배가 아니다.

문제 1.3.2 세 사람 A, B, C가 케이크를 다음과 같이 나누어 가졌다. 이와 같은 분배는 공평분배인가?

① A, B, C가 아닌 다른 사람에게 가치가 똑같게 케이크를 세 조각으로 나누게 한다.

② A, B, C가 제비뽑기를 하여 순위를 정하고 그 순위에 따라 자기가 원하는 조각을 선택한다.

예제 1.3.3 두 사람 A, B가 아래와 같은 방법으로 케이크를 나누면, 이 분배는 공평분배인가?

---

① 먼저 A는 자기가 생각하기에 가치가 똑같게 케이크를 두 조각으로 나눈다.

② B는 A가 나눈 두 조각 중 한 조각을 선택한다.

③ 남은 한 조각을 A가 갖는다.

풀이 아래 그림과 같이 A가 나눈 두 조각을 각각 s와 t라 하자.

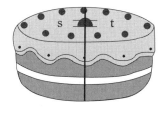

그림 1.3.1

B는 s와 t 중에서 가치가 더 크다고 생각하는 것을 선택하므로 적어도 전체의 $\frac{1}{2}$은 차지하게 된다. A는 케이크를 나눌 때 가치가 똑같게 나누었으므로 어느 조각을 갖더라도 전체의 $\frac{1}{2}$은 차지하게 된다. 따라서 A와 B는 모두 적어도 전체의 $\frac{1}{2}$은 차지한다고 생각하므로 위의 분배는 공평분배이다.

문제 1.3.3 다음 표는 위의 예제 1.3.3에서 A가 자른 두 조각에 대한 A, B가 생각하는 가치를 나타낸 것이다.

	첫째조각	둘째조각
A	50%	50%
B	55%	45%

표 1.3.3

두 사람 A, B에게 공평하게 분배하려면 어떻게 나누어야 할까?

예제 1.3.4 아래와 같은 방법으로 세 명 A, B, C가 케이크를 분배하면 이 분배는 공평분배인가?

---

① 먼저 A는 자기가 생각하기에 가치가 똑같게 케이크를 세 조각으로 나눈다.

② B와 C는 각각 세 조각 중 가치가 $\frac{1}{3}$ 이상이라고 생각하는 조각을 모두 적는다.

③ B와 C가 적은 조각을 보고 다음과 같이 분배한다.

경우 1: 서로 다른 조각이 있는 경우

B와 C가 적어낸 서로 다른 조각을 B, C에게 하나씩 주고, 남은 조각을 A에게 준다.

경우 2: 같은 조각을 하나만 적은 경우

나머지 두 조각 중 한 조각을 A가 선택하고 남은 한 조각과 B, C가 적어낸 조각을 합쳐 한 덩이로 만들어 예제 1.3.3의 방법으로 두 사람 B, C가 나눈다.

풀이 아래 그림과 같이 ①에서 A가 나눈 세 조각을 각각 x, y, z라고 하자.

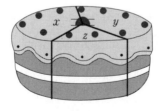

그림 1.3.2

경우 1: B와 C는 모두 자기가 $\frac{1}{3}$ 이상이라고 생각하는 조각을 가졌고, A는 각 조각이 $\frac{1}{3}$이 되게 나누었기 때문에 어느 조각을 가져도 $\frac{1}{3}$을 갖게 된다.

경우 2: B와 C가 x를 선택하여 z를 A에게 주었다고 하면 경우 1과 마찬가지로 A는 전체의 $\frac{1}{3}$을 갖는다. B와 C는 z가 전체의 $\frac{1}{3}$보다 작다고 생각하여 z를 선택하지 않았다. 따라서 x와 y를 합치면 전체의 $\frac{2}{3}$ 이상이며 이것을 예제 1.3.3의 방법으로 공평하게 나누어 갖게 되므로 B와 C는 각각 전체의 $\frac{1}{3}$ 이상을 갖게 된다.

어떤 경우에도 세 사람 모두 적어도 전체의 $\frac{1}{3}$ 이상을 가졌다고 생각하기 때문에 이와 같은 분배는 공평분배이다.

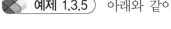 **문제 1.3.4** 다음 표는 A가 자른 세 조각에 대한 A, B, C가 생각하는 가치를 나타낸 것이다. 세 사람 A, B, C가 공평분배하려면 어떻게 나누어야 할까?

(1)

	첫째조각	둘째조각	셋째조각
A	33.3%	33.3%	33.3%
B	40%	35%	25%
C	35%	35%	30%

표 1.3.4

(2)

	첫째조각	둘째조각	셋째조각
A	33.3%	33.3%	33.3%
B	40%	31%	29%
C	35%	32%	33%

표 1.3.5

예제 1.3.5 아래와 같이 A, B, C가 케이크를 나누면 공평분배임을 보여라.

① A는 가치가 똑같게 케이크를 두 조각으로 나눈다.
② 위의 두 조각 중에서 B가 먼저 한 조각을 선택하고 나머지는 A가 선택한다.
③ A와 B는 각각 자기가 선택한 케이크를 공평하게 세 조각으로 나눈다.
④ C는 A와 B가 나눈 케이크 중에서 각각 한 조각씩을 골라 갖는다.
⑤ A와 B는 각각 자기가 자른 나머지를 갖는다.

풀이 아래 그림과 같이 A가 나눈 두 조각 s, t를 A, B가 각각 차지한 후 A는 s를 s_1, s_2, s_3로, B는 t를 t_1, t_2, t_3로 나누었다고 하자.

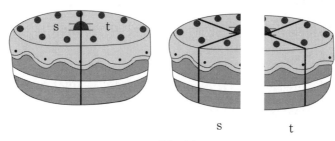

그림 1.3.3

A는 케이크를 나눌 때 모두 가치가 같게 나누었으므로 s_1, s_2, s_3는 모두 전체의 $\frac{1}{6}$이다. A는 s_1, s_2, s_3 중에서 두 조각을 가지므로 전체의 $\frac{1}{6} \times 2 = \frac{1}{3}$을 갖게 된다. 한편, B는 t가 전체의 $\frac{1}{2}$ 이상이라고 생각하였고 t를 가치가 같게 t_1, t_2, t_3로 나누었으므로 t_1, t_2, t_3는 각각 전체의 $\frac{1}{6}$ 이상이 되어 B는 전체의 $\frac{1}{3}$ 이상을 갖게 된다. 마지막으로 C는 A와 B가 각각 나눈 세 조각에서 한 조각씩 선택했으므로 적어도 s의 $\frac{1}{3}$과 t의 $\frac{1}{3}$를 갖는다. 따라서 C가 s와 t의 가치를 각각 a, $1-a$로 생각한다면 C는 적어도 $a \times \frac{1}{3} + (1-a) \times \frac{1}{3} = \frac{1}{3}$을 갖게 된다. 위의 결과로부터 이 분배는 공평분배이다.

문제 1.3.5 예제 1.3.5의 방법대로 A는 케이크를 두 조각 s와 t로 나누었다. 아래의 왼쪽 표는 A, B가 생각하는 s와 t의 가치를 나타낸 것이고 오른쪽 표는 A, B가 공평하게 s와 t를 차지한 후 s를 s_1, s_2, s_3로, t를 t_1, t_2, t_3로 나누었을 때 C가 생각하는 s_1, s_2, s_3의 가치와 t_1, t_2, t_3의 가치를 백분율로 나타낸 것이다. A, B, C는 각각 케이크의 어떤 조각을 분배받게 되는가?

	s	t	합계
A	50%	50%	100%
B	55%	45%	100%

	s_1	s_2	s_3	t_1	t_2	t_3
C	33%	30%	37%	35%	33%	32%

표 1.3.6

분배에 참여하는 사람이 네 명 이상인 경우에 예제 1.3.4의 방법을 확장하면 고려해야 하는 경우의 수가 너무 많고 각 경우 또한 너무 복잡하여 실제로 사용하기에는 적절하지 않다. 그러나 위에서 보듯이 예제 1.3.5의 방법은 두 명에게 분배하는 방법을 이용하여 세 명에게 분배하였고, 이를 계속해서 적용하면 분배에 참여하는 사람 수와 관계없이 모든 경우에 적용 가능하도록 확장할 수 있다.

예를 들어, 케이크를 네 사람 A, B, C, D에게 공평하게 분배하는 방법은 다음과 같다.

> ① 예제 1.3.5의 방법을 이용하여 케이크를 A, B, C에게 공평하게 분배한다.
> ② A, B, C는 각각 분배받은 케이크를 공평하게 네 조각으로 나눈다.
> ③ D는 A, B, C가 나눈 케이크 중에서 각각 한 조각씩을 골라 갖는다.
> ④ A, B, C는 각각 자기가 자른 나머지 조각을 갖는다.

분배에 참여하는 사람 수와 관계없이 항상 공평하게 분배할 수 있는 다른 방법을 알아보자.

 예제 1.3.6 다음은 n 사람에게 케이크를 공평하게 분배하는 방법이다.

> 사람을 일렬로 세워 맨 앞부터 A_1, A_2, $\cdots$, A_n이라 하자.
>
> **Round 1**
> ① 맨 앞사람은 자기 몫만큼의 케이크를 잘라 다음 사람에게 건넨다.
> ② 각 사람은 건네받은 케이크가 한 사람의 몫으로 적당하면 그대로, 아니면 받은 케이크를 더 잘라낸 후에 다음 사람에게 건넨다.
> ③ 위 ②의 방법을 계속하여 맨 끝 사람은 건네받은 케이크가 한 사람의 몫으로 적당하면 마지막으로 케이크를 자른 사람에게 그 케이크를 갖게 하고, 아니면 받은 케이크를 더 잘라낸 후에 자신이 갖는다.
>
> **Round 2**
> Round 1에서 케이크를 가진 사람을 A_i라 할 때, 다음과 같이 새로 순서를 정하여 남은 케이크를 Round 1과 같은 방법으로 한 사람에게 나누어 준다.
> $$A_i = A_1 \text{이면 } A_2, A_3, \cdots, A_n$$
> $$A_i \neq A_1 \text{이면 } A_2, A_3, \cdots A_{i-1}, A_{i+1}, \cdots, A_n, A_1$$
>
> **Round 3-Round n**
> Round 2와 같은 방법을 모든 사람이 케이크를 나누어 가질 때까지 계속한다.

위의 방법으로 다섯 사람 A_1, A_2, A_3, A_4, A_5의 순서로 케이크를 나누게 하였더니 각 라운드에서 케이크를 자른 사람은 다음과 같았다.

$$\text{Round 1: } A_1, A_2, A_5$$
$$\text{Round 2: } A_2$$
$$\text{Round 3: } A_1, A_3$$

(1) 첫 번째로 케이크를 나누어 받은 사람은 누구인가?
(2) 두 번째로 케이크를 나누어 받은 사람은 누구인가?
(3) 세 번째로 케이크를 나누어 받은 사람은 누구인가?
(4) Round 4에서 처음으로 케이크를 자를 사람은 누구인가?

풀이 위의 분배에서는 각 라운드에서 마지막으로 케이크를 자른 사람이 자른 그 케이크를 차지하게 된다.

(1) Round 1에서 케이크를 마지막으로 자른 사람이 A_5이므로 첫 번째로 케이크를 받는 사람은 A_5이다.

(2) Round 2에서는 A_2, A_3, A_4, A_1의 순서로 케이크를 자르게 된다. A_2만 케이크를 잘랐으므로 두 번째로 케이크를 받는 사람은 A_2이다.

(3) Round 3에서는 A_3, A_4, A_1의 순서로 케이크를 자르게 된다. A_1이 케이크를 자른 마지막 사람이므로 세 번째로 케이크를 받는 사람은 A_1이다.

(4) Round 4에서는 A_4, A_3의 순서로 케이크를 자르게 되므로 A_4가 처음으로 케이크를 자르게 된다.

문제 1.3.6 케이크를 나누어 주려고 A_1, A_2, A_3, A_4의 순서로 예제 1.3.6처럼 케이크를 나누게 하였더니 각 라운드에서 케이크를 자른 사람은 다음과 같았다.

$$\text{Round 1: } A_1, A_2, A_4$$
$$\text{Round 2: } A_1, A_2$$
$$\text{Round 3: } A_3$$

(1) 첫 번째로 케이크를 나누어 받은 사람은 누구인가?

(2) Round 2에서 처음으로 케이크를 자를 사람은 누구인가?

(3) 두 번째로 케이크를 나누어 받은 사람은 누구인가?

(4) 세 번째로 케이크를 나누어 받은 사람은 누구인가?

이제 케이크의 경우와는 달리 보석이나 집처럼 자를 수 없는 경우의 공평분배 문제를 생각하여 보자.

예제 1.3.7 (재산분할문제) 1991년 미국인 도날드와 이바나는 이혼하기로 하고 그들이 소유한 약 6조 원의 다음과 같은 재산을 나누기로 하였다.

재산	기호
코네티컷트에 위치한 45개 방이 있는 대저택	A
마이애미에 위치한 118개 방이 있는 맨션아파트	B
트럼프 프라자 호텔	C
50개 방이 있는 트럼프 타워어 빌딩	D
현금과 보석	E

표 1.3.7

도날드와 이바나에게 상대방이 알지 못하게 위의 각 재산의 가치를 백분율(%)로 나타내도록 하였더니 아래와 같았다. 위의 재산을 도날드와 이바나에게 공평분배하여라.

	도날드	이바나
A	10	38
B	40	20
C	10	30
D	38	10
E	2	2

표 1.3.8

풀이 다음 순서로 주어진 재산을 배정한다.

(1) 우선 상대방보다 높은 가치를 부여한 사람에게 그 재산을 배정한다.

	차지할 재산	차지한 재산의 가치 (%)
도날드	B, D	40+38=78
이바나	A, C	38+30=68

표 1.3.9

(2) 둘이 똑같은 가치를 부여한 재산은 (1)에서 적게 배정 받은 사람에게 배정한다. 따라서 똑같은 가치를 부여한 E는 적게 배정 받은 이바나에게 배정한다.

	차지할 재산	차지한 재산의 가치 (%)
도날드	B, D	40+38=78
이바나	A, C, E	38+30+2=70

표 1.3.10

위의 표에서 보듯이 도날드와 이바나 모두에게 각자가 생각하는 몫인 50% 보다 많은 재산이 배정되었으므로 두 사람 모두 만족하는 공평분배임을 알 수 있다.

(3) 한편, 이바나보다 도날드에게 많은 가치의 재산이 배정되었으므로 아래와 같이 도날드에게 배정된 재산의 상대가치를 계산하여 상대가치가 작은 재산 B의 일부를 이바나에게 양도한다.

	도날드가 부여한 가치	이바나가 부여한 가치	상대가치
B	40	20	40/20=2
D	38	10	38/10=3.8

표 1.3.11

도날드가 B의 x를 소유하고 이바나가 B의 $1-x$를 소유한다면 도날드와 이바나가 차지한 재산의 총 가치는 각각 $38+40x$와 $70+20(1-x)$이다. 이 두 값은 같아야 하므로 $38+40x=70+20(1-x)$이다. 즉, $x=13/15=87\%$이다.

최종적으로 도날드와 이바나에게 배정된 재산과 그 가치는 다음과 같다.

	분배 받을 재산	분배 받을 재산의 가치 (%)
도날드	D, B의 13/15	38+40×13/15=72.7
이바나	A, C, E, B의 2/15	38+30+2+20×2/15=72.7

표 1.3.12

실제로 이바나는 위의 재산 중 A, C, E를 차지했고 여름휴가 목적으로 1년 중 한 달 동안 B를 사용하기로 하였다.

문제 1.3.7 아래 표는 갑과 을이 나누어 가질 물건과 그들이 생각하는 각 물건에 대한 가치를 백분율로 나타낸 것이다. 공평하게 아래 물건을 갑과 을에게 배정하라.

물건	갑이 부여한 가치(%)	을이 부여한 가치(%)
A	10	5
B	10	20
C	15	20
D	11	14
E	20	30
F	15	6
G	5	1
H	2	1
I	10	2
J	2	1

표 1.3.13

예제 1.3.8 (상속문제 1) 부모로부터 집과 임야를 상속받은 세 자녀 A, B, C는 이 유산을 다른 사람에게 팔지 않고 공평하게 나누려고 한다. 아래는 세 자녀 각자가 생각하는 집과 임야의 가격을 나타낸 것이다. 이 유산을 세 상속자에게 공평하게 분배하여라.

(단위: 만원)

	A	B	C
집	2600	2300	2500
임야	460	550	800
합계	3060	2850	3300

표 1.3.14

풀이 (1) 위의 표에서 각자가 생각하는 평가액의 $\frac{1}{3}$을 계산한다.

(단위: 만원)

	A	B	C
집	2600	2300	2500
임야	460	550	800
합계	3060	2850	3300
예상하는 몫	1020	950	1100

표 1.3.15

(2) 상속되는 재산은 그 재산을 가장 높게 평가한 사람에게 우선 배정한다.
이 경우에는 집과 임야를 가장 높은 가격을 책정한 A와 C에게 각각 배정한다.

(3) 배정된 재산과 각 사람이 예상하는 몫과의 차이를 계산하여 그 차이만큼 현금으로 지불하게 한다.
예를 들어 A는 2600만 원의 집을 받았는데 예상하는 몫이 1020만 원이므로 그 차이인 1580만 원을 현금으로 지불한다.

(단위: 만원)

	A	B	C
예상하는 몫	1020	950	1100
배정된 금액	2600	0	800
지불할 금액	1580	−950	−300

표 1.3.16

(4) 위 (3)에서 지불된 현금으로 자기의 예상하는 몫보다 적게 배정받은 사람의 몫을 채워준다.
A가 지불한 1580만 원으로 B에게 950만 원, C에게 300만 원을 지불한다.

(5) 몫을 배정하고 남은 돈이 있으면 3등분하여 각자에게 추가 배정한다.
위에서 330만 원이 남았으므로 A, B, C에게 각각 110만 원씩 추가로 배정한다.

최종적으로 세 사람에게 배정된 재산과 그 금액은 다음과 같다.

(단위: 만원)

	A	B	C
예상하는 몫	1020	950	1100
배정받은 재산	집, 현금 −1470	현금 1060	임야, 현금 410
상속받은 금액	1130	1060	1210

표 1.3.17

위의 표 1.3.17에서 보듯이 모든 상속자가 예상하는 몫보다 많이 배정받았으므로 공평분배이다. 이는 위의 재산을 세 사람이 부여한 가격 중 가장 높은 가격으로 판 결과와 같기 때문에 각각의 몫을 배정하고도 돈이 남으며 이 돈을 균등하게 나누어 추가 배당하기 때문이다.

문제 1.3.8 아래는 부모로부터 상속받은 유산 A, B, C, D, E에 대하여 세 상속자 갑, 을, 병이 생각하는 가격을 나타낸 것이다. 이 유산을 세 상속자 갑, 을, 병에게 공평하게 분배하라.

(단위: 만원)

	갑	을	병
A	1800	1500	1500
B	1800	2400	2000
C	1600	1200	1650
D	1400	1500	1350
E	2400	1800	2200

표 1.3.18

앞의 상속문제 1은 각 상속자의 상속받을 재산의 비율이 1:1:1로 모두 같았다. 이제 상속자의 상속받을 재산의 비율이 같지 않은 경우를 살펴보자.

예제 1.3.9 (상속문제 2) 부모로부터 집과 임야를 상속받은 세 자녀 A, B, C는 부모님의 유언에 따라 이 유산을 다른 사람에게 팔지 않고 각각 5:3:2의 비율로 나누려고 한다. 다음 표는 세 자녀가 생각하는 집과 임야의 가격을 나타낸 것이다. 모든 상속자에게 공평하게 분배하려면 어떻게 나누어야 할까?

(단위: 만원)

	A	B	C
집	2600	2300	2500
임야	460	550	800
합계	3060	2850	3300

표 1.3.19

풀이 예제 1.3.8과 비슷하게 문제를 해결하되 다만 각 상속자의 예상하는 몫을 5:3:2로 결정한다.

$$A가\ 예상하는\ 몫 = 3060 \times \frac{5}{5+3+2} = 1530$$

$$B가\ 예상하는\ 몫 = 2850 \times \frac{3}{5+3+2} = 855$$

$$C가\ 예상하는\ 몫 = 3300 \times \frac{2}{5+3+2} = 660 이다.$$

집과 임야를 가장 높은 가격을 책정한 A와 C에게 각각 배정한다. 이 때 각 상속자가 현금으로 지불해야 할 금액은 다음과 같다.

(단위: 만원)

	A	B	C
예상하는 몫	1530	855	660
배정받은 금액	2600	0	800
지불할 금액	1070	−855	140

표 1.3.20

이제 A가 지불한 1070만 원과 C가 지불한 140만 원으로 B에게 855만 원을 배정하고, 남은 돈 (1070+140)−855=355만 원을 또 5:3:2로 분할하여 A, B, C에게 각각 177.5만 원, 106.5만 원, 71만 원을 추가 지불한다.

최종적으로 A, B, C에게 배정된 재산과 그 금액은 다음과 같다.

(단위: 만원)

	A	B	C
예상하는 몫	1530	855	660
배정받은 재산	집, 현금 −892.5	현금 961.5	임야, 현금 −69
상속받은 금액	1707.5	961.5	731

표 1.3.21

문제 1.3.9 문제 1.3.8의 유산을 4:3:3의 비율로 세 상속자 갑, 을, 병에게 공평분배하여라.

과일이나 스낵처럼 값이 비슷한 여러 개의 품목을 몇 사람에게 공평하게 나누어 주는 방법에 대하여 알아보자.

예제 1.3.10 다음과 같은 22개의 과일과 스낵을 네 명 A, B, C, D에게 나누어 주려고 한다.

그림 1.3.4

네 명에게 위의 순서를 바꾸지 않고 각각 공평하게 네 묶음으로 나누라고 하니 다음과 같았다. 네 명에게 공평하게 분배하려면 어떻게 하여야할까?

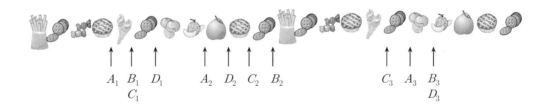

A_1 B_1 D_1 $\quad$ A_2 D_2 C_2 B_2 $\qquad$ C_3 A_3 B_3
$\quad\;\; C_1$ $\qquad\qquad\qquad\qquad\qquad\qquad\qquad\qquad\qquad D_3$

풀이 (ⅰ) 첫 번째 표시 중 가장 왼쪽에 표시한 A에게 A가 나눈 첫 번째 묶음을 준다.

A:

(ii) 이미 받은 A를 제외하고 두 번째 표시 중 가장 왼쪽에 표시한 D에게 D가
　　나눈 두 번째 묶음을 준다.

D:

(iii) 이미 받은 A와 D를 제외하고 세 번째 표시 중 가장 왼쪽에 표시한 C에게
　　C가 나눈 세 번째 묶음을 준다.

C:

(iv) 이제까지 받지 못한 B에게 B가 나눈 네 번째 묶음을 준다.

B:

(v) A, B, C, D에게 분배하고 남은 것은 다음과 같다. 제비뽑기나 주사위를 이용
　　하여 남은 것을 추가로 나누어 준다.

남은 것:

위에서 보듯이 네 명 모두가 각각 나눈 네 묶음 중 적어도 한 묶음은 차지하였으므로 이 분배는 공평분배임을 알 수 있다.

문제 1.3.10 12개의 물건을 세 명 A, B, C에게 나누어 주려고 각 사람에게 순서를 바꾸지 않고 공평하게 세 묶음으로 나누라고 하니 다음과 같았다.

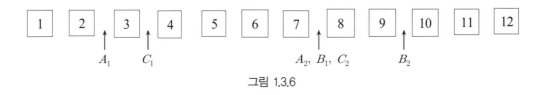

그림 1.3.6

(1) A, B, C에게 각 물건을 배정하라.
(2) 위의 (1)에서 배정하고 남은 물건은 무엇인가?

일반적으로 공평분배의 문제는 다음과 같은 두 가지로 나누어진다.

(1) 분배에 참여한 n 사람 모두 적어도 전체의 $\dfrac{1}{n}$ 을 차지했다고 생각하는 분배

(2) 분배에 참여한 n 사람 모두 적어도 다른 사람만큼 차지했다고 생각하는 분배

분배에 참여하는 사람이 두 명인 경우에는 (1)과 (2)가 똑같은 개념이나 둘보다 많은 경우에는 (1)과 (2)는 서로 다를 수 있다. 분명히 (2)를 만족하면 항상 (1)을 만족하며, 일반적으로 (2)를 만족하는 분배는 (1)을 만족하는 분배보다 훨씬 복잡하다. 이 책에서는 (1)의 조건을 만족하는 분배를 공평분배라고 정의하였다.

공평분배의 문제는 아니지만 일상생활에서 자주 사용되는 번갈아 선택하는 문제에 대하여 알아보자.

예제 1.3.11 무역회사를 동업하던 갑과 을은 각각의 개인 사정으로 회사를 폐업하기로 하고 사무실에 쓰던 집기도 서로 나누어 갖기로 하였다. 다음은 갑과 을이 원하는 집기의 순위를 나타낸 표이다.

	갑	을
1위	소파(S)	컴퓨터(C)
2위	팩스(F)	정수기(W)
3위	정수기(W)	소파(S)
4위	책상(D)	프린터(P)
5위	컴퓨터(C)	책상(D)
6위	프린터(P)	팩스(F)

표 1.3.22

갑부터 시작하여 갑과 을이 번갈아 선택하기로 한다면 갑과 을은 각각 어떻게 선택해야 합리적일까? (단, 갑과 을은 위와 같은 상대방의 우선순위를 알고 있다.)

풀이 갑과 을이 모두 합리적이라면 가장 원하지 않는 것을 먼저 선택하지는 않는다. 또 자기가 지금 선택하지 않더라도 다음 자기 차례까지 남아있을 것을 지금 자기 차례에 선택하지도 않는다. 을이 먼저 F를 선택하지 않을 것이므로 갑은 맨 마지막 차례에 F를 선택한다. 을도 갑이 먼저 P를 선택하지 않을 것이므로 을의 맨 마지막 차례에 P를 선택한다. 이제 위의 표에서 F와 P를 지우면 다음과 같다.

	갑	을
1위	소파(S)	컴퓨터(C)
2위	정수기(W)	정수기(W)
3위	책상(D)	소파(S)
4위	컴퓨터(C)	책상(D)

표 1.3.23

같은 방법을 이용하여 그 다음 마지막 차례에 갑과 을은 각각 D와 C를 선택한다. 이제 남은 두 개에서 갑은 S를, 을은 W를 선택한다. 위의 결과를 정리하면 다음과 같다.

	첫번째	두번째	세번째
갑	S	D	F
을	W	C	P

표 1.3.24

위 예제 1.3.11처럼 마지막 차례부터 결정하는 전략을 **bottom-up 전략**이라 한다.

문제 1.3.11 다음은 갑과 을이 원하는 물건의 순위를 나타낸 표이다.

	갑	을
1위	전축(A)	컴퓨터(C)
2위	TV	가스오븐(G)
3위	CD 플레이어	전축(A)
4위	컴퓨터(C)	세탁기(W)
5위	가스오븐(G)	TV
6위	세탁기(W)	CD 플레이어

표 1.3.25

갑부터 시작하여 갑과 을이 번갈아 선택하여 위의 물건을 나누어 가지려 한다. bottom-up 전략을 이용하여 갑과 을이 어떻게 선택해야 하는지 결정하여라.

1 세 물건 A, B, C를 갑, 을, 병에게 나누어 주려고 한다. 다음 표는 갑, 을, 병이 생각하는 A, B, C에 대한 가치를 백분율로 나타낸 것이다.

	갑	을	병
A	40%	30%	30%
B	50%	40%	30%
C	10%	30%	40%

(1) 갑, 을, 병에게 각각 A, B, C를 분배하면 공평분배일까?

(2) 갑, 을, 병에게 각각 A, B, C를 분배하였을 때 자기가 다른 사람보다 적게 차지했다고 생각하는 사람이 있는가?

2 케이크를 A, B, C 세 사람이 나누어 먹으려 한다. 다음 표는 A가 케이크를 세 조각으로 나누고 A, B, C가 생각하는 A가 자른 세 조각에 대한 가치를 나타낸 것이다. 세 사람 A, B, C에게 공평분배하려면 어떻게 나누어 주어야할까?

(1)

	첫째조각	둘째조각	셋째조각
A	33.3%	33.3%	33.3%
B	33%	35%	32%
C	36%	32%	32%

(2)

	첫째조각	둘째조각	셋째조각
A	33.3%	33.3%	33.3%
B	33%	35%	32%
C	31%	36%	33%

3 배를 타고 바다낚시를 즐기던 사람들이 배가 풍랑에 뒤집혀 표류하던 중 여섯 명이 세상과 연락이 전혀 닿지 않는 무인도에 도착하였다. 세상과 연락이 가능할 때까지 무인도에서 지내기로 하고 예제 1.3.6의 방법으로 여섯 명이 무인도를 나누어 갖기로 하였다.

여섯 명을 A_1, A_2, A_3, A_4, A_5, A_6라 하고 이 순서대로 땅을 나누게 하였더니 각 round에서 땅을 나눈 사람은 다음과 같았다.

Round 1: A_1, A_2, A_5, A_6

Round 2: A_1, A_2, A_5

Round 3: 모두

(1) Round 1에서 땅을 나누어 받은 사람은 누구인가?

(2) Round 2에서 땅을 나누어 받은 사람은 누구인가?

(3) Round 3에서 처음 땅을 나눈 사람은 누구인가?

(4) Round 3에서 땅을 나누어 받은 사람은 누구인가?

(5) Round 4에서 처음 땅을 나눈 사람은 누구인가?

(6) Round 4에서 마지막으로 땅을 나눌 기회를 갖고 있는 사람은 누구인가?

4 같은 잠수 동호회 회원인 영수와 인호는 바다 밑에서 침몰한 해적선을 발견하였다. 아래 표는 해적선에 있는 물건과 영수와 인호가 생각하는 각 물건에 대한 가치를 백분율로 나타낸 것이다. 공평하게 아래 물건을 영수와 인호에게 분배하라.

물건	영수가 부여한 가치(%)	인호가 부여한 가치(%)
A	4	22
B	10	20
C	50	25
D	6	3
E	15	15
F	1	8
G	10	2
H	4	5

5 아래 표는 부모로부터 상속받은 유산 A, B, C, D, E, F를 다섯 상속자 일남, 이남, 삼순, 사남, 오순이가 생각하는 가격을 나타낸 것이다.

(단위: 만원)

	일남	이남	삼순	사남	오순
A	3520	2950	3950	3680	3240
B	980	1020	980	950	1050
C	4600	4490	5100	5010	4760
D	8520	8250	8320	8170	8430
E	5130	5010	5050	5050	4910
F	7250	7380	7500	7440	7610

(1) 이 유산을 다섯 상속자에게 모두 같은 비율로 공평하게 분배하라.

(2) 이 유산을 일남, 이남, 삼순, 사남, 오순에게 각각 4:3:1:1:1의 비율로 공평하게 분배하라.

6 아래의 15개의 물건을 네 명 A, B, C, D에게 나누어 주려고 각각에게 순서를 바꾸지 않고 공평하게 네 묶음으로 나누라고 하니 다음과 같았다.

$$1 \quad 2 \quad 3 \quad 4 \quad 5 \quad 6 \quad 7 \quad 8 \quad 9 \quad 10 \quad 11 \quad 12 \quad 13 \quad 14 \quad 15$$

$$\uparrow \quad \uparrow \quad \uparrow \quad \uparrow \quad \uparrow \quad \uparrow \quad \uparrow \quad \uparrow \quad \uparrow \quad \uparrow \qquad \uparrow$$

$$C_1 \quad B_1 \quad C_2 \quad A_1 \quad A_2 \quad B_2 \quad D_1 \quad D_2 \quad A_3 \quad C_3 \qquad B_3$$
$$D_3$$

(1) A, B, C, D에게 분배할 물건을 결정하라.

(2) 위의 (1)에서 분배하고 남은 물건은 무엇인가?

7 다음은 형제인 삼철이와 수철이가 농부였던 아버지로부터 물려받은 물건과 그들이 원하는 물건의 순위를 나타낸 표이다.

	삼철	수철
1위	트럭	분무기
2위	경운기	경운기
3위	분무기	이양기
4위	이양기	트럭
5위	공구	오토바이
6위	오토바이	공구

삼철과 수철이가 bottom-up 전략을 이용하여 위의 물건을 나누어 가지려 한다.

(1) 삼철이부터 선택할 때 각각 삼철과 수철이가 선택한 물건들은 어떤 것인가?

(2) 수철이부터 선택할 때 각각 삼철과 수철이가 선택한 물건들은 어떤 것인가?

8 아래 그림과 같은 케이크를 네 사람 A, B, C, D가 나누어 먹으려 한다. 이제 A, B, C, D가 아닌 다른 사람 E가 칼을 평행하게 유지하면서 케이크의 왼쪽에서 오른쪽으로 서서히 움직일 때 A, B, C, D 중 한 사람이 '정지'라고 외치면 E는 그 자리에서 케이크를 잘라 '정지'라고 외친 사람에게 케이크의 왼쪽 부분을 분배한다. 이제 분배받은 사람을 제외하고 다시 같은 방법으로 다른 사람에게 분배하며 마지막 남은 케이크는 '정지'를 한 번도 외치지 않은 사람에게 주어진다. 위처럼 케이크를 나누는 방법은 공평분배임을 보여라.

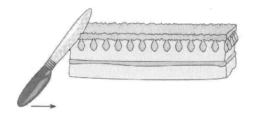

9 친구 사이인 A, B, C는 한 집을 빌려 함께 살기로 하였다. 다음 표는 그들이 매일 해야 할 집안일과 그 집안일을 하기 위한 A, B, C가 생각하는 비용을 나타낸 것이다. 각각의 집안일을 A, B, C에게 할당하고 할당된 집안 일이 공평하지 않을 때 각각이 지불 또는 받아야 할 금액을 결정하라.

집안일	A	B	C
목욕탕 청소	2000	3000	4000
식사 준비	5000	1000	2600
설거지	3000	2000	1700
마당 쓸기 및 쓰레기 버리기	3000	2000	1000
집안 청소	2000	4000	1500

10 케이크를 n명이 나눌 때 예제 1.3.5의 방법을 확장하여 공평하게 분배하는 방법을 만들어라.

제 4 절 할당

몇 개의 지역으로 나누어져 있는 어떤 도시의 시의회는 100명의 시의원으로 구성되어 있다. 지역에 살고 있는 주민 수에 비례하여 의원수를 배정한다면 각 지역에 몇 명의 시의원이 배정되어야할까? 이처럼 인구수가 서로 다른 집단에서 일정한 수의 대표를 뽑을 경우 각 집단에 **할당**되는 대표의 수는 어떻게 결정할 수 있는지 살펴보기로 하자.

예제 1.4.1 A, B, C, D는 부모님을 도운 대가로 함께 10,000원을 받았다. A, B, C, D가 부모님을 도운 시간이 각각 4시간, 3시간, 2시간, 1시간이었다면 부모님으로부터 받은 10,000원을 어떻게 나누어야할까?

풀이 부모님을 도운 시간에 비례하게 10,000원을 나누면 다음과 같다.

$$A: 10000 \times \frac{4}{4+3+2+1} = 4000$$

$$B: 10000 \times \frac{3}{4+3+2+1} = 3000$$

$$C: 10000 \times \frac{2}{4+3+2+1} = 2000$$

$$D: 10000 \times \frac{1}{4+3+2+1} = 1000$$

문제 1.4.1 어떤 도시는 세 지역 A, B, C로 나누어져 있고 각 지역의 주민 수는 다음과 같다.

지역	주민수
A	60000
B	40000
C	50000
합계	150000

표 1.4.1

위 도시에서 30명을 뽑아 시의회를 구성한다면 각 지역에 몇 명의 시의원이 배정되어야 할까?

위 예제 1.4.1과 문제 1.4.1에서는 각자의 몫이 모두 자연수이기 때문에 각자가 정확한 자기 몫을 배정받을 수 있었다. 그러나 어떤 사람의 몫이 자연수가 아닌 경우에는 그 사람은 정확한 자기의 몫을 배정받을 수 없고, 따라서 배정된 대표의 수도 배정할 전체 대표의 수와 달라질 수 있다. 이럴 경우 남은 대표를 추가로 배정하는 방법이 할당의 주요한 문제이다.

정의 1.4.1

x를 실수라 할 때 다음과 같이 정의하자.

$\lfloor x \rfloor$: x의 **내림**

$\lceil x \rceil$: x의 **올림**

(x) : x의 소수점 아래 첫째 자리에서 **반올림**

예를 들어

$\lfloor 3.2 \rfloor = 3$	$\lceil 3.2 \rceil = 4$	$(3.2) = 3$
$\lfloor 3.6 \rfloor = 3$	$\lceil 3.6 \rceil = 4$	$(3.6) = 4$
$\lfloor 3 \rfloor = 3$	$\lceil 3 \rceil = 3$	$(3) = 3$

이다.

정의 1.4.2

인구가 각각 N_1, N_2, $\cdots$, N_m인 집단 A_1, A_2, $\cdots$, A_m에서 R명의 대표를 뽑을 때 다음과 같이 정의하자.

총인구: $N = N_1 + N_2 + \cdots + N_m$

표준제수: $D = \dfrac{N}{R}$

집단 A_i의 **표준쿼터**: $Q_i = R \times \dfrac{N_i}{N} = \dfrac{N_i}{D}$

집단 A_i의 **하위쿼터**: $\lfloor Q_i \rfloor$

집단 A_i의 **상위쿼터**: $\lceil Q_i \rceil$

예를 들어 인구가 각각 1000, 2000, 3000명인 집단 A, B, C에서 40명의 대표를 뽑는다면

총인구: $N = 1000 + 2000 + 3000 = 6000$

표준제수: $D = \dfrac{N}{R} = \dfrac{6000}{40} = 150$

집단 A의 표준쿼터: $Q = 40 \times \dfrac{1000}{6000} = 6.667$

집단 A의 하위쿼터: $\lfloor Q \rfloor = \lfloor 6.667 \rfloor = 6$

집단 A의 상위쿼터: $\lceil Q_i \rceil = \lceil 6.667 \rceil = 7$

예제 1.4.2 A, B, C, D, E, F의 6구역으로 이루어진 어느 자치 단체에서 250명의 대표위원을 선출하려 한다. 각 구역의 인구가 다음과 같을 때, 각 구역에 그 구역의 표준 쿼터를 내림, 올림 또는 반올림한 수만큼의 대표위원을 할당할 수 있는가?

구역	인구
A	1,646,000
B	6,936,000
C	154,000
D	2,091,000
E	685,000
F	988,000
합계	12,500,000

표 1.4.2

풀이 각 구역의 표준쿼터를 구하여 내림, 올림, 반올림하면 다음과 같다.

구역	인구	표준쿼터	내림	올림	반올림
A	1,646,000	32.92	32	33	33
B	6,936,000	138.72	138	139	139
C	154,000	3.08	3	4	3
D	2,091,000	41.82	41	42	42
E	685,000	13.70	13	14	14
F	988,000	19.76	19	20	20
합계	12,500,000	250	246	252	251

표 1.4.3

표준쿼터를 내림, 올림, 반올림한 수의 합은 각각 246, 252, 251이고, 이는 전체 대표위원의 수 250과 다르므로 각 구역에 표준쿼터를 내림, 올림 또는 반올림한 수만큼의 대표위원을 할당할 수 없다.

문제 1.4.2 A, B, C, D의 4구역으로 이루어진 어느 자치 단체에서 10명의 대표위원을 선출하려 한다. 각 구역의 인구와 표준쿼터가 다음과 같을 때, 각 구역에 그 구역의 표준쿼터를 내림, 올림 또는 반올림한 수만큼의 대표위원을 할당할 수 있는가?

구역	인구	표준쿼터
A	230	1.15
B	270	1.35
C	290	1.45
D	1,210	6.05
합계	2,000	

표 1.4.4

위 예제 1.4.2와 문제 1.4.2에서 알 수 있듯이 각 구역의 표준쿼터를 내림, 올림, 반올림하여 합하면 전체 대표위원의 수와 다를 수 있기 때문에 항상 각 구역에 표준쿼터를 내림, 올림 또는 반올림한 수만큼의 대표를 할당할 수 있는 것은 아니다.

예제 1.4.3 어느 자치단체는 15구역으로 나눠져 있으며 각 구역의 인구는 다음과 같다.

구역	인구
A	630,560
B	475,327
C	432,879
D	353,523
E	331,589
F	278,514
G	236,841
H	206,236
I	179,570
J	141,822
K	85,533

L	70,835
M	68,705
N	68,446
O	55,540
합계	3,615,920

표 1.4.5

자치 단체를 대표할 105명의 대표위원을 아래에 주어진 방식으로 각 구역에 할당할 때 각 구역에 할당된 대표위원의 수를 결정하라.

| 해밀턴(Hamilton) 방식 |

① 각 구역의 표준쿼터와 하위쿼터를 구한다.
② 각 구역에 하위쿼터만큼 대표위원을 할당한다.
③ 위 ②처럼 할당하고도 여분이 있으면 표준쿼터의 소수부분을 비교하여 그 크기가 큰 순서대로 1명씩 더 할당한다.

풀이 각 구역의 표준쿼터와 하위쿼터를 구하면 각각 표 1.4.6의 셋째 열, 넷째 열과 같다.

구역	인구	표준쿼터	하위쿼터	할당된 위원 수
A	630,560	18.310	18	18
B	475,327	13.803	13 ↑	14
C	432,879	12.570	12 ↑	13
D	353,523	10.266	10	10
E	331,589	9.629	9 ↑	10
F	278,514	8.088	8	8
G	236,841	6.877	6 ↑	7
H	206,236	5.989	5 ↑	6
I	179,570	5.214	5	5
J	141,822	4.118	4	4
K	85,533	2.484	2	2
L	70,835	2.057	2	2
M	68,705	1.995	1 ↑	2
N	68,446	1.988	1 ↑	2
O	55,540	1.615	1 ↑	2
합계	3,615,920	105	97	105

표 1.4.6

각 구역에 넷째 열의 하위쿼터만큼 대표위원을 할당하면 모두 97명의 대표위원이 할당되고, 나머지 8명을 추가로 할당하기 위하여 표준쿼터의 소수부분을 비교한다. 표준쿼터의 소수부분이 큰 순서대로 구역을 나열하면

M, H, N, G, B, E, O, C, K, A, ⋯

이므로 8 구역 M, H, N, G, B, E, O, C에 추가로 1명씩 배당한다. 따라서 최종적으로 각 구역에 할당된 대표위원 수는 표 1.4.6의 마지막 열과 같다.

문제 1.4.3 선거에서 정당 A, B, C, D, E가 얻은 지지표와 577명의 국회의원을 각 정당에 할당할 때 표준쿼터는 다음과 같다.

정당	득표수	표준쿼터
A	323,829	23.04
B	880,702	62.65
C	5,572,614	396.43
D	1,222,498	86.97
E	111,224	7.91
합계	8,110,867	577

표 1.4.7

해밀턴 방식으로 각 정당에 할당될 국회의원의 수를 결정하라.

예제 1.4.4 어느 대학에서 제공하는 기초 수학과목과 그 과목에 수강 신청한 학생 수는 다음과 같다.

과목	수강 신청한 학생 수
대학 수학	188
미분적분학1	142
미분적분학2	138
응용해석학1	64
응용해석학2	218
합계	750

표 1.4.8

(1) 30명의 교육조교를 해밀턴 방식으로 할당할 때 각 과목에 할당될 교육조교의 수를 결정하라.

(2) 31명의 교육조교를 해밀턴 방식으로 할당할 때 각 과목에 할당될 교육조교의 수를 결정하라.

풀이 (1) 해밀턴 방식으로 30명의 교육조교를 할당할 때 각 과목의 표준쿼터와 하위쿼터를 구하여 각 과목에 할당된 교육조교의 수를 결정하면 다음과 같다.

과목	수강 신청한 학생 수	표준쿼터	하위쿼터	할당된 조교의 수
대학 수학	188	7.52	7	7
미분적분학1	142	5.68	5↑	6
미분적분학2	138	5.52	5	5
응용해석학1	64	2.56	2↑	3
응용해석학2	218	8.72	8↑	9
합계	750	30	27	30

표 1.4.9

(2) 해밀턴 방식으로 31명의 교육조교를 할당할 때 각 과목의 표준쿼터와 하위쿼터를 구하여 각 과목에 할당된 교육조교의 수를 결정하면 다음과 같다.

과목	수강 신청한 학생 수	표준쿼터	하위쿼터	할당된 조교의 수
대학 수학	188	7.771	7↑	8
미분적분학1	142	5.869	5↑	6
미분적분학2	138	5.704	5↑	6
응용해석학1	64	2.645	2	2
응용해석학2	218	9.011	9	9
합계	750	31	28	31

표 1.4.10

위 예제 1.4.4에서 (2)의 경우는 (1)에서 보다 할당될 교육조교가 1명 더 늘었음에도 불구하고 응용해석학1에 할당되는 교육조교의 수는 오히려 한 명 줄어드는 모순이 발생하였다. 이런 모순을 **앨라배마 역설**(Alabama paradox)이라고 한다.

---| **앨라배마 역설** |---

할당되는 전체 대표수가 늘어났음에도 불구하고 어떤 집단에 할당되는 대표 수는 오히려 줄
어드는 모순

문제 1.4.4 어느 자치단체는 3구역 A, B, C로 나누어져 있으며 각 구역의 인구와
각 지역에 35, 36, 37, 38, 39, 40명의 대표위원을 할당할 때 표준쿼터는 각각 다음과 같다.

구역	인구	표준쿼터 (35명)	표준쿼터 (36명)	표준쿼터 (37명)	표준쿼터 (38명)	표준쿼터 (39명)	표준쿼터 (40명)
A	59,000	13.86	14.26	14.65	15.05	15.44	15.84
B	76,000	17.85	18.36	18.87	19.38	19.89	20.40
C	14,000	3.29	3.38	3.48	3.57	3.67	3.76
합계	149,000	35	36	37	38	39	40

표 1.4.11

(1) 각각 35, 36, 37, 38, 39, 40명의 대표위원을 해밀턴 방식으로 할당할 때 각 과목에 할
당될 대표위원의 수를 결정하라.
(2) 이 할당 문제에서 앨라배마 역설이 언제 발생하는가?

예제 1.4.5 A, B, C, D, E의 5구역으로 이루어진 어느 자치 단체에서 50명의 대
표위원을 선출하려고 한다.

구역	인구
A	150,000
B	78,000
C	173,000
D	204,000
E	295,000
합계	900,000

표 1.4.12

(1) 해밀턴 방식으로 각 구역에 할당될 대표위원의 수를 결정하라.

(2) 10년 뒤 인구를 재조사하였더니 다음 표와 같았다. 이 표를 이용하여 해밀턴 방식으로 각 구역에 할당될 대표위원의 수를 결정하라.

구역	인구
A	150,000
B	78,000
C	181,000 ↑
D	204,000
E	296,000 ↑
합계	909,000 ↑

표 1.4.13

풀이 (1) 각 구역의 표준쿼터와 하위쿼터를 구하여 해밀턴 방식으로 각 구역에 할당된 대표위원의 수를 결정하면 다음과 같다.

구역	인구	표준쿼터	하위쿼터	할당된 위원 수
A	150,000	8.333	8	8
B	78,000	4.333	4	4
C	173,000	9.611	9 ↑	10
D	204,000	11.333	11	11
E	295,000	16.388	16 ↑	17
합계	900,000	50	48	50

표 1.4.14

(2) 10년 후의 인구를 이용하여 각 구역의 표준쿼터와 하위쿼터를 구하여 해밀턴 방식으로 각 구역에 할당된 대표위원의 수를 결정하면 다음과 같다.

구역	인구	표준쿼터	하위쿼터	할당된 위원 수
A	150,000	8.25	8	8
B	78,000	4.29	4 ↑	5
C	181,000	9.96	9 ↑	10
D	204,000	11.22	11	11
E	296,000	16.28	16	16
합계	909,000	50	48	50

표 1.4.15

위 예제 1.4.5에서 위 (1)과 (2)를 비교하면 B의 인구는 전혀 변하지 않았는데도 할당된 위원 수는 1명 늘었고, E의 인구는 전보다 늘었는데도 할당된 위원 수는 오히려 1명 줄어드는 모순이 발생하였다. 이런 모순을 **인구 역설(population paradox)**이라고 한다.

┤ 인구 역설 ├─

집단 X의 인구 증가율이 집단 Y의 인구 증가율보다 높음에도 불구하고 X는 전보다 적은 대표를 할당 받고 Y는 전보다 많은 대표를 할당받는 모순

문제 1.4.5 A, B, C, D의 4구역으로 이루어진 어느 자치 단체에서 100명의 대표위원을 선출하려 한다.

구역	인구	표준쿼터
A	5,525,381	42.30
B	3,470,152	26.57
C	3,864,226	29.59
D	201,003	1.54
합계	13,060,762	100

표 1.4.16

(1) 해밀턴 방식으로 각 구역에 할당될 대표위원의 수를 결정하라.
(2) 10년 뒤 인구를 재조사하였더니 다음 표와 같았다. 이 표를 이용하여 각 구역의 인구 증가율을 계산하라. 또 해밀턴 방식으로 각 구역에 할당될 대표위원의 수를 결정하라.

구역	인구	표준쿼터
A	5,657,564	42.69
B	3,507,464	26.47
C	3,885,693	29.32
D	201,049	1.52
합계	13,251,770	100

표 1.4.17

(3) 위 (1)과 (2)에서 인구 역설이 발생하였는가?

예제 1.4.6 어느 지역에 두 고등학교 A, B가 있고 각 고등학교에 등록한 학생 수는 다음과 같다.

고등학교	등록한 학생 수
A	1045
B	8955
합계	10,000

표 1.4.18

(1) 이제 100명의 상담원을 두 고등학교 A, B에 할당하려 한다. 해밀턴 방식으로 각 고등학교에 할당될 상담원의 수를 결정하라.

(2) 등록한 학생수가 525명인 고등학교 C가 신설되어 5명의 상담원을 증원하여 이 지역에 편입시켰다. 해밀턴 방식으로 A, B, C에 할당될 상담원의 수를 결정하여라.

풀이 (1) 각 학교의 표준쿼터와 하위쿼터를 구하여 해밀턴 방식으로 각 학교에 할당된 상담원의 수를 결정하면 표 1.4.19와 같다.

고등학교	등록한 학생 수	표준쿼터	하위쿼터	할당된 상담원 수
A	1045	10.45	10	10
B	8955	89.55	89 ↑	90
합계	10,000	100	99	100

표 1.4.19

(2) 고등학교 C를 새로 편입한 후 각 학교의 표준쿼터와 하위쿼터를 구하여 해밀턴 방식으로 각 학교에 할당된 상담원의 수를 결정하면 다음과 같다.

고등학교	등록한 학생 수	표준쿼터	하위쿼터	할당된 상담원 수
A	1045	10.425	10 ↑	11
B	8955	89.337	89	89
C	525	5.238	5	5
합계	10,525	105	104	105

표 1.4.20

위 예제 1.4.6의 (1)에서 상담원 1명이 담당해야 할 학생의 수는 대략 100명이므로 학생 수 525명인 학교 C에 5명의 상담원이 배정된 것이다. 그러나 C가 신설된 후 다시 계산하니 A와 B에 할당된 상담원의 수가 변하는 모순이 발생하였다. 이 모순을 **새 집단 역설** (new-states paradox)이라고 한다.

┌─── 새 집단 역설 ───┐
  새로운 집단이 추가되어 공정한 몫만큼의 대표를 그 집단에 배정하고 다시 계산하면 다른
  집단에 할당되는 대표의 수가 변하는 모순
└──┘

 문제 1.4.6 어느 지역에는 세 군 A, B, C가 있고 각 군의 인구는 표 1.4.21과 같다.

군	인구	표준쿼터
A	3525	35.25
B	4739	47.39
C	1736	17.36
합계	10,000	100

표 1.4.21

군	인구	표준쿼터
A	3525	35.15
B	4739	47.25
C	1736	17.31
D	530	5.29
합계	10,000	105

표 1.4.22

(1) 이제 100명의 공무원을 세 군 A, B, C에 할당하려 한다. 표 1.4.21을 참조하여 해밀턴 방식으로 각 군에 할당될 공무원의 수를 결정하라.

(2) 인구수가 530명인 군 D가 새로 신설되어 이 지역에 5명의 공무원을 배정하여 편입시켰다. 표 1.4.22를 참조하여 해밀턴 방식으로 A, B, C, D에 할당될 공무원의 수를 결정하라.

(3) 위 (1)과 (2)에서 어떤 모순이 생겼는가?

할당문제에서 해밀턴 방식은 간편하여 사용하기 쉽고, 각 집단에 할당되는 대표수가 항상 하위쿼터나 상위쿼터 중 하나라는 장점이 있다. 즉, 다음과 같은 쿼터 규칙을 만족한다.

┌─── 쿼터 규칙 ───┐
  각 집단에 할당되는 대표의 수는 하위쿼터 또는 상위쿼터 중에서 하나이다.
└──┘

그러나 해밀턴 방식은 위에서 보듯이 여러 모순을 갖고 있어 현재는 거의 쓰이지 않고 있다. 지금까지 살펴본 해밀턴 방식의 특징을 요약하면 다음과 같다.

┤ **해밀턴 방식의 특징** ├

① 쿼터 규칙을 만족한다. ② 앨라배마 역설이 생길 수 있다.

③ 인구 역설이 생길 수 있다. ④ 새 집단 역설이 생길 수 있다.

지금까지 살펴본 해밀턴 방식은 각 집단의 표준쿼터를 구하고 그것을 이용하여 할당하였다. 이제 각 집단의 인구수를 적당한 수 E로 나눈 수정쿼터를 이용하는 제퍼슨(Jefferson) 방식, 애덤스(Adams) 방식, 웹스터(Webster) 방식에 대하여 알아보자.

인구가 각각 N_1, N_2, $\cdots$, N_m인 집단 A_1, A_2, $\cdots$, A_m에서 R명의 대표를 뽑는다고 하자.

┤ **제퍼슨 방식** ├

각 집단 A_i에 $\dfrac{N_i}{E}$의 내림만큼 할당하면 전체 대표가 모두 할당되도록 E를 정하고 각 집단에 $\dfrac{N_i}{E}$의 내림만큼 할당한다.

┤ **애덤스 방식** ├

각 집단 A_i에 $\dfrac{N_i}{E}$의 올림만큼 할당하면 전체 대표가 모두 할당되도록 E를 정하고 각 집단에 $\dfrac{N_i}{E}$의 올림만큼 할당한다.

┤ **웹스터 방식** ├

각 집단 A_i에 $\dfrac{N_i}{E}$의 반올림만큼 할당하면 전체 대표가 모두 할당되도록 E를 정하고 각 집단에 $\dfrac{N_i}{E}$의 반올림만큼 할당한다.

예제 1.4.7 A, B, C, D, E, F의 6구역으로 이루어진 어느 자치 단체에서 250명의 대표위원을 선출하려 한다. 각 구역의 인구가 다음과 같을 때 아래 주어진 방식으로 각 구역에 할당된 대표위원의 수를 결정하라.

구역	인구
A	1,646,000
B	6,936,000
C	154,000
D	2,091,000
E	685,000
F	988,000
합계	12,500,000

표 1.4.23

(1) 해밀턴 방식　　　　　　　　　(2) 제퍼슨 방식
(3) 애덤스 방식　　　　　　　　　(4) 웹스터 방식

풀이 (1) 각 구역의 표준쿼터와 하위쿼터를 구하여 해밀턴 방식으로 각 구역에 대표위원을 할당하면 다음과 같다.

구역	인구	표준쿼터	하위쿼터	할당된 위원 수
A	1,646,000	32.92	32 ↑	33
B	6,936,000	138.72	138 ↑	139
C	154,000	3.08	3	3
D	2,091,000	41.82	41 ↑	42
E	685,000	13.70	13	13
F	988,000	19.76	19 ↑	20
합계	12,500,000	250	246	250

표 1.4.24

(2) 각각 $E = 49300$, $E = 49500$, $E = 49700$일 때 각 구역의 수정쿼터 $\dfrac{\text{인구}}{E}$와 그 내림을 구하면 다음과 같다.

구역	인구	수정쿼터 ($E = 49300$)	내림	수정쿼터 ($E = 49500$)	내림	수정쿼터 ($E = 49700$)	내림
A	1,646,000	33.39	33	33.25	33	33.12	33
B	6,936,000	140.69	140	140.12	140	139.56	139
C	154,000	3.12	3	3.11	3	3.10	3
D	2,091,000	42.41	42	42.24	42	42.07	42
E	685,000	13.89	13	13.84	13	13.78	13
F	988,000	20.04	20	19.96	19	19.88	19
합계	12,500,000	253.54	251	252.52	250	251.51	249

표 1.4.25

따라서 제퍼슨 방식으로 각 구역에 대표위원을 할당하면 다음과 같다.

구역	인구	표준쿼터	수정쿼터	할당된 위원 수
A	1,646,000	32.92	33.25	33
B	6,936,000	138.72	140.12	140
C	154,000	3.08	3.11	3
D	2,091,000	41.82	42.24	42
E	685,000	13.70	13.84	13
F	988,000	19.76	19.96	19
합계	12,500,000	250	252.52	250

표 1.4.26

(3) 각각 $E = 50500$, $E = 50700$, $E = 51000$일 때 각 구역의 수정쿼터 $\dfrac{인구}{E}$ 와 그 올림을 구하면 다음과 같다.

구역	인구	수정쿼터 ($E = 50500$)	올림	수정쿼터 ($E = 50700$)	올림	수정쿼터 ($E = 51000$)	올림
A	1,646,000	32.59	33	32.47	33	32.27	33
B	6,936,000	137.35	138	136.80	137	136	136
C	154,000	3.05	4	3.04	4	3.02	4
D	2,091,000	41.41	42	41.24	42	41	41
E	685,000	13.56	14	13.51	14	13.43	14
F	988,000	19.56	20	19.49	20	19.37	20
합계	12,500,000	247.52	251	246.55	250	245.09	248

표 1.4.27

따라서 애덤스 방식으로 각 구역에 대표위원을 할당하면 다음과 같다.

구역	인구	표준쿼터	수정쿼터	할당된 위원 수
A	1,646,000	32.92	32.47 ↑	33
B	6,936,000	138.72	136.80 ↑	137
C	154,000	3.08	3.04 ↑	4
D	2,091,000	41.82	41.24 ↑	42
E	685,000	13.70	13.51 ↑	14
F	988,000	19.76	19.49 ↑	20
합계	12,500,000	250	246.55	250

표 1.4.28

(4) 각각 $E=49900$, $E=50100$, $E=50400$일 때 각 구역의 수정쿼터 $\dfrac{인구}{E}$와 그 반올림을 구하면 다음과 같다.

구역	인구	수정쿼터 ($E=49900$)	반올림	수정쿼터 ($E=50100$)	반올림	수정쿼터 ($E=50400$)	반올림
A	1,646,000	32.99	33	32.85	33	32.66	33
B	6,936,000	139	139	138.44	138	137.62	138
C	154,000	3.01	3	3.07	3	3.06	3
D	2,091,000	41.9	42	41.74	42	41.49	41
E	685,000	13.73	14	13.67	14	13.59	14
F	988,000	19.8	20	19.72	20	19.6	20
합계	12,500,000	250.5	251	249.49	250	248.02	249

표 1.4.29

따라서 웹스터 방식으로 각 구역에 대표위원을 할당하면 다음과 같다.

구역	인구	표준쿼터	수정쿼터	할당된 위원 수
A	1,646,000	32.92	32.85 ↑	33
B	6,936,000	138.72	138.44	138
C	154,000	3.08	3.07	3
D	2,091,000	41.82	41.74 ↑	42
E	685,000	13.70	13.67 ↑	14
F	988,000	19.76	19.72 ↑	20
합계	12,500,000	250	249.49	250

표 1.4.30

위 예제 1.4.7의 내용을 정리하면 다음과 같다.

구역	인구	표준쿼터	해밀턴 방식	제퍼슨 방식	애덤스 방식	웹스터 방식
A	1,646,000	32.92	33	33	33	33
B	6,936,000	138.72	139	140	137	138
C	154,000	3.08	3	3	4	3
D	2,091,000	41.82	42	42	42	42
E	685,000	13.70	13	13	14	14
F	988,000	19.76	20	19	20	20
합계	12,500,000	250	250	250	250	250

표 1.4.31

예제 1.4.7에서 제퍼슨 방식과 애덤스 방식으로 B에 할당된 대표위원 수는 B의 하위쿼터나 상위쿼터와 일치하지 않았다. 즉, 제퍼슨 방식과 애덤스 방식은 쿼터 규칙을 만족하지 않는다. 이 문제의 경우 웹스터 방식은 쿼터 규칙을 만족하고 있지만 웹스터 방식이 항상 쿼터 규칙을 만족하는 것은 아니다. 예를 들어 각 구역의 인구가 다음과 같은 어느 자치단체에서 100명의 대표위원을 선출할 때 각 구역에 할당된 대표위원의 수를 웹스터 방식으로 결정하여 보자.

구역	인구
A	298,000
B	201,000
C	298,000
D	202,000
E	202,000
F	1,999,000
합계	3,200,000

표 1.4.32

$E = 31400$을 이용한 수정쿼터로 각 구역에 대표위원을 할당하면 다음과 같다.

구역	인구	표준쿼터	수정쿼터	할당된 위원 수
A	298,000	9.313	9.490	9
B	201,000	6.281	6.401	6
C	298,000	9.313	9.490	9
D	202,000	6.313	6.433	6
E	202,000	6.313	6.433	6
F	1,999,000	62.469	63.662	64

합계	3,200,000	100.000	101.911	100

표 1.4.33

위 표에서 F에 할당된 64명은 F의 하위쿼터나 상위쿼터가 아니므로 이 경우에 쿼터 규칙을 만족하지 않는다. 따라서 웹스터 방식도 항상 쿼터 규칙을 만족하는 것은 아니다.

문제 1.4.7 어느 고등학교의 1, 2, 3학년 학생수는 각각 464, 240, 196명이다. 이 학교 학생 중에서 20명의 대표를 뽑을 때 각 학년에 할당된 대표수를 표 1.4.33을 참조하여 아래에 주어진 방식으로 결정하라.

E	1학년 수정쿼터	2학년 수정쿼터	3학년 수정쿼터
42	11.05	5.71	4.67
42.2	11	5.69	4.64
42.4	10.94	5.66	4.62
42.6	10.89	5.63	4.6
42.8	10.84	5.61	4.58
43	10.79	5.58	4.56
43.2	10.74	5.56	4.54
43.4	10.69	5.53	4.52
43.6	10.64	5.5	4.5
43.8	10.59	5.48	4.47
44	10.55	5.45	4.45
44.2	10.5	5.43	4.43
44.4	10.45	5.41	4.41
44.6	10.4	5.38	4.39
44.8	10.36	5.36	4.38
45	10.31	5.33	4.36
45.2	10.27	5.31	4.34
45.4	10.22	5.29	4.32
45.6	10.18	5.26	4.3
45.8	10.13	5.24	4.28
46	10.09	5.22	4.26
46.2	10.04	5.19	4.24
46.4	10	5.17	4.22

46.6	9.96	5.15	4.21
46.8	9.91	5.13	4.19
47	9.87	5.11	4.17
47.2	9.83	5.08	4.15
47.4	9.79	5.06	4.14
47.6	9.75	5.04	4.12
47.8	9.71	5.02	4.1
48	9.67	5	4.08
48.2	9.63	4.98	4.07

표 1.4.34

(1) 해밀턴 방식   (2) 제퍼슨 방식

(3) 애덤스 방식   (4) 웹스터 방식

예제 1.4.8 세 개의 주 A, B, C로 나누어져 있는 어느 나라에서 100명의 하원 의원을 각 주에 할당하려고 한다. 각 주의 인구가 다음과 같을 때 아래에 주어진 방식으로 각 주에 할당된 하원 의원의 수를 결정하라.

주	인구
A	3,480
B	46,010
C	50,510
합계	100,000

표 1.4.35

┤ 헌팅턴-힐(Huntington-Hill) 방식 ├

인구가 각각 N_1, N_2, $\cdots$, N_m인 집단 A_1, A_2, $\cdots$, A_m에서 R명의 대표를 뽑는다고 하자. 각 집단 A_i에

$$\frac{N_i}{E} < \sqrt{L_i(L_i+1)} \text{ 이면 } L_i \text{ 명,}$$

$$\frac{N_i}{E} \geq \sqrt{L_i(L_i+1)} \text{ 이면 } L_i+1 \text{ 명}$$

을 할당하면 전체 대표가 모두 할당되도록 E를 정한다. 단, $L_i = \left\lfloor \dfrac{N_i}{E} \right\rfloor$

풀이 다음과 같은 수정쿼터를

$$\text{수정쿼터} = \frac{\text{인구}}{1001}$$

를 이용하여 A, B, C의 수정쿼터를 구하면 각각 3.477, 45.964, 50.460이므로 $L_1 = 3$, $L_2 = 45$, $L_3 = 50$이다. 따라서

$$3.477 > \sqrt{L_1(L_1+1)} = \sqrt{12} = 3.464$$

$$45.964 > \sqrt{L_2(L_2+1)} = \sqrt{2070} = 45.497$$

$$50.460 < \sqrt{L_3(L_3+1)} = \sqrt{2550} = 50.498$$

이므로 A에는 3+1=4명, B에는 45+1=46명, C에는 50명이 할당되었다.

위 풀이 과정을 요약하면 표 1.4.36과 같다.

주	인구	표준쿼터	수정쿼터 ($E=1001$)	L_i	$\sqrt{L_i(L_i+1)}$	할당된 의원 수
A	3,480	3.48	3.477	3	3.464 ↑	4
B	46,010	46.01	45.964	45	45.467 ↑	46
C	50,510	50.51	50.460	50	50.498	50
합계	100,000	100.00	99.901	98		100

표 1.4.36

문제 1.4.8 어느 고등학교에는 세 개의 특별반 A, B, C가 있고 각 반에 등록되어 있는 학생 수는 다음과 같다. A, B, C에서 5명의 대표를 뽑을 때 각 반에 할당된 대표수를 헌팅턴-힐 방식으로 결정하라.

특별반	학생수	수정쿼터 ($E=19$)	수정쿼터 ($E=20$)	수정쿼터 ($E=21$)	수정쿼터 ($E=22$)	수정쿼터 ($E=23$)
A	56	2.95	2.8	2.67	2.55	2.43
B	28	1.47	1.4	1.33	1.27	1.22
C	7	0.37	0.35	0.33	0.32	0.30
합계	91					

표 1.4.37

(단, $\sqrt{0}=0$, $\sqrt{2}=1.414$, $\sqrt{6}=2.449$, $\sqrt{12}=3.464$)

지금까지 살펴본 할당의 여러 방식이 갖는 특징을 요약하면 다음과 같다.

	해밀턴 방식	제퍼슨 방식	애덤스 방식	웹스터 방식	헌팅턴-힐 방식
쿼터 규칙	O	X	X	X	X
앨라배마 역설	O	X	X	X	X
인구 역설	O	X	X	X	X
새 집단 역설	O	X	X	X	X

표 1.4.38

위 표에서 보듯이 우리가 살펴본 할당의 방법은 쿼터 규칙을 만족하면 여러 모순이 생길 수 있고, 모순이 없는 방법은 쿼터 규칙을 만족하지 않는다. 사실 쿼터 규칙을 만족하면서 어떠한 모순도 생기지 않는 완전한 할당의 방법은 없다.

정리 1.4.3 밸린스키(Balinski)와 영(Young)의 불가능정리

쿼터 규칙을 위반하지 않는 할당 방법은 위에서 살펴본 모순을 낳고 어떤 모순도 생기지 않는 할당 방법은 쿼터 규칙을 위반한다. 즉, 쿼터 규칙을 만족하면서 어떠한 모순도 생기지 않는 완전한 할당의 방법은 없다.

1 세 자매 A, B, C에게 그들이 부모님을 도운 시간에 비례하여 사탕을 분배하려고 한다. A, B, C가 그들의 부모님을 도운 시간은 다음과 같다. (단위: 분)

자매	A	B	C
부모님을 도운 시간	54	243	703

(1) 해밀턴 방식으로 10개의 사탕을 분배할 때 각자에게 할당되는 사탕의 수를 결정하라.

(2) 해밀턴 방식으로 11개의 사탕을 분배할 때 각자에게 할당되는 사탕의 수를 결정하라.

(3) 세 자매 A, B, C가 부모님을 추가로 도와 총 부모님을 도운 시간은 다음과 같다. 해밀턴 방식으로 11개의 사탕을 분배할 때 각자에게 할당되는 사탕의 수를 결정하라.

자매	A	B	C
부모님을 도운 시간	56	255	789

(4) 위 (1)과 (2)에서 어떤 사실을 알 수 있는가?

(5) 위 (2)와 (3)에서 어떤 사실을 알 수 있는가?

2 어느 자치단체는 5구역 A, B, C, D, E로 나눠져 있으며 $E = 5500$일 때 각 구역의 수정쿼터는 다음과 같다.

구역	A	B	C	D	E
수정쿼터	25.26	18.32	2.58	37.16	40.68

(1) 각 구역의 인구를 구하여라.

(2) 해밀턴 방식으로 100명의 대표를 뽑을 때 각 구역에 할당되는 대표수를 구하여라.

3 어느 자치단체는 5구역 A, B, C, D, E로 나눠져 있으며 각 구역의 수정쿼터는 다음과 같다.

구역	A	B	C	D	E
수정쿼터	25.26	18.32	2.58	37.16	40.68

이 수정쿼터를 이용하여 다음 방법으로 할당할 때 각 구역에 할당되는 대표수를 구하여라.

(1) 각 구역에 그 구역 수정쿼터의 내림만큼 할당한다.

(2) 각 구역에 그 구역 수정쿼터의 올림만큼 할당한다.

(3) 각 구역에 그 구역 수정쿼터의 반올림만큼 할당한다.

(4) 어떤 구역의 수정쿼터가 x라고 할 때

$$x < \sqrt{\lfloor x \rfloor (\lfloor x \rfloor + 1)} \text{이면 } \lfloor x \rfloor \text{ 명,}$$
$$x \geq \sqrt{\lfloor x \rfloor (\lfloor x \rfloor + 1)} \text{이면 } \lfloor x \rfloor + 1 \text{ 명을}$$

그 구역에 할당한다.

4 네 개의 종합병원 A, B, C, D의 평균 환자 수는 다음과 같다.

병원	A	B	C	D	합계
환자 수	871	1029	610	190	2700

A, B, C, D에 225명의 간호사를 배정할 때 주어진 수정쿼터를 참조하여 아래의 방법으로 각 병원에 배정되는 간호사의 수를 구하여라.

E	A의 수정쿼터	B의 수정쿼터	C의 수정쿼터	D의 수정쿼터
11.90	73.1933	86.4706	51.2605	15.9664
11.92	73.0705	86.3256	51.1745	15.9400
11.94	72.9481	86.1809	51.0888	15.9129
11.96	72.8261	86.0368	51.0033	15.8863
11.98	72.7045	85.8932	50.9182	15.8598
12.00	72.5833	85.7500	50.8333	15.8333
12.02	72.4626	85.6073	50.7488	15.8070
12.04	72.3422	85.4651	50.6645	15.7807
12.06	72.2222	85.3234	50.5804	15.7546
12.08	72.1026	85.1821	50.4967	15.7285
12.10	71.9835	85.0413	50.4132	15.7025
12.12	71.8647	84.9010	50.3300	15.6766
12.14	71.7463	84.7611	50.2471	15.6508

(1) 해밀턴 방식   (2) 제퍼슨 방식   (3) 애덤스 방식

(4) 웹스터 방식   (5) 헌팅턴-힐 방식

5 다음은 6개의 버스 노선 A, B, C, D, E, F의 일일 평균 이용자 수를 조사한 표이다.

노선	A	B	C	D	E	F	합계
일일 평균 이용자 수	45,300	31,070	20,490	14,160	10,260	8,720	130,000

130대의 버스를 위 노선에 할당할 때 주어진 수정쿼터를 참조하여 아래의 방법으로 각 노선에 할당되는 버스의 수를 구하여라.

E	A의 수정쿼터	B의 수정쿼터	C의 수정쿼터	D의 수정쿼터	E의 수정쿼터	F의 수정쿼터
968	46.7975	32.0971	21.1674	14.6281	10.5992	9.0083
972	46.6049	31.9650	21.0803	14.5679	10.5556	8.9712
976	46.4139	31.8340	20.9939	14.5082	10.5123	8.9344
992	45.6653	31.3206	20.6552	14.2742	10.3428	8.7903
996	45.4819	31.1948	20.5723	14.2169	10.3012	8.7550
1000	45.3000	31.0700	20.4900	14.1600	10.2600	8.7200
1024	44.2383	30.3418	20.0098	13.8281	10.0196	8.5156
1025	44.1951	30.3122	19.9902	13.8146	10.0098	8.5073
1026	44.1521	30.2827	19.9708	13.8012	10.0000	8.4990
1027	44.1091	30.2532	19.9513	13.7877	9.9903	8.4908

(1) 해밀턴 방식   (2) 제퍼슨 방식   (3) 애덤스 방식
(4) 웹스터 방식   (5) 헌팅턴-힐 방식

6 어느 자치단체는 5구역 A, B, C, D, E로 나눠져 있으며 각 구역의 인구는 다음과 같다.

구역	인구	표준쿼터
A	164,600	32.92
B	76,200	15.24
C	208,100	41.62
D	106,600	21.32
E	694,500	138.9
합계	1250,000	250

250명의 대표를 각 구역에 다음 방법으로 할당할 때 각 구역에 할당되는 대표수를 구하여라.

(1) 해밀턴 방식   (2) Lowndes 방식

(3) 해밀턴 방식은 인구가 많은 집단과 적은 집단 중 어느 집단에 더 유리한가?

(4) Lowndes 방식은 인구가 많은 집단과 적은 집단 중 어느 집단에 더 유리한가?

7 어느 자치단체는 6구역 A, B, C, D, E, F로 나눠져 있으며 각 구역의 인구는 다음과 같다.

구역	A	B	C	D	E	F
인구	344,970	408,700	219,200	587,210	154,920	285,000

위 구역에 200명의 대표를 할당할 때 주어진 수정쿼터를 참조하여 다음 물음에 답하라.

E	A의 수정쿼터	B의 수정쿼터	C의 수정쿼터	D의 수정쿼터	E의 수정쿼터	F의 수정쿼터
9999.4	34.4991	40.8725	21.9213	58.7245	15.4929	28.5017
9999.5	34.4987	40.8720	21.9211	58.7239	15.4928	28.5014
9999.6	34.4984	40.8716	21.9209	58.7233	15.4926	28.5011
9999.7	34.4980	40.8712	21.9207	58.7228	15.4925	28.5009
9999.8	34.4977	40.8708	21.9204	58.7222	15.4923	28.5006
9999.9	34.4973	40.8704	21.9202	58.7216	15.4922	28.5003
10000.0	34.4970	40.8700	21.9200	58.7210	15.4920	28.5000
10000.1	34.4967	40.8696	21.9198	58.7204	15.4918	28.4997
10000.2	34.4963	40.8692	21.9196	58.7198	15.4917	28.4994
10000.3	34.4960	40.8688	21.9193	58.7192	15.4915	28.4992
10000.4	34.4956	40.8684	21.9191	58.7187	15.4914	28.4989
10000.5	34.4953	40.8680	21.9189	58.7181	15.4912	28.4986

(1) 웹스터 방식으로 할당할 때 각 구역에 할당되는 대표수를 구하여라.

(2) 헌팅턴-힐 방식으로 할당할 때 각 구역에 할당되는 대표수를 구하여라.

(3) 위 (1)과 (2)에서 어떤 사실을 알 수 있는가?

제5절 게임 이론

게임 이론은 개인과 개인이나 단체와 단체, 나라와 나라 등 두 집단 사이에 이해관계가 서로 관련되어 있을 때 상대편의 전략에 대응하여 어떤 선택을 해야 가장 유리한가를 연구하는 학문이다. 이러한 게임이론은 실제 생활에서 자주 활용될 뿐 아니라 경제학이나 정치학 등에서도 새로운 분야로 각광 받고 있다. 여기에서는 복잡함을 피하기 위하여 두 집단만이 참여하고 한 집단이 이득을 보면 다른 한 집단이 그 만큼 손해 보는 **제로섬 게임** (zero sum game)만을 살펴보기로 한다.

예제 1.5.1 1943년 2월, 일본군과 연합군은 각각 뉴기니섬 북쪽과 남쪽을 지배하면서 서로 대치하고 있었다. 일본군은 인근에 있는 뉴브리튼 섬의 북쪽 항로나 남쪽 항로 중 한 곳을 선택하여 뉴기니섬으로 보충 병력을 이동시키려고 하며, 어느 항로를 선택하던지 삼일이 걸린다. 연합군은 이동 중인 일본군을 폭격하기 위하여 남쪽 항로나 북쪽 항로 중 한 곳을 수색하려 한다. 각각의 경우 연합군이 일본군을 폭격할 수 있는 일수는 다음과 같다.

일본군이 선택할 항로	연합군이 수색할 항로	폭격 일수
북쪽 항로	북쪽 항로	2일
북쪽 항로	남쪽 항로	1일
남쪽 항로	북쪽 항로	2일
남쪽 항로	남쪽 항로	3일

표 1.5.1

(1) 연합군은 어떤 항로를 수색해야 더 유리한가?
(2) 일본군은 어떤 항로를 이용해야 더 유리한가?

풀이 위 상황을 이해하기 쉽도록 연합군의 입장에서 정리하면 표 1.5.2와 같다.

연합군 \ 일본군	북쪽 항로	남쪽 항로
북쪽 수색	2일	2일
남쪽 수색	1일	3일

표 1.5.2

(1) 위의 상황에서 일본군은 폭격 받는 일수를 최소로 하려고 할 것이며 반대로 연합군은 폭격 일수를 최대로 하려고 할 것이다. 이러한 상황에서는 각 전략에 따라 각 집단에게 일어날 수 있는 최악의 경우를 생각하고 그 최악의 경우 중 보다 나은 전략을 선택하는 방법이 주효하다.

연합군은 북쪽 항로를 수색할 때는 일본군의 항로의 선택에 관계없이 2일 동안 폭격할 수 있다. 한편, 남쪽 항로를 수색한다면 일본군이 북쪽 항로를 이용할 때엔 1일, 남쪽 항로를 이용할 때엔 3일 폭격할 수 있으므로 최소 1일은 폭격할 수 있다. 그러므로 연합군은 최소 폭격일수를 최대로 하는 북쪽 항로를 수색하고 이 경우 2일 동안 일본군을 폭격할 수 있다.

(2) 일본군은 북쪽 항로를 이용할 때 연합군이 북쪽 항로를 수색하면 2일, 남쪽 항로를 수색하면 1일 동안 폭격 당할 수 있으므로 최대 2일 동안 폭격 당할 수 있다. 또, 남쪽 항로를 이용할 때 연합군이 북쪽 항로를 수색하면 2일, 남쪽 항로를 수색하면 3일 동안 폭격 당할 수 있으므로 최대 3일 동안 폭격 당하게 된다. 그러므로 일본군은 최대로 폭격 당하는 일수를 최소로 하는 북쪽 항로를 이용하게 되고 이 때 연합군으로부터 2일 동안 폭격 당하게 된다.

위의 예제의 게임은 간단히 행렬 $\begin{pmatrix} 2 & 2 \\ 1 & 3 \end{pmatrix}$로 나타낼 수 있다. 이 행렬을 게임의 **성과행렬**이라 하고, 성과행렬의 각 성분을 **성과**라고 한다. 연합군은 게임의 성과행렬에서 각 행의 최솟값 중 최댓값에 해당되는 전략을 선택하는 **최소최대전략**으로 북쪽 항로를 수색하게 되고, 일본군은 각 열의 최댓값 중 최솟값에 해당되는 전략을 선택하는 **최대최소전략**으로 북쪽 항로를 이용하게 된다. 이때 연합군이 폭격할 수 있는 일수와 일본군이 폭격당할 수 있는 일수가 2일로 일치하며 연합군은 일본군을 2일 동안 폭격할 수 있다.

표 1.5.3은 위와 같은 상황에서 문제의 해결방법과 결과를 정리한 표이다.

일본군 연합군	북쪽 항로	남쪽 항로	행의 최솟값
북쪽 수색	2일	2일	2일
남쪽 수색	1일	3일	1일
열의 최댓값	2일	3일	

표 1.5.3

이 게임에서는 연합군이나 일본군 모두 상대방의 전략과 관계없이 자기의 최선의 전략이 결정되었다. 이처럼 상대방의 전략에 관계없이 자기의 최선의 전략이 결정되는 게임을 **결정게임**이라 한다.

문제 1.5.1 갑과 을은 각각 동전을 내어 모두 앞면이면 갑은 을에게 300원을 받는다. 또, 동전의 면이 서로 다르면 100원을, 동전의 면이 둘 다 뒷면이면 200원을 갑이 을에게 주기로 한다.

(1) 위의 상황을 갑의 입장에서 정리하여 표나 성과행렬로 나타내어라.
(2) 갑은 동전의 앞면과 뒷면 중 어느 것을 내야 유리한가?
(3) 을은 동전의 앞면과 뒷면 중 어느 것을 내야 유리한가?
(4) 이 게임에서 상대방의 전략을 미리 아는 것이 자기의 전략을 선택할 때 도움이 되는가?

예제 1.5.2 경쟁 방송사인 갑과 을은 주요 방송시간인 오후 9시와 10시 사이에 뉴스, 드라마, 코미디 중 하나를 방영하려 한다. 다음은 사전 여론조사를 통해 예측되는 각 경우의 시청률 증가를 갑의 입장에서 정리한 표이다. (단위: %)
갑과 을의 최선의 전략을 각각 구하여라.

을 갑	뉴스	드라마	코미디
뉴스	5	4	3
드라마	3	0	2
코미디	4	3	2

표 1.5.4

풀이 갑은 최소최대전략을 이용하여 각 행의 최솟값 3, 0, 2 중에서 최댓값 3을 선택하고 을은 최대최소전략을 이용하여 각 열의 최댓값 5, 4, 3 중에서 최솟값 3을 선택하면 그 값이 일치한다. 그러므로 갑, 을 주요 방송시간에 각각 뉴스와 코미디를 방영하는 것이 최선의 전략이다.

갑＼을	뉴스	드라마	코미디	행의 최솟값
뉴스	5	4	3	3
드라마	3	0	2	0
코미디	4	3	2	2
열의 최댓값	5	4	3	

표 1.5.5

문제 1.5.2 경쟁 방송사인 갑과 을은 오후 10시와 11시 사이에 사극, 멜로드라마, 시트콤 중에서 하나를 방영하려 한다. 다음은 사전 여론조사를 통해 예측되는 각 경우의 시청률 증가를 갑의 입장에서 정리한 표이다. 갑과 을의 최선의 전략을 각각 구하여라.

(단위: %)

갑＼을	사극	멜로드라마	시트콤
사극	0	−6	1
멜로드라마	−4	8	2
시트콤	6	5	4

표 1.5.6

예제 1.5.3 경쟁 관계에 있는 두 피자 전문점 갑과 을은 매달 다음과 같은 판매 전략 중 한 가지를 쓰고 있다.

전략 A: 주문한 대로 피자와 음료수 제공
전략 B: Large 피자 주문하면 Small 피자 무료
전략 C: Large 피자 주문하면 Medium 피자 무료
전략 D: Large 피자 주문하면 음료수 무료

표 1.5.7

다음 표는 시장조사에 의하여 갑과 을이 위의 전략 중에서 하나를 선택했을 때 각 경우의 이익과 손해를 갑의 입장에서 정리한 표이다.

(단위: 만원)

갑＼을	전략 A	전략 B	전략 C	전략 D
전략 A	30	−20	20	−10
전략 B	10	−20	20	0
전략 C	0	60	0	70
전략 D	−10	50	0	80

표 1.5.8

각 전략을 비교하여 항상 어떤 전략보다 불리한 전략이 있으면 그 전략을 제거하여 2×2 게임으로 바꾸어라.

풀이 위의 표에서 을에게 전략 D는 전략 B보다 항상 좋지 않으므로 을은 절대로 전략 D는 선택하지 않을 것이다. 따라서 을의 전략 중 D를 제거하면 표 1.5.9와 같다.

갑＼을	전략 A	전략 B	전략 C
전략 A	30	−20	20
전략 B	10	−20	20
전략 C	0	60	0
전략 D	−10	50	0

표 1.5.9

이제 표 1.5.9에서 갑에게 전략 B는 전략 A 보다, 전략 D는 전략 C 보다 항상 좋지 않은 결과를 가져오므로 갑의 전략 중 B와 D를 제거하면 표 1.5.10과 같다.

갑＼을	전략 A	전략 B	전략 C
전략 A	30	−20	20
전략 C	0	60	0

표 1.5.10

같은 방법으로 표 1.5.10에서 을에게 전략 A는 전략 C 보다 항상 좋지 않으므로 을의 전략 A를 지우면 다음과 같은 2×2 게임이 된다.

갑 \ 을	전략 B	전략 C
전략 A	−20	20
전략 C	60	0

표 1.5.11

문제 1.5.3 어떤 도시의 시장선거에 대비하여 선거운동으로 후보자 갑은 전략 A, B, C, D 중 하나를 선택하며, 후보자 을도 전략 E, F, G, H 중 하나를 선택하려고 한다. 다음 표는 여론조사에 의하여 갑과 을이 위의 한 전략을 선택할 때 각 경우의 찬성표의 증가율을 갑의 입장에서 정리한 표이다. (단위: %)

갑 \ 을	전략 E	전략 F	전략 G	전략 H
전략 A	3	−1	2	−2
전략 B	1	1	2	−2
전략 C	0	8	0	6
전략 D	−1	6	0	5

표 1.5.12

각 전략을 비교하여 항상 어떤 전략보다 불리한 전략이 있으면 그 전략을 제거하여 2×2 게임으로 바꾸어라.

예제 1.5.4 갑과 을은 각각 하나씩 동전을 내어 모두 앞면이면 300원을, 모두 뒷면이면 100원을 을이 갑에게 주고, 동전의 면이 서로 다르면 갑이 을에게 200원을 주는 게임에서 갑의 최소최대전략과 을의 최대최소전략은 각각 최선의 전략인가? 또, 이 게임에서 상대방의 전략을 미리 아는 것이 자기의 전략을 선택할 때 도움이 되는가?

풀이 다음은 위의 상황을 갑의 입장에서 간단히 정리한 표이다.

갑＼을	앞면	뒷면
앞면	300	−200
뒷면	−200	100

표 1.5.13

여기서 갑과 을이 각각 최소최대전략과 최대최소전략을 이용하여 전략을 결정한다면 갑은 행의 최솟값의 최댓값인 −200에 해당되는 전략을 선택하여 동전의 어떤 면을 내어도 같은 결과이고, 을은 열의 최댓값의 최솟값 100에 해당되는 전략인 동전의 뒷면을 내게 된다.

갑＼을	앞면	뒷면	행의 최솟값
앞면	300	−200	−200
뒷면	−200	100	−200
열의 최댓값	300	100	

표 1.5.14

그러나 갑이 동전의 앞면을 내었다면 을은 동전의 뒷면을 내는 것이 더 유리하기 때문에 이 경우 최대최소전략이 최선의 전략이 되지만 갑이 동전의 뒷면을 내면 을은 동전의 앞면을 내는 것이 더 유리하기 때문에 이 경우에는 최대최소전략이 최선의 전략은 아니다. 즉, 을의 최선의 전략은 갑의 전략에 따라 변하게 된다. 마찬가지로 을이 동전의 앞면을 내면 갑은 동전의 앞면을, 을이 동전의 뒷면을 내면 갑은 동전의 뒷면을 내는 것이 갑에게 더 유리하기 때문에 갑의 전략도 을의 전략에 따라 변하게 된다. 따라서 여기서는 갑의 최소최대전략이나 을의 최대최소전략이 반드시 최선이라 말할 수 없다.

물론 게임자의 전략이 상대방의 전략에 따라 달라지기 때문에 상대방의 전략을 미리 알면 자기에게 가장 유리한 전략을 선택하는데 결정적인 도움이 된다. 상대방의 전략과 관계없이 각각의 최선의 전략이 결정되는 결정게임과는 달리 예제 1.5.4처럼 상대방의 전략에 따라 자기편의 최선의 전략이 달라지는 게임을 **비결정게임**이라 한다.

문제 1.5.4 갑과 을은 동시에 손가락을 각각 하나 또는 둘을 펼쳐 두 사람의 손가락이 모두 하나면 40원을, 모두 둘이면 10원을 갑이 을에게 준다. 또 갑이 손가락 하나를 내고 을이 손가락 둘을 내면 30원을, 갑이 손가락 둘을 내고 을이 손가락 하나를 내면 20원을 을이 갑에게 준다.

(1) 위의 게임을 갑의 입장에서 간단히 정리하여 표로 나타내거나 성과행렬로 나타내어라.
(2) 위의 게임은 결정게임인가?

이제까지 살펴본 게임에서 한 집단이 이익을 보면 다른 집단이 그 만큼 손해를 보았다. 이처럼 한 집단이 이익을 보면 다른 집단이 그 만큼 손해를 보는 게임을 **제로섬 게임**이라고 한다.

정리 1.5.1

게임의 성과행렬이 $\begin{pmatrix} a & b \\ c & d \end{pmatrix}$ 로 나타내어지는 제로섬 게임에서 이 게임이 결정게임이면 행의 최솟값이며 열의 최댓값이 되는 성분이 존재하며, 역으로 행의 최솟값이며 열의 최댓값이 되는 성분이 존재하면 이 게임은 결정게임이다.

증명 게임의 참여자를 갑과 을이라 하고 갑의 입장에서 나타낸 성과행렬을 $\begin{pmatrix} a & b \\ c & d \end{pmatrix}$ 라고 하자.

먼저 결정게임이라고 하고 a, b, c, d 중에서 a가 최대라고 하자. 그러면 $b \le a$이고 $c \le a$이다.

① $d \le b$이면 b는 첫째행의 최솟값이며 둘째열의 최댓값인 성분이다.

② $d \le c$이고 $d > b$이면 d는 둘째행의 최솟값이며 둘째열의 최댓값인 성분이다.

③ 마지막으로 $d > c$이고 $d > b$라 하자. 이 경우 갑이 첫째행의 전략을 선택하면 을은 둘째열의 전략이 최선의 전략이며, 갑이 둘째 행의 전략을 선택하면 을은 첫째열의 전략이 최선의 전략이다. 같은 방법으로 을의 최선의 전략도 갑의 전략에 따라 바뀜을 알 수 있고, 따라서 이 게임은 결정게임이 아니므로 모순이다.

다른 성분이 최대인 경우에도 마찬가지 방법으로 증명할 수 있다. 그러므로 결정게임이면 행의 최솟값이며 열의 최댓값이 되는 성분이 있다.

역으로, a가 행의 최솟값이며 열의 최댓값되는 성분이라 하자. 그러면 $a \leq b$이고 $c \leq a$이다.

① $c \leq d$이면 을에게 둘째열의 전략은 첫째열의 전략보다 항상 불리하다.

　　따라서 을의 최선의 전략은 첫째열의 전략이고, 갑의 최선의 전략도 첫째행의 전략으로 결정된다.

② $c > d$이면 갑에게 둘째행의 전력은 첫째행의 전력보다 항상 불리하다.

　　따라서 갑의 최선의 전략은 첫째행의 전략이고, 을의 최선의 전략도 첫째열의 전략으로 결정된다.

위의 어떤 경우에도 갑과 을의 최선의 전략이 결정되므로 이 게임은 결정게임이다.

예제 1.5.5 다음과 같은 성과행렬로 나타내어지는 게임이 결정게임인지 또는 비결정게임인지 판단하여라.

$$(1)\begin{pmatrix} 1 & 2 \\ 3 & 4 \end{pmatrix} \qquad\qquad (2)\begin{pmatrix} 1 & 3 \\ 4 & 2 \end{pmatrix}$$

풀이 (1) 주어진 행렬의 성분 3은 둘째행의 최솟값이며 첫째열의 최댓값이므로 이 게임은 결정게임이다.

(2) 주어진 행렬에서 행의 최솟값이며 열의 최댓값이 되는 성분은 존재하지 않으므로 이 게임은 결정게임이 아니다.

문제 1.5.5 다음과 같은 성과행렬로 나타내어지는 게임이 결정게임인지 또는 비결정게임인지 판단하여라.

$$(1)\begin{pmatrix} 2 & 5 \\ 1 & 3 \end{pmatrix} \qquad\qquad (2)\begin{pmatrix} 5 & 6 \\ 6 & 3 \end{pmatrix}$$

앞에서 살펴보았듯이 2×2 비결정게임에서는 상대방의 전략을 알지 못하면 자기편의 최선의 전략을 결정할 수 없다. 그러나 같은 게임을 여러 번 반복할 경우 두 전략을 적당한 비율로 섞어 쓰면 상대방의 전략과 관계없이 항상 일정한 값 이상의 성과를 얻을 수 있다.

다음 표는 게임의 참여자가 갑과 을인 제로섬 게임을 갑의 입장에서 정리한 것이다.

갑＼을	전략 1	전략 2
전략 1	a	b
전략 2	c	d

표 1.5.15

갑과 을이 전략 1과 전략 2를 각각 $p : 1-p$와 $q : 1-q$의 비율로 취할 때, 각 경우의 확률과 성과를 구하면 다음과 같다.

갑	전략 1	전략 1	전략 2	전략 2
을	전략 1	전략 2	전략 1	전략 2
확률	pq	$p(1-q)$	$(1-p)q$	$(1-p)(1-q)$
성과	a	b	c	d

표 1.5.16

여기서 갑의 성과에 대한 기대값 $E(p, q)$

$$E(p, q) = pqa + p(1-q)b + (1-p)qc + (1-p)(1-q)d$$

를 값의 **기대성과**라고 한다. 이 경우 을의 기대성과는 $-E(p, q)$이다.

예제 1.5.6 다음 표는 예제 1.5.4의 게임을 갑의 입장에서 간단히 정리한 표이다.

갑＼을	앞면	뒷면
앞면	300	-200
뒷면	-200	100

표 1.5.17

이 게임에서 다음 각 경우의 기대성과를 구하여라.

(1) $E\left(\dfrac{1}{2}, \dfrac{1}{2}\right)$ (2) $E(p, 1)$ (3) $E(p, 0)$ (4) $E(p, q)$

풀이 (1) 갑과 을이 동전의 앞면을 낼 확률은 각각 $\dfrac{1}{2}$이므로 갑과 을이 모두 동전의 앞면을 낼 확률은 $\dfrac{1}{2} \times \dfrac{1}{2} = \dfrac{1}{4}$이다. 마찬가지 방법으로 다른 모든 경우의 확률을 구하면 아래 표와 같다.

갑	앞면	앞면	뒷면	뒷면
을	앞면	뒷면	앞면	뒷면
확률	$\dfrac{1}{4}$	$\dfrac{1}{4}$	$\dfrac{1}{4}$	$\dfrac{1}{4}$
성과	300	-200	-200	100

표 1.5.18

따라서

$$E\left(\frac{1}{2},\ \frac{1}{2}\right) = 300 \times \frac{1}{4} + (-200) \times \frac{1}{4} + (-200) \times \frac{1}{4} + 100 \times \frac{1}{4} = 0$$

이다.

(2) 갑과 을이 동전의 앞면을 낼 확률은 각각 p와 1이므로 갑과 을이 모두 동전의 앞면을 낼 확률은 $p \times 1 = p$이다.

마찬가지 방법으로 다른 모든 경우의 확률을 구하면 다음과 같다.

갑	앞면	앞면	뒷면	뒷면
을	앞면	뒷면	앞면	뒷면
확률	p	0	$1-p$	0
성과	300	-200	-200	100

표 1.5.19

따라서

$$E(p,\ 1) = 300 \times p + (-200) \times 0 + (-200) \times (1-p) + 100 \times 0$$
$$= 500p - 200$$

이다.

(3) 앞의 (1)이나 (2)와 같은 방법으로 각 경우의 확률과 성과를 구하면 다음과 같다.

갑	앞면	앞면	뒷면	뒷면
을	앞면	뒷면	앞면	뒷면
확률	0	p	0	$1-p$
성과	300	-200	-200	100

표 1.5.20

따라서

$$E(p,\ 0) = 300 \times 0 + (-200) \times p + (-200) \times 0 + 100 \times (1-p)$$
$$= 100 - 300p$$

(4) 앞의 (1)이나 (2)와 같은 방법으로 각 경우의 확률과 성과를 구하면 아래 표와 같다.

갑	앞면	앞면	뒷면	뒷면
을	앞면	뒷면	앞면	뒷면
확률	pq	$p(1-q)$	$(1-p)q$	$(1-p)(1-q)$
성과	300	-200	-200	100

표 1.5.21

따라서

$$E(p,\ q) = 300 \times pq + (-200) \times p(1-q) + (-200) \times (1-p)q$$
$$+ 100 \times (1-p)(1-q) = 800pq - 300p - 300q + 100$$

이다.

문제 1.5.6 다음 표는 갑과 을의 손가락 내기 게임을 갑의 입장에서 정리한 것이다.

갑 \ 을	손가락 하나	손가락 둘
손가락 하나	40	-30
손가락 둘	-30	20

표 1.5.22

갑과 을이 손가락 하나와 둘의 비율을 각각 $p : 1 - p$와 $q : 1 - q$로 내는 경우 갑의 기대성과 $E(p,\, q)$를 구하여라.

게임에 참여하는 사람이 갑과 을인 제로섬 게임에서 갑은 $E(p,\, q)$의 값을 되도록 크게 하려 할 것이고, 을은 $E(p,\, q)$의 값을 되도록 작게 하려 할 것이다. 따라서 갑과 을이 각각 상대방의 전략을 알지 못할 때, 갑은 을이 취할 수 있는 전략에 관계없이 $E(p,\, q)$가 최대가 되도록 p의 값을 취하고, 을은 갑이 취할 수 있는 전력에 관계없이 $E(p,\, q)$가 최소가 되도록 q의 값을 선택할 것이다.

정의 1.5.3

정의 1.5.2에서 모든 $p,\, q$에 대하여 부등식

$$E(p_1,\, q) \geq E(p_1,\, q_1) \geq E(p,\, q_1) \quad (0 \leq p,\, p_1,\, q,\, q_1 \leq 1)$$

을 만족하는 기대성과 $E(p_1,\, q_1)$을 이 **게임의 값**이라고 한다. 또, 전략 1과 전략 2의 비율을 $p_1 : 1 - p_1$와 $q_1 : 1 - q_1$이 되게 취하는 전략을 각각 **갑의 최선의 전략, 을의 최선의 전략**이라 한다.

위의 부등식에 의하여 게임의 값이 존재한다면 그 값은 유일함을 알 수 있다.

예제 1.5.7 갑의 입장에서 다음 표와 같이 나타내어지는 동전 게임을 생각하여 보자.

갑 \ 을	앞면	뒷면
앞면	300	−200
뒷면	−200	100

표 1.5.23

(1) 갑의 최선의 전략을 구하고 게임의 값을 구하여라.
(2) 을의 최선의 전략을 구하여라.

(3) 위의 게임을 여러 번 반복할 때, 갑과 을이 각각 최선의 전략을 취한다면 이 게임은 갑과 을 중에서 누구에게 더 유리한가?

풀이 (1) 갑의 최선의 전략은 을이 내는 앞면과 뒷면의 비율과 관계없이 일정해야 하므로 두 기대성과 $E(p, 1)$과 $E(p, 0)$은 일치해야 한다. 예제 1.5.6의 (2)와 (3)에서

$$E(p, 1) = 500p - 200$$
$$E(p, 0) = 100 - 300p$$

이므로 $500p - 200 = 100 - 300p$이고 $p = \dfrac{3}{8}$이다. 따라서 앞면과 뒷면의 비율을 $p : 1-p = \dfrac{3}{8} : \dfrac{5}{8} = 3 : 5$로 내는 것이 갑의 최선의 전략이며, 이 때 게임의 값은

$$100 - 300p = 100 - 300 \times \frac{3}{8} = -\frac{25}{2}$$

이다.

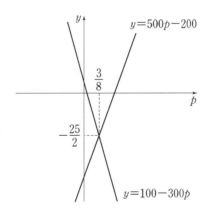

(2) 위 (1)과 같은 방법으로 구할 수 있으나 여기서는 또 다른 방법을 살펴보자. 갑과 을이 동전의 앞면과 뒷면을 각각 $p : 1-p$와 $q : 1-q$의 비율로 낼 때 갑의 기대성과 $E(p, q)$는 예제 1.5.6의 (4)에 의하여

$$E(p, q) = 300pq + (-200)p(1-q) + (-200)(1-p)q + 100(1-p)(1-q)$$
$$= 800pq - 300p - 300q + 100$$
$$= p(800q - 300) - 300q + 100$$

이다. $E(p, q)$는 p에 영향을 받지 않아야 하므로 $q = \dfrac{3}{8}$이다. 즉, 을의 최선의 전략도 앞면과 뒷면의 비율을 $q : 1 - q = \dfrac{3}{8} : \dfrac{5}{8} = 3 : 5$로 내는 것이다.

(3) 위 (1)과 (2)에서 알 수 있듯이 위의 게임을 반복할 때 갑과 을이 각각 최선 전략은 모두 앞면과 뒷면의 비율을 3:5로 내는 것이고, 이럴 경우 한 번의 게임에서 갑이 을에게 받을 수 있는 기대금액은 $-\dfrac{25}{2}$이므로 이 게임은 갑보다 을에게 더 유리하다.

예제 1.5.7에서 갑과 을의 최선의 전략은 모두 앞면과 뒷면의 비율을 $3 : 5$로 내는 것이었다. 이처럼 갑과 을의 최선의 전략이 같은 것은 이 게임의 성과행렬이 주대각선에 관하여 대칭인 대칭행렬이기 때문이며 성과행렬이 대칭행렬이 아닌 게임에서는 갑과 을의 최선의 전략이 달라질 수 있다.

문제 1.5.7 갑의 입장에서 다음 표로 나타내어지는 갑과 을의 손가락 내기 게임을 생각하여 보자.

갑＼을	손가락 하나	손가락 둘
손가락 하나	40	−30
손가락 둘	−30	20

표 1.5.24

(1) 갑의 최선의 전략을 구하고 게임의 값을 구하여라.
(2) 을의 최선의 전략을 구하여라.
(3) 위의 게임을 여러 번 반복할 때, 갑과 을이 각각 최선의 전략을 취한다면 이 게임은 갑과 을 중에서 누구에게 더 유리한가?

1 다음은 갑과 을이 참여하는 게임을 갑의 입장에서 나타낸 성과행렬이다.

$$\begin{array}{c} \text{을} \\ \text{갑} \begin{pmatrix} 100 & -130 \\ -110 & -150 \end{pmatrix} \end{array}$$

(1) 갑은 어느 행의 전략을 선택하여야 하는가?
(2) 을은 어느 열의 전략을 선택하여야 하는가?

2 다음은 두 사람 갑과 을 사이의 게임을 갑의 입장에서 나타낸 성과행렬이다.

$$\begin{array}{c} \text{을} \\ \text{갑} \begin{pmatrix} 3 & 7 & 2 \\ 8 & 5 & 1 \\ 6 & 9 & 4 \end{pmatrix} \end{array}$$

(1) 갑은 어느 행의 전략을 선택하여야 하는가?
(2) 을은 어느 열의 전략을 선택하여야 하는가?

3 갑과 을은 동시에 동전을 내어 동전의 면이 둘 다 앞면이면 300원을, 동전의 면이 서로 다르면 200원을 갑이 을에게서 받기로 한다. 그러나 동전의 면이 둘 다 뒷면이면 갑이 을에게 1000원을 준다.

(1) 갑의 입장에서 이 게임의 성과행렬을 구하여라.
(2) 갑에게 가장 유리한 전략은 무엇인가?
(3) 을에게 가장 유리한 전략은 무엇인가?
(4) 이 게임은 갑과 을 중 누구에게 더 유리한가?

4 다음은 두 사람 갑과 을 사이의 게임을 갑의 입장에서 나타낸 성과표이다.

갑＼을	전략 E	전략 F	전략 G	전략 H
전략 A	6	5	6	5
전략 B	1	4	2	4
전략 C	8	6	7	9
전략 D	0	2	6	2

(1) 갑에게 가장 유리한 전략은 무엇인가?

(2) 을에게 가장 유리한 전략은 무엇인가?

(3) 이 게임에서 게임의 값을 구하여라.

5 경쟁 관계에 있는 두 회사 갑과 을은 자기 회사의 제품 홍보를 위하여 갑은 전략 A, B, C, D 중 하나를 선택하고 을은 전략 E, F, G 중 하나를 선택한다. 이 때, 각 경우에 제품 판매 증가율을 갑의 입장에서 정리하면 다음과 같다고 한다.

(단위: %)

갑＼을	E	F	G
A	4	−2	3
B	6	8	−5
C	3	−3	3
D	5	−2	4

각 전략을 비교하여 항상 어떤 전략보다 불리한 전략이 있으면 그 전략을 제거하여 2×2 게임으로 바꾸어라.

6 경쟁 관계에 있는 두 식당 갑과 을은 매출을 늘리기 위하여 갑은 전략 A, B, C, D 중에서 하나를 선택하고 을은 전략 E, F, G, H 중에서 하나를 선택한다. 이 때, 각 경우에 매출 증가를 갑의 입장에서 정리하면 다음과 같다. (단위: 만원)

갑＼을	전략 E	전략 F	전략 G	전략 H
전략 A	200	−400	−300	−600
전략 B	500	100	200	600
전략 C	400	−100	−200	−300
전략 D	300	0	400	−200

(1) 각 전략을 비교하여 항상 어떤 전략보다 불리한 전략이 있으면 그 전략을 제거하여 2×2 게임으로 바꾸어라.

(2) 갑에게 가장 유리한 전략은 무엇인가?

(3) 을에게 가장 유리한 전략은 무엇인가?

7 갑과 을은 동시에 동전을 내어 동전의 면이 둘 다 앞면이면 300원을, 동전의 면이 서로 다르면 200원을 갑이 을에게서 받기로 한다. 그러나 동전의 면이 둘 다 뒷면이면 갑이 을에게 250원을 준다.

(1) 갑의 입장에서 이 게임의 성과표를 구하여라.

(2) 이 게임은 결정게임인가 아닌가를 판별하라.

(3) 이 게임을 여러 번 반복할 때 갑의 최선의 전략을 구하여라.

(4) 이 게임을 여러 번 반복할 때 을의 최선의 전략을 구하여라.

(5) 갑이 10000원을 내고 이 게임을 100번 계속하기로 할 때 을은 얼마를 내야 공평한 게임이 되는가?

8 야구에서 투수가 던지는 볼은 크게 나누어 볼은 빠른 직구와 변화가 많은 변화구가 있다. 그 동안의 경기를 분석한 결과 타자가 투수의 볼이 직구라고 예상하고 투수의 직구와 변화구를 쳤을 때 안타가 될 확률은 각각 0.3과 0.2라고 한다. 또 투수가 던지는 볼이 변화구라고 예상하고 투수의 직구와 변화구를 쳤을 때 안타가 될 확률은 각각 0.1과 0.4라고 한다.

(1) 타자 입장에서 위의 게임을 간단한 표나 성과행렬로 나타내어라.

(2) 타자의 최선의 전략을 구하여라.

(3) 투수의 최선의 전략을 구하여라.

9 지난 30년간 프로 야구 경기를 분석한 결과 투수는 직구와 너클볼 중 하나를 던지고 타자가 투수의 볼을 직구와 너클볼 중 하나를 예상할 때 안타가 될 확률은 아래와 같다.

타자＼투수	직구	너클볼
직구	0.5	0.2
너클볼	0.1	0.3

(1) 타자의 최선의 전략을 구하여라.

(2) 투수의 최선의 전략을 구하여라.

(3) 이 게임에서 게임의 값을 구하여라.

10 다음 표는 갑과 을의 손가락 내기 게임을 갑의 입장에서 정리한 성과표이다.

갑＼을	손가락 하나	손가락 둘
손가락 하나	−200	500
손가락 둘	100	−400

(1) 갑의 최선의 전략을 구하여라.

(2) 을의 최선의 전략을 구하여라.

(3) 이 게임에서 게임의 값을 구하여라.

(4) 이 게임을 갑과 을이 각각 최선의 전략을 취하면서 여러 번 반복한다면 이 게임은 갑과 을 중에서 누구에게 더 유리한가?

11 다음은 비 오는 날 또는 비가 오지 않는 날에 우산을 소지하거나 소지하지 않았을 때 가치를 나타낸 표이다.

	비 오는 날	비 오지 않는 날
우산 소지	300	−200
우산 미소지	−200	100

(1) 일기예보에 의하면 오늘 비 올 확률이 30%라고 한다. 갑이 우산을 소지할 확률이 얼마일 때 이 이 게임의 기대성과가 0이 되는가?

(2) 비 올 확률이 50%라면 갑이 우산을 소지할 확률이 얼마일 때 이 이 게임의 기대성과가 0이 되는가?

12 다음은 갑과 을이 참여하는 게임을 갑의 입장에서 나타낸 성과행렬이다.

$$
\begin{array}{c}
\quad\quad\quad\quad\quad\text{을} \\
\text{갑} \quad \begin{pmatrix} 1 & 3 \\ 4 & 2 \end{pmatrix}
\end{array}
$$

(1) 위의 게임을 반복할 때 갑과 을의 최선의 전략을 각각 구하여라.

(2) 위의 성과행렬의 각 성분에 5를 더한 행렬로 나타내어지는 게임에서 갑과 을의 최선의 전략을 각각 구하여라.

(3) 위의 성과행렬의 각 성분에 3을 곱한 행렬로 나타내어지는 게임에서 갑과 을의 최선의 전략을 각각 구하여라.

(4) 위의 (2)와 (3)에서 무엇을 추측할 수 있는가?

비제로섬 게임(non-zero sum game)

겁쟁이(Chicken): 아래 그림처럼 갑과 을의 자동차는 서로 상대방을 향해 돌진하고 있다.

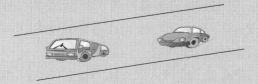

이 때 갑과 을의 선택은 각각 다음의 C나 D 중 한 가지이다.

> C : 충돌을 회피하기 위하여 차의 방향을 틀어 겁쟁이가 됨
> D : 죽음을 무릅쓰고 계속 질주함

갑과 을 모두 겁쟁이라면 각자는 모두 살 수 있으며 이 경우 3점을 받고, 모두 계속 질주한다면 둘 다 죽게 되며 1점을 받는다. 또 한 사람이 겁쟁이고 다른 사람은 계속 질주한다면 겁쟁이는 2점, 다른 사람은 4점을 받는다고 하자. 이 게임을 알기 쉽게 간단히 정리하면 다음 표와 같다.

C : 회피, D : 질주

갑＼을	C	D
C	(3, 3)	(2, 4)
D	(4, 2)	(1, 1)

이 게임에서 충돌을 회피하면 최소 2점을 받으나 계속 질주하면 최소 1점을 받는다. 이 두 가능성 중 최댓값을 선택한다면 갑과 을의 합리적인 전략은 모두 C를 선택하여 서로 충돌을 회피하는 것이다. 한 사람이 이익을 보면 다른 한 사람은 손해를 보던 제로섬게임과는 달리 이 게임에서는 둘이 협력하면 갑과 을 모두 더 좋은 결과인 3점을 얻을 수 있다.

죄수의 고민(Prisoner's dilemma): 어떤 범죄 사건의 공범인 갑과 을은 경찰에게 체포되어 따로 분리되어 심문을 받고 있다.

이 때 갑과 을의 선택은 다음 C와 D 중 한 가지이다.

> C : 경찰에게 정보를 숨김 (의리)
> D : 경찰에게 정보를 털어놓음 (변절)

갑과 을 모두 정보를 숨기는 경우 3점을 받고, 모두 자백하면 각자에게 유죄가 선고되나 자백한 정상을 참작하여 2점을 받는다. 또 한 사람이 정보를 숨기고 다른 한 사람은 자백한다면 정보를 숨긴 사람은 정의를 방해한 비행을 반영하여 1점, 자백한 사람은 정상을 참작하여 4점을 받는다고 하자. 이 게임을 알기 쉽게 간단히 정리하면 다음 표와 같다.

C : 의리, D : 변절

갑＼을	C	D
C	(3, 3)	(1, 4)
D	(4, 1)	(2, 2)

이 게임에서 최소최대전략을 적용하여 보자. 정보를 숨기면 최소 1점을 받으나 자백하면 최소 2점을 받는다. 이 두 가능성 중 최댓값을 선택하여 갑과 을은 모두 자백하는 하는 것이 최선의 전략이다. 그러나 갑과 을 모두 위처럼 독자적으로 합리적인 조치를 선택하여 각자가 받는 2점은 모두가 정보를 숨길 때 받는 3점보다는 작다. 이 게임에서도 한 사람이 이익을 보면 다른 한 사람은 손해를 보는 것이 아니라 둘이 협력하면 보다 좋은 결과를 만들어 낼 수 있다.

제6절 선형계획법

어떤 공장에서 몇 가지 재료로 그 혼합 비율만 달리하여 두 제품 A와 B를 생산한다고 하자. 각 재료의 양이 제한되어 있을 때 A와 B를 각각 얼마만큼 생산해야 가장 많은 이익을 얻을 수 있을까? 이런 종류의 문제는 대부분의 생산 공장은 물론 일상생활에서도 자주 겪는 문제이다. 이 절에서는 고등학교에서 배운 일차함수를 이용하여 위와 같은 문제를 효과적으로 해결하는 방법에 대하여 알아보자.

먼저 이 절에서 필요한 아이디어와 용어를 설명하기 위하여 아주 간단한 경우를 살펴보자.

예제 1.6.1 어떤 플라스틱 그릇을 만드는 공장에서는 하나의 그릇을 만들기 위해서 4kg의 플라스틱이 필요하며 이것을 팔면 2000원의 이익이 있다고 한다. 하루에 이 공장에는 사용할 수 있는 플라스틱의 양은 1000kg이라고 한다. 아래에서 제시하는 방법으로 이 공장에서 하루에 얻을 수 있는 최대 이익을 구하여라.

(1) 이 공장에서 하루에 생산할 수 있는 그릇의 개수 x의 범위를 구하여라.

(2) 위 (1)의 x의 범위를 수직선에 나타내어라.

(3) 하루에 x개의 그릇을 생산할 때 이 공장의 이익 p를 구하여라. 또 이 공장에서 하루에 얻을 수 있는 최대 이익을 구하여라.

풀이 (1) 하루에 x개의 그릇을 생산할 때 필요한 플라스틱은 $4x$이고, 이 양은 하루에 사용할 수 있는 플라스틱의 양 1000kg을 넘지 못하므로

$$0 \le 4x \le 1000, \ \text{즉} \ 0 \le x \le 250$$

이다.

(2)

(3) 그릇 한 개당 2000원의 이익이 있으므로 하루에 x개의 그릇을 생산할 때 얻는 이익은 $p = 2000x$이다. 위 (1)에 의하여 이 공장의 하루 최대 생산량은 250이므로 하루에 얻을 수 있는 최대 이익은 $2,000 \times 250 = 500,000$이다.

문제 1.6.1 어떤 철제의자를 만드는 공장에서는 하나의 의자를 만들기 위해서 12kg의 철이 필요하며 이것을 팔면 5000원의 이익이 있다고 한다. 하루에 이 공장에는 사용할 수 있는 철은 1800kg이라고 할 때 다음 물음에 답하라.

(1) 이 공장에서 하루에 생산할 수 있는 의자의 개수 x의 범위를 구하여라.

(2) 위 (1)의 x의 범위를 수직선에 나타내어라.

(3) 하루에 x개의 의자를 생산할 때 이 공장의 이익 p를 구하여라. 또 이 공장에서 하루에 얻을 수 있는 최대 이익을 구하여라.

위 예제 1.6.1은 제한된 조건 $0 \le x \le 250$에서 함수 $p = 2000x$의 최댓값을 구하는 문제이다. 이처럼 어떤 제한된 조건에서 주어진 함수의 최댓값 또는 최솟값을 구하는 방법을 **선형계획법**(linear programming)이라고 하며 $p = 2000x$ 같은 함수를 **목적함수**라고 한다. 따라서 선형계획법은 어떤 제한된 조건에서 목적함수의 최댓값 또는 최솟값을 구하는 방법이다. 선형계획법에서 나타나는 제한된 조건과 목적함수는 대부분 일차함수의 그래프인 직선으로 나타내지기 때문에 이를 보다 효과적으로 알아보기 위하여 고등학교에서 배웠던 부등식의 영역을 복습하여 보자.

$ax + by = c$ 꼴의 그래프는 모두 직선이고 이런 직선은 직선 위의 두 점만 알면 결정된다.

예제 1.6.2 다음 방정식의 그래프를 그려라.

    (1) $2x + 3y = 18$ (2) $y = 4$ (3) $x = 3$

풀이   (1) $2x + 3y = 18$에서 $x = 0$이면 $y = 6$이고 $y = 0$이면 $x = 9$이므로, $2x + 3y = 18$의 그래프는 두 점 $(0,\ 6)$과 $(9,\ 0)$을 지나는 직선이다.

     (2) $y = 4$에서 $x = 0$이면 $y = 4$이고 $x = 5$이면 $y = 4$이므로, $y = 4$의 그래프는 두 점 $(0,\ 4)$과 $(5,\ 4)$를 지나는 직선이다.

     (3) $x = 3$에서 $y = 0$이면 $x = 3$이고 $y = 4$이면 $x = 3$이므로, $x = 3$의 그래프는 두 점 $(3,\ 0)$과 $(3,\ 4)$를 지나는 직선이다.

(1)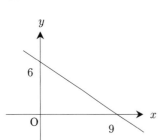

(2)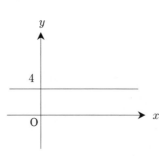

(3)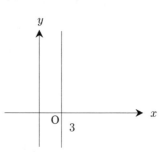

 문제 1.6.2 다음 방정식의 그래프를 그려라.

(1) $3x + y = 12$ (2) $y = 2$ (3) $x = 5$

점 (p, q)가 $ax + by = c$와 $a'x + b'y = c'$가 나타내는 두 직선의 교점이라면

$$\begin{cases} ap + bq = c \\ a'p + b'q = c' \end{cases}$$

이므로 (p, q)는 연립방정식

$$\begin{cases} ax + by = c \\ a'x + b'y = c' \end{cases}$$

의 해이고, 이것의 역 또한 참이다. 따라서 두 직선의 교점을 구하려면 두 직선의 방정식의 연립방정식을 풀면 된다.

예제 1.6.3 다음 두 직선의 교점을 구하여라.

(1) $\begin{cases} 3x + 4y = 24 \\ x + y = 7 \end{cases}$ (2) $\begin{cases} 3x + 2y = 18 \\ y = 6 \end{cases}$

(3) $\begin{cases} 2x + 3y = 12 \\ x = 3 \end{cases}$ (4) $\begin{cases} y = 3 \\ x = 4 \end{cases}$

풀이 (1) $y = 7 - x$를 $3x + 4y = 24$에 대입하면

$$3x + 4(7 - x) = 24$$

이므로 $x = 4$, $y = 3$이고, 따라서 이 두 직선의 교점은 $(4, 3)$이다.

(2) $y = 6$을 $3x + 2y = 18$에 대입하면 $x = 2$, $y = 6$이고, 따라서 이 두 직선의 교점은 $(2, 6)$이다.

(3) $x = 3$을 $2x + 3y = 12$에 대입하면 $x = 3$, $y = 2$이고, 따라서 이 두 직선의 교점은 $(3, 2)$이다.

(4) 그래프에서 쉽게 알 수 있듯이 교점은 $(4, 3)$이다.

(1)

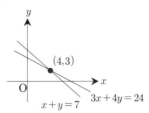

(2)

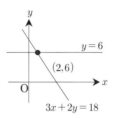

(3)

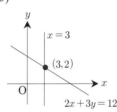

(4)

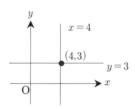

 문제 1.6.3 다음 두 직선의 교점을 구하여라.

(1) $\begin{cases} 3x + 4y = 24 \\ 2x + 2y = 13 \end{cases}$

(2) $\begin{cases} x + 4y = 16 \\ y = 3 \end{cases}$

(3) $\begin{cases} 5x + 2y = 20 \\ x = 2 \end{cases}$

(4) $\begin{cases} y = 2 \\ x = 5 \end{cases}$

평면은 직선 $ax + by = c$에 의하여 두 부분으로 나누어진다. 이 두 부분 중에서 $ax + by \le c$가 나타내는 영역은 $x = p$, $y = q$가 부등식 $ax + by \le c$를 만족하면 점 (p, q)을 포함하는 부분이고, 만족하지 않으면 점 (p, q)을 포함하지 않는 부분이다.

◆ 예제 1.6.4 다음 부등식의 영역을 좌표평면에 나타내어라.

(1) $2x + 3y \leq 18$ (2) $y \leq 4$ (3) $x \leq 3$

(4) $2x + 3y \geq 18$ (5) $y \geq 4$ (6) $x \geq 3$

풀이 (1) 부등식 $2x + 3y \leq 18$에 $x = 1$, $y = 1$을 대입하면 참이므로 $2x + 3y \leq 18$이 나타내는 영역은 $(1, 1)$을 포함하는 직선 $2x + 3y = 18$의 아래 부분이다.

(2) 부등식 $y \leq 4$에 $x = 1$, $y = 1$을 대입하면 참이므로 $y \leq 4$이 나타내는 영역은 $(1, 1)$을 포함하는 직선 $y = 4$의 아래 부분이다.

(3) 부등식 $x \leq 3$에 $x = 1$, $y = 1$을 대입하면 참이므로 $x \leq 3$이 나타내는 영역은 $(1, 1)$을 포함하는 직선 $x = 3$의 왼쪽 부분이다.

(4) 부등식 $2x + 3y \geq 18$에 $x = 1$, $y = 1$을 대입하면 참이 아니므로 $2x + 3y \geq 18$이 나타내는 영역은 $(1, 1)$을 포함하지 않는 직선 $2x + 3y = 18$의 위 부분이다.

(5) 부등식 $y \geq 4$에 $x = 1$, $y = 1$을 대입하면 참이 아니므로 $y \geq 4$이 나타내는 영역은 $(1, 1)$을 포함하지 않는 직선 $y = 4$의 위 부분이다.

(6) 부등식 $x \geq 3$에 $x = 1$, $y = 1$을 대입하면 참이 아니므로 $x \geq 3$이 나타내는 영역은 $(1, 1)$을 포함하지 않는 직선 $x = 3$의 오른쪽 부분이다.

(1)
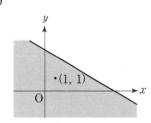

(2)
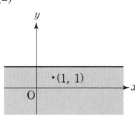

(3)
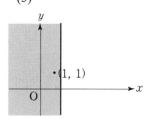

(4)
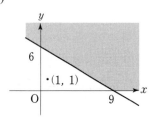

(5)
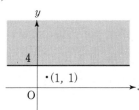

(6)
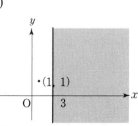

문제 1.6.4 다음 부등식의 영역을 좌표평면에 나타내어라.

(1) $3x + y \leq 12$ (2) $3x + y \geq 12$ (3) $y \leq 2$

(4) $y \geq 2$ (5) $x \leq 5$ (6) $x \geq 5$

 예제 1.6.5 다음 부등식의 영역을 좌표평면에 나타내어라.

(1) $3x + 4y \leq 24, \quad x + y \leq 7, \quad x \geq 0, \quad y \geq 0$

(2) $3x + 4y \leq 24, \quad x + y \leq 7, \quad x \geq 1, \quad y \geq 2$

풀이   (1) 네 부등식 $3x + 4y \leq 24, \quad x + y \leq 7, \quad x \geq 0, \quad y \geq 0$이 나타내는 영역의 공통부분을 구한다.

      (2) 네 부등식 $3x + 4y \leq 24, \quad x + y \leq 7, \quad x \geq 1, \quad y \geq 2$이 나타내는 영역의 공통부분을 구한다.

(1) 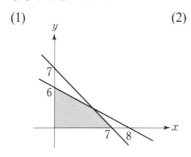   (2)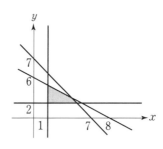

문제 1.6.5 다음 부등식의 영역을 좌표평면에 나타내어라.

(1) $5x + 3y \leq 15, \quad 2x + 4y \leq 8, \quad x \geq 0, \quad y \geq 0$

(2) $5x + 3y \leq 15, \quad 2x + 4y \leq 8, \quad x \geq 1, \quad y \geq \dfrac{1}{2}$

예제 1.6.6 어떤 장난감 공장에서는 플라스틱으로 장난감 차와 장난감 자전거를 만들고 있다. 하나의 차를 만들기 위해서 4kg의 플라스틱이 필요하고 하나의 자전거를 만들기 위해서 3kg의 플라스틱이 필요하며, 하루에 이 공장에는 사용할 수 있는 플라스틱의 양은 최대 600kg이라고 한다.

(1) 이 공장에서 하루에 x개의 차와 y개의 자전거를 생산할 때 x, y의 관계식을 모두 구하여라.

(2) 위 (1)의 관계식이 나타내는 영역을 좌표 평면에 나타내어라.

풀이 (1) x, y는 물질의 양을 나타내므로 음이 될 수 없다. 따라서

$$x \geq 0, \ y \geq 0$$

이다. 또 x 개의 차와 y 개의 자전거를 생산할 때 필요한 플라스틱의 양은 $4x + 3y$이고, 이 값은 하루에 사용할 수 있는 플라스틱의 양 600kg을 넘지 못하므로

$$4x + 3y \leq 600$$

이다. 위의 식을 종합하면 다음과 같다.

$$x \geq 0, \ y \geq 0, \ 4x + 3y \leq 600$$

(2)
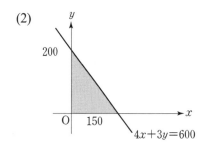

문제 1.6.6 어떤 알루미늄 그릇 공장에서는 두 종류의 그릇 S와 T를 만들고 있다. S를 하나 만들기 위해서 2kg의 알루미늄이 필요하고 T를 하나 만들기 위해서 3kg의 알루미늄이 필요하며, 하루에 이 공장에는 사용할 수 있는 알루미늄의 양은 최대 240kg이라고 한다.

(1) 이 공장에서 하루에 x 개의 S와 y 개의 T를 생산할 때 x, y의 관계식을 모두 구하여라.

(2) 위 (1)의 관계식이 나타내는 영역을 좌표 평면에 나타내어라.

순서쌍 $(10, \ 20)$는 위 예제 1.6.6-(1)의 모든 관계식을 만족하며, 이것은 이 공장에서 실제로 차를 10개, 자전거를 20개 생산하는 것이 가능함을 의미한다. 이처럼 선형계획법에서 주어진 제한조건을 모두 만족하는 원소를 **실현가능해**(feasible solution)라고 하고 모든 실현가능해를 포함하는 집합을 **실현가능해집합**(feasible set)이라고 한다. 또 예제 1.6.6-(2)처럼 실현가능해집합을 좌표평면에 나타낸 영역을 **실현가능해영역**이라고 한다.

정의 1.6.1

R을 평면 위의 한 영역이라 하자. R 안에 있는 임의의 두 점을 잡을 때 그 두 점을 잇는 선분도 항상 R 안에 있으면 R은 **볼록집합**이라고 한다.

예를 들어 아래 그림 1.6.1의 (a)에서 회색으로 된 부분은 볼록집합이다. 그러나 (b)나 (c)의 회색으로 된 부분은 영역 안의 두 점을 선분으로 이으면 그 선분이 항상 주어진 영역에 있는 것은 아니므로 볼록집합이 아니다.

(a)   (b)   (c)

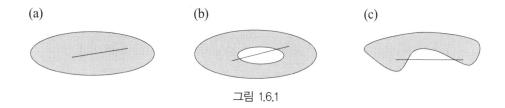

그림 1.6.1

여러 볼록집합의 교집합도 볼록집합이란 사실과 일차함수의 성질로부터 다음과 같은 사실을 알 수 있다.

정리 1.6.2

어떤 선형계획법에서 R을 실현가능해영역이라 하고, p를 목적함수라고 하자.
(1) 실현가능해영역 R은 항상 볼록집합이다.
(2) 목적함수 p는 항상 실현가능해영역 R의 꼭짓점에서 최댓값과 최솟값을 갖는다.

예를 들어 어떤 선형계획법에서 실현가능해영역 R이 아래 그림의 회색으로 된 부분이라고 하자.

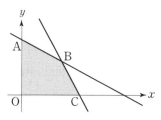

그러면 목적함수 p는 R의 꼭짓점인 O, A, B, C에서 최댓값이나 최솟값을 갖는다. 따라서 점 O, A, B, C에서의 p의 함수값을 계산하여 그 중 가장 큰 것이 목적함수 p의 최댓값이

고 가장 작은 것이 최솟값이 된다.

이제 정리 1.6.2를 이용하여 예제 1.6.6에서 살펴본 실현가능해영역에서 목적함수의 최댓값을 구해보자.

예제 1.6.7 예제 1.6.6에서 장난감 차와 장난감 자전거를 각각 1개씩 생산하여 팔 때 얻어지는 이익은 5000원과 3000원이라고 한다. 이 공장에서 하루에 최대 이익을 얻으려면 장난감 차와 장난감 자전거를 각각 얼마씩 생산해야하나?

풀이 이 공장에서 하루에 장난감 차와 장난감 자전거를 각각 x 대와 y 대를 생산할 때 실현가능해영역은 아래 그림과 같고, 하루에 얻을 수 있는 이익은 $p = 5000x + 3000y$이다.

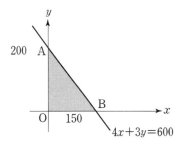

정리 1.6.2에 의하여 p의 최댓값은 위 영역의 꼭짓점 O, A, B에서 일어나고 그런 점에서의 p의 함수값은 다음과 같다.

꼭짓점	목적함수의 함수값
O=(0, 0)	5000×0+3000×0=0
A=(0, 200)	5000×0+3000×200=600000
B=(150, 0)	5000×150+3000×0=750000

표 1.6.1

따라서 이 공장에서 하루에 각각 장난감 차 150대, 장난감 자전거 0대를 생산할 때 최대 이익을 얻고, 이때의 이익은 750000원이다.

문제 1.6.7 문제 1.6.6에서 그릇 S와 그릇 T를 각각 1개씩 생산하여 팔 때 얻어지는 이익은 1500원과 2000원이라고 한다. 이 공장에서 하루에 최대 이익을 얻으려면 그릇 S와 그릇 T를 각각 얼마씩 생산해야하나?

예제 1.6.6과 예제 1.6.7에서 알 수 있듯이 선형계획법에 관한 문제의 풀이 과정을 요약하면 다음과 같다.

│ 선형계획법의 풀이 과정 │

① 주어진 문제를 잘 읽는다.

② 제품 S와 제품 T를 각각 x, y만큼 생산할 때 실현가능해집합과 목적함수 p를 구한다.

③ 위 ②의 집합을 좌표평면에 나타내어 실현가능해영역을 구한다.

④ 위 ③의 실현가능해영역의 꼭짓점을 구한다.

⑤ 위 ④의 각 꼭짓점에서 목적함수 p의 함수값을 구한다.

⑥ 위 ⑤에서 함수값이 최대 또는 최소인 꼭짓점이 주어진 문제의 해이다.

예제 1.6.8 어떤 공장에서는 제품 S와 T를 1kg 만들 때 필요한 전력의 양(kw) 및 가스의 양(m^3)은 아래 표와 같다. 이 공장에서 하루에 사용할 수 있는 전력은 2000kw, 가스는 300m^3이고 제품 S와 제품 T를 각각 1kg 생산하여 팔 때 얻어지는 이익은 20000원과 60000원이라고 한다.

제품	전력(kw)	가스(m^3)
S(1kg)	40	3
T(1kg)	50	10

표 1.6.2

(1) 이 공장에서 하루에 x kg의 S와 y kg의 T를 생산할 때 실현가능해집합과 목적함수 p를 구하여라.

(2) 위 (1)를 이용하여 실현가능해영역을 좌표평면에 나타내어라.

(3) 하루에 이 공장에서 최대 이익을 얻으려면 제품 S와 T를 각각 얼마씩 생산해야하나? 또 그 때의 최대 이익을 구하여라.

풀이 (1) x, y는 물질의 양을 나타내므로 음이 될 수 없다. 따라서

$$x \geq 0, \ y \geq 0$$

이다. 또 x kg의 S와 y kg의 T를 생산할 때 필요한 전력의 양은 $40x + 50y$이

고, 이 값은 하루에 사용할 수 있는 전력량 2000kw를 넘지 못하므로

$$40x + 50y \leq 2000$$

이다. 마찬가지로 $x\,$kg의 S와 $y\,$kg의 T를 생산할 때 필요한 가스의 양은 $3x + 10y$이고, 하루에 사용할 수 있는 가스의 양 300m³를 넘지 못하므로

$$3x + 10y \leq 300$$

이다. 따라서 실현가능해집합은 다음과 같다.

$$\{(x,\, y)\,|\, x \geq 0,\ y \geq 0,\ 40x + 50y \leq 2000,\ 3x + 10y \leq 300\}$$

한편, S와 T를 각각 $x\,$kg, $y\,$kg 팔 때 얻어지는 이익은 각각 $20000x$, $60000y$이므로 목적함수 $p = 20000x + 60000y$이다.

(2) 위 실현가능해집합을 좌표평면에 나타내면 다음과 같다.

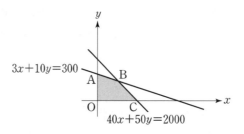

(3) 정리 1.6.2에 의하여 p의 최댓값은 위 영역의 꼭짓점 O, A, B, C에서 일어나고 그런 점에서의 p의 함수값은 다음과 같다.

꼭짓점	목적함수의 함수값
O=(0, 0)	20000×0+60000×0=0
A=(0, 30)	20000×0+60000×30=1800000
B=(20, 24)	20000×20+60000×24=1840000
C=(50, 0)	20000×50+60000×0=1000000

표 1.6.3

따라서 이 공장에서 하루에 각각 S를 20kg, T를 24kg 생산할 때 최대 이익을 얻고, 이때의 이익은 1840000원이다.

문제 1.6.8 현재 배 120개, 사과 160개를 갖고 있는 어떤 과일 가게에서 아래 표와 같은 선물세트 S, T를 만들어 팔 때, S와 T 모두 한 세트당 5000원의 이익이 있다고 한다.

품목 \ 상품	배(개)	사과(개)
S(1세트)	8	12
T(1세트)	10	10

표 1.6.4

(1) 이 가게에서 하루에 S를 x 세트, T를 y 세트 만들 때 실현가능해집합과 목적함수 p를 구하여라.
(2) 위 (1)를 이용하여 실현가능해영역을 좌표평면에 나타내어라.
(3) 하루에 이 가게에서 최대 이익을 얻으려면 S와 T를 각각 몇 세트씩 만들어야 하나? 또 그 때의 최대 이익을 구하여라.

예제 1.6.9 어떤 사람이 비타민과 미네랄이 포함되도록 두 식품 S와 T를 이용하여 식단을 짜려고 한다. 1kg의 S에는 10g의 비타민과 10g의 미네랄이 함유되어 있으며 1kg의 T에는 10g의 비타민과 50g의 미네랄이 함유되어 있다. 하루에 한 사람에게 필요한 비타민과 미네랄의 양이 각각 100g과 150g이고, 1kg 당 S의 가격은 3000원이고 T의 가격은 5000원이라고 한다.

(1) 이 사람이 하루에 필요한 비타민과 미네랄을 섭취하기 위하여 x kg의 S와 y kg의 T를 구입하려 한다. 실현가능해집합과 필요한 비용 p를 구하여라.
(2) 위 (1)를 이용하여 실현가능해영역을 좌표평면에 나타내어라.
(3) 최소의 비용으로 하루에 필요한 비타민과 미네랄을 섭취하려면 S와 T를 각각 몇 kg씩 구입해야하나? 또 그 때 필요한 구입비용을 구하여라.

풀이 위에서 주어진 상황을 정리하면 다음과 같다.

	비타민(g)	미네랄(g)	가격(원)
S(1kg)	10	10	3000
T(1kg)	10	50	5000
1일 필요량(g)	100	150	

표 1.6.5

(1) $x\,\mathrm{kg}$의 S와 $y\,\mathrm{kg}$의 T를 구입한다고 하면 x, y는 물질의 양을 나타내므로 음이 될 수 없다. 따라서

$$x \geq 0, \ y \geq 0$$

이다. 또 $x\,\mathrm{kg}$의 S와 $y\,\mathrm{kg}$의 T를 구입할 때 이 두 식품에 포함된 비타민의 양은 $10x + 10y$이고, 이 값은 1일 비타민 필요량 100g 이상이어야 하므로

$$10x + 10y \geq 100$$

이다. 마찬가지로 $x\,\mathrm{kg}$의 S와 $y\,\mathrm{kg}$의 T를 구입할 때 여기 포함된 미네랄의 양은 $10x + 50y$이고, 이 값은 1일 미네랄 필요량 150g 이상이어야 하므로

$$10x + 50y \geq 150$$

이다. 따라서 위의 식을 종합하면 실현가능해집합은 다음과 같다.

$$\{(x, \ y)\,|\,x \geq 0, \ y \geq 0, \ 10x + 10y \geq 100, \ 10x + 50y \geq 150\}$$

또 S와 T를 각각 $x\,\mathrm{kg}$, $y\,\mathrm{kg}$ 구입할 때 필요한 비용은 각각 $3000x$, $5000y$이므로 목적함수 $p = 3000x + 5000y$이다.

(2) 위 실현가능해집합을 좌표평면에 나타내면 다음과 같다.

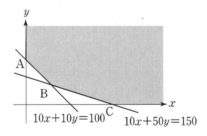

(3) 정리 1.6.2에 의하여 p의 최솟값은 위 영역의 꼭짓점 A, B, C에서 일어나고 그런 점에서의 p의 함수값은 다음과 같다.

꼭짓점	목적함수의 함수값
A=(0,10)	3000×0+5000×10=50000
B=(35/4,5/4)	3000×35/4+5000×5/4=32500
C=(15,0)	3000×15+5000×0=45000

표 1.6.6

S와 T를 각각 35/4kg, 5/4kg 구입하면 최소의 비용으로 하루에 필요한 비타민과 미네랄을 섭취할 수 있고 이때 필요한 비용은 32500원이다.

문제 1.6.9 쿠키와 사탕이 100g 당 포함하고 있는 단백질, 탄수화물의 양과 가격은 아래 표와 같다.

	단백질(g)	탄수화물(g)	가격(원)
쿠키(100g)	8	9	200
사탕(100g)	4	45	120

표 1.6.7

철수는 단백질은 48g 이상, 탄수화물은 216g 이상을 섭취하기 위하여 x(g)의 쿠키와 y(g)의 사탕을 구입하려 한다.

(1) 실현가능해집합을 구하고 실현가능해영역을 좌표평면에 나타내어라.

(2) 최소의 비용으로 단백질 48g 이상, 탄수화물 216g 이상을 섭취하려면 쿠키와 사탕을 각각 몇 g씩 구입해야하나? 또 그 때 필요한 구입비용을 구하여라.

예제 1.6.10 어떤 공장에서 두 제품 S, T를 각각 1개 생산하는데 필요한 원료 I, II, III의 필요량과 하루의 최대 공급량은 아래 표와 같고 제품 S와 제품 T를 각각 1개씩 생산하여 팔 때 얻어지는 이익은 5000원과 6000원이라고 한다.

	원료 I	원료 II	원료 III
S	10	20	20
T	10	30	10
최대 공급량	1000	2700	1800

표 1.6.8

(1) 이 공장에서 x 개의 S와 y 개의 T를 생산할 때 실현가능해영역을 좌표평면에 나타내어라.

(2) 이 공장에서 하루의 이익을 최대로 하려면 제품 S와 T를 각각 몇 개씩 생산해야하나? 또 하루에 얻을 수 있는 최대 이익을 구하여라.

풀이 (1) x 개의 S와 y 개의 T를 생산할 때 x, y는 개수를 나타내므로 음이 될 수 없다. 따라서

$$x \geq 0, \; y \geq 0$$

이다. 또 x 개의 S와 y 개의 T를 생산할 때 필요한 원료 I, 원료 II, 원료 III의 양은 각각 $10x + 10y$, $20x + 30y$, $20x + 10y$이고 이 값은 하루 최대공급량을 넘지 못하므로

$$10x + 10y \leq 1000, \; 20x + 30y \leq 2700, \; 20x + 10y \leq 1800$$

이다. 따라서 위의 식을 종합하면

$$x \geq 0, \; y \geq 0, \; 10x + 10y \leq 1000, \; 20x + 30y \leq 2700,$$
$$20x + 10y \leq 1800$$

이고 실현가능해영역은 다음과 같다.

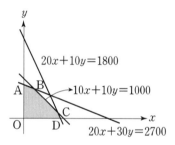

(2) 이 공장에서 하루에 x 개의 S와 y 개의 T를 생산할 때 얻을 수 있는 이익은 $p = 5000x + 6000y$이다. 정리 1.6.2에 의하여 p의 최댓값은 위 영역의 꼭짓점 O, A, B, C, D에서 일어나고 그런 점에서의 p의 함수값은 다음과 같다.

꼭짓점	목적함수의 함수값
O=(0, 0)	5000×0+6000×0=0
A=(0, 90)	5000×0+6000×90=540000
B=(30, 70)	5000×30+6000×70=570000
C=(80, 20)	5000×80+6000×20=520000
D=(90, 0)	5000×90+6000×0=450000

표 1.6.9

따라서 이 공장에서 하루에 각각 S를 30개, T를 70개 생산할 때 최대 이익을 얻고, 이때의 이익은 570000원이다.

문제 1.6.10 어떤 공장에서는 제품 S와 T를 1kg 만들 때 그에 필요한 전력의 양 (kw), 가스의 양(m³) 및 물의 양(m³)은 아래 표와 같다. 이 공장에서 하루에 사용할 수 있는 전력은 120kw, 가스는 14m³, 물은 18m³이고, 제품 S와 제품 T를 각각 1kg 생산하여 팔 때 얻어지는 이익은 3000원과 4000원이라고 한다.

제품	전력(kw)	가스(m³)	물(m³)
S(1kg)	20	7	6
T(1kg)	60	2	6

표 1.6.10

(1) 이 공장에서 하루에 x kg의 S와 y kg의 T를 생산할 때 실현가능해집합을 구하고 실현가능해영역을 좌표평면에 나타내어라.

(2) 이 공장에서 하루의 이익을 최대로 하려면 제품 S와 T를 각각 몇 kg씩 생산해야 하나? 또 하루에 얻을 수 있는 최대 이익을 구하여라.

예제 1.6.11 어떤 공장에서는 제품 S와 T를 1kg 만들 때 그에 필요한 전력의 양 (kw)과 물의 양(m³)은 아래 표와 같다. 이 공장에서 하루에 사용할 수 있는 전력은 1000kw, 물은 3600m³이고, 제품 S와 제품 T를 각각 1kg 생산하여 팔 때 얻어지는 이익은 4만 원과 5만 원이라고 한다.

제품	전력(kw)	물(m³)
S(1kg)	10	30
T(1kg)	10	40

표 1.6.11

(1) 이 공장에서 이미 주문이 들어와 S와 T를 각각 적어도 10kg씩은 생산해야 한다고 한다. 하루에 x kg의 S와 y kg의 T를 생산할 때 실현가능해집합을 구하고 실현가능해영역을 좌표평면에 나타내어라.

(2) 이 공장에서 하루의 이익을 최대로 하려면 제품 S와 T를 각각 몇 kg씩 생산해야 하

나? 또 하루에 얻을 수 있는 최대 이익을 구하여라.

풀이 (1) 하루에 $x\,\mathrm{kg}$의 S와 $y\,\mathrm{kg}$의 T를 생산할 때 x, y는 10 이상이므로

$$x \geq 10, \ y \geq 10$$

이다. 또 $x\,\mathrm{kg}$의 S와 $y\,\mathrm{kg}$의 T를 생산할 때 필요한 전력과 물의 양은 각각 $10x + 10y$, $30x + 40y$이고 이 값은 하루 최대공급량을 넘지 못하므로

$$10x + 10y \leq 1000, \ 30x + 40y \leq 3600$$

이다. 따라서 위의 식을 종합하면 실현가능해집합은

$$\{(x, \ y)|x \geq 10, \ y \geq 10, \ 10x + 10y \leq 1000, \ 30x + 40y \leq 3600\}$$

이고 실현가능해영역은 다음과 같다.

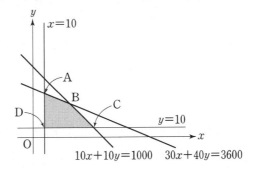

(2) 이 공장에서 하루에 $x\,\mathrm{kg}$의 S와 $y\,\mathrm{kg}$의 T를 생산할 때 얻을 수 있는 이익은 $p = 40000x + 50000y$이다. 정리 1.6.2에 의하여 p의 최댓값은 위 영역의 꼭짓점 A, B, C, D에서 일어나고 그런 점에서의 p의 함수값은 다음과 같다.

꼭짓점	목적함수의 함수값
A=(10, 82.5)	40000×10+50000×82.5=4,525,000
B=(40, 60)	40000×40+50000×60=4,600,000
C=(90, 10)	40000×90+50000×10=4,100,000
D=(10, 10)	40000×10+50000×10=900,000

표 1.6.12

따라서 40kg의 S와 60kg의 T를 생산할 때 최대 이익 4,600,000원의 이득을 얻을 수 있다.

문제 1.6.11 어떤 공장에서는 제품 S와 T를 1kg 만들 때 그에 필요한 가스의 양(m^3)과 물의 양(m^3)은 아래 표와 같다. 이 공장에서 하루에 사용할 수 있는 가스와 물의 양은 각각 4000m^3와 1680m^3이고, 제품 S와 제품 T를 각각 1kg 생산하여 팔 때 얻어지는 이익은 3만 원과 4만 원이라고 한다.

제품	가스(m^3)	물(m^3)
S(1kg)	10	7
T(1kg)	20	6

표 1.6.13

(1) 이 공장에서 이미 주문이 들어와 적어도 S는 10kg, T는 20kg씩은 생산해야 한다고 한다. 하루에 x kg의 S와 y kg의 T를 생산할 때 실현가능해집합을 구하고 실현가능해영역을 좌표평면에 나타내어라.

(2) 이 공장에서 하루의 이익을 최대로 하려면 제품 S와 T를 각각 몇 kg씩 생산해야 하나? 또 하루에 얻을 수 있는 최대 이익을 구하여라.

1 어떤 연탄난로 공장에서는 두 종류의 난로 S와 T를 만들고 있다. S를 하나 만들기 위해서 15kg의 철이 필요하고 T를 하나 만들기 위해서 20kg의 철이 필요하다고 한다. 하루에 이 공장에는 사용할 수 있는 철의 양은 최대 3000kg이고, 난로 S와 T의 가격은 각각 50000원, 70000원이다. 이 공장에서 최대 매출을 올리려면 S, T를 각각 몇 개씩 만들어야하나?

2 하루에 600개의 도넛을 만들 수 있는 어떤 제과점에서는 두 종류의 도넛 S, T를 만들고 있다. S와 T 한 개의 이익은 각각 80원, 100원이며 이미 받은 주문 때문에 S를 100개 이상, T를 200개 이상 만들어야 한다고 한다. 이 제과점에서 하루에 최대 이익을 얻으려면 S와 T를 각각 몇 개씩 만들어야하나?

3 두 제품 S, T를 각각 1개 생산하는데 필요한 원료 I, II의 필요량과 하루의 최대 공급량은 아래 표와 같다.

	원료 I	원료 II
S	2	2
T	3	1
최대 공급량	12	8

제품 S, T를 1개 팔 때 이익이 각각 4000원, 5000원이라면 최대이익을 얻기 위해서는 하루에 S, T를 각각 몇 개씩 만들어야하나?

4 넓이 54000m^{2}의 단지에 117억 원 이하를 들여 S, T 두 종류의 주택을 지으려고 한다. S는 1호당 120m^{2}에 4천만 원을 들여서 짓고, T는 1호당 180m^{2}에 2천 5백만 원을 들여서 짓기로 하였다.
(1) 총호수를 최대로 하려면 S, T를 각각 몇 호씩 지어야하나?
(2) 주택 S, T를 1호 팔 때 이익이 각각 4000만 원, 700만 원이라면 S, T를 각각 몇 호씩 지어야 최대이익을 얻을 수 있나?

5 두 종류의 약품 S, T가 있다. 약품 S, T의 각각에 대하여 1g에 포함된 p 성분, q 성분의 함유량 및 가격은 아래 표와 같다.

	p 성분(mg)	q 성분(mg)	가격(원)
S(1g)	1	2	500
T(1g)	2	1	400

최소의 가격으로 p 성분을 12mg, q 성분을 9mg 이상 섭취하려면 S와 T를 각각 몇 g씩 섭취해야 하나?

6 두 제품 S, T를 각각 1개 생산하는데 필요한 원료 I, II의 필요량과 하루의 최대 공급량은 아래 표와 같다.

	원료 I	원료 II
S	2	2
T	3	4
최대 공급량	180	210

제품 S, T를 1개 팔 때 이익이 각각 4000원, 5000원이며, 하루에 적어도 각각 10개의 S, T를 만들어야 한다. 최대이익을 얻기 위해서 하루에 S, T를 각각 몇 개씩 만들어야 하나?

7 두 종류의 식품 S, T의 1kg에 포함된 비타민 C와 E의 양과 1kg의 가격은 아래 표와 같다.

	비타민 C(mg)	비타민 E(mg)	가격(원)
S(1kg)	20	30	1200
T(1kg)	30	50	1500

최소의 가격으로 비타민 C를 120mg 이상 240mg 이하, 비타민 E를 150mg 이상 300mg 이하 섭취하려면 S와 T를 각각 몇 kg씩 섭취해야 하나?

8 어떤 공장에서 두 제품 S, T를 각각 1개 생산하는데 필요한 원료 I, II, III의 필요량과 하루의 최대 공급량은 아래 표와 같고 제품 S와 제품 T를 각각 1개씩 생산하여 팔 때 얻어지는 이익은 2000원과 2300원이라고 한다.

	원료 I	원료 II	원료 III
S	20	2	1
T	20	1	3
최대 공급량	4000	370	500

(1) 이 공장에서 하루의 이익을 최대로 하려면 제품 S와 T를 각각 몇 개씩 생산해야하나? 또 하루에 얻을 수 있는 최대 이익을 구하여라.

(2) 이 공장에서는 주문 때문에 하루에 S와 T를 각각 적어도 20개 만들어야 한다. 이익을 최대로 하려면 제품 S와 T를 각각 몇 개씩 생산해야 하나? 이 경우 하루에 얻을 수 있는 최대 이익을 구하여라.

제 2 장 그래프와 최적화

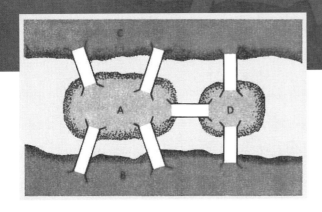

그래프는 수학의 여러 분야에서 자주 이용됨은 물론 컴퓨터공학, 화학, 심리학, 사회학, 생태학, 유전학 등의 학문에서도 널리 쓰이는 중요한 항목이다. 특히 반도체, 네트워크, 비행항로 등과 같이 컴퓨터과학과 관련된 분야에서는 여러 가지 복잡한 문제들을 그래프로 나타내고 그래프의 성질을 이용하여 해결하는 경우가 많다. 또 요즈음에는 도시계획이나 교통문제 등과 같은 현대생활의 중요한 문제에서도 그래프가 자주 쓰이고 있다. 이 장에서는 그래프의 뜻과 그래프에서 나오는 용어를 이해하고 간단한 그래프의 성질을 익힌다. 또 실생활에서 일어나는 문제 중에서 그래프로 나타내어 쉽게 해결할 수 있는 문제를 알아본다.

제1절 그래프

집합 안의 원소 사이의 어떤 관계를 나타낼 때는 그래프로 나타내면 편리하다. 이 절에서는 실생활에서 일어나는 여러 가지 문제를 그래프로 나타내어 해결할 수 있는 방법에 대하여 알아본다.

예제 2.1.1 6개의 야구팀 A, B, C, D, E, F가 야구 시합을 하고 있다. 지금까지 각 팀의 경기는 아래와 같다.

A팀과 경기한 팀: C, D, F
B팀과 경기한 팀: C, E, F
C팀과 경기한 팀: A, B
D팀과 경기한 팀: A, E, F
E팀과 경기한 팀: B, D, F
F팀과 경기한 팀: A, B, D, E

각 팀을 점으로 나타내고, 지금까지 두 팀이 경기를 했으면 그 두 점을 선으로 이어라.

풀이

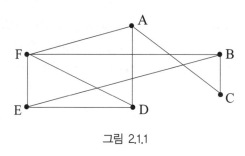

그림 2.1.1

문제 2.1.1 다섯 명 A_1, A_2, A_3, A_4, A_5가 참여한 모임에서 A_i가 악수를 교환한 사람은 아래와 같다. 모임에 참석한 사람을 점으로 나타내고, 두 사람이 악수를 하였으면 두 사람을 선으로 이어라.

$$A_1 : A_3, \ A_4$$
$$A_2 : A_4, \ A_5$$
$$A_3 : A_1, \ A_4, \ A_5$$
$$A_4 : A_1, \ A_2, \ A_3$$
$$A_5 : A_2, \ A_3$$

위의 그림 2.1.1과 같이 점과 선으로 이루어진 도형을 **그래프**라 한다. 그래프를 보다 정확히 정의하면 다음과 같다.

정의 2.1.1

그래프 G는 유한개의 **꼭짓점**의 집합 V와 두 꼭짓점을 원소로 갖는 **변**의 집합 E로 이루어져 있으며 $G(V, E)$로 나타낸다. 여기서 두 꼭짓점 u, v를 포함하는 변이 있으면 u는 v에 **인접**하다고 하며 그 변을 $e = \{u, \ v\}$로 나타내고 변 e는 꼭짓점 u 또는 v와 **근접**하다고 한다. 또 꼭짓점 v에 근접한 변의 개수를 v의 **차수**라고 하고 $d(v)$로 나타낸다.

그림 2.1.2

예제 2.1.2 다음 그래프를 보고 다음 물음에 답하여라.

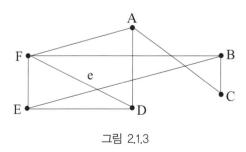

그림 2.1.3

(1) 꼭짓점의 집합과 변의 집합을 구하여라.

(2) 꼭짓점 A와 인접한 꼭짓점을 구하여라.

(3) 변 e = {D, F}의 근접한 꼭짓점을 구하여라.

(4) 각 꼭짓점의 차수를 구하여라.

풀이 (1) 꼭짓점의 집합 : {A, B, C, D, E, F}

변의 집합 : {{A, C}, {A, D}, {A, F}, {B, C}, {B, E}, {B, F}, {D, E}, {D, F}, {E, F}}

(2) C, D, F

(3) D, F

(4) $d(A) = 3$, $d(B) = 3$, $d(C) = 2$, $d(D) = 3$, $d(E) = 3$, $d(F) = 4$

문제 2.1.2 다음 그래프에서 꼭짓점의 집합과 변의 집합, 그리고 각 꼭짓점의 차수를 구하여라.

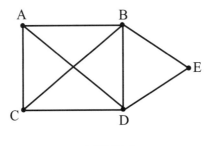

그림 2.1.4

그래프는 꼭짓점과 두 꼭짓점의 연결 유무만 결정하는 변으로 되어 있기에 꼭짓점의 위치, 변을 나타내는 선의 모양이나 길이, 변의 교차점 등은 중요하지 않다. 예를 들어 그림 2.1.5에서 (a)와 (b)는 모양은 다르지만 꼭짓점과 그 꼭짓점 사이의 관계가 같으므로 같은 그래프이나 (c)는 그 꼭짓점의 수가 (a)나 (b)의 꼭짓점의 수와 다르며 그 관계 또한 같지 않으므로 (a)나 (b)와는 다른 그래프이다.

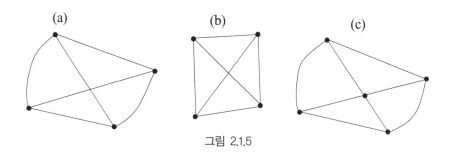

(a)   (b)   (c)

그림 2.1.5

위에서 알아본 그래프의 꼭짓점의 차수를 이용하여 간단히 해결할 수 있는 문제를 살펴보자.

예제 2.1.3 길이가 8cm인 다섯 조각의 철사를 구부리거나 이어서 아래 그림과 같은 모양을 만들 수 있는가? (단, 아래 그림에서 한 칸의 간격은 1cm이다.)

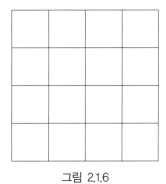

그림 2.1.6

풀이 다섯 조각의 철사를 구부리거나 이어서 만든 그래프를 생각하여 보자. 그런 그래프에는 차수가 홀수인 꼭지점이 많아야 다섯 조각의 철사 양끝점 10개이다. 그러나 그림 2.1.6의 그래프에는 차수가 홀수인 꼭지점이 12개이므로 다섯 조각의 철사를 구부리거나 이어서 위 그림의 모양을 만들 수 없다.

문제 2.1.3 길이가 각각 4cm인 세 조각의 철사를 구부리거나 이어서 아래 그림과 같은 한 변의 길이가 1cm인 정육면체 모양을 만들 수 있는가?

그림 2.1.7

그래프 $G(V,\ E)$에서 모든 꼭짓점의 차수의 합은 변의 수의 두 배이다.

증명 그래프에서 변 e가 두 꼭짓점 $u,\ v$에 근접한다면 변 e는 u와 v의 차수를 계산할 때 각각 1번씩 세어지므로 모든 꼭짓점의 차수의 합에서 2번 세어진다. 따라서 모든 꼭짓점의 차수의 합은 변의 수의 두 배이다.

예제 2.1.4 변의 수가 20이고 모든 꼭짓점의 차수가 4인 그래프의 꼭짓점의 수를 구하여라.

풀이 꼭짓점의 수를 x라 하면 정리 2.1.2에 의해 $4x = 2 \times 20$이므로 꼭짓점의 수 $x = 10$이다.

문제 2.1.4 꼭짓점의 차수가 각각 1, 1, 2, 2, 3, 4, 5인 그래프의 변의 수를 구하여라.

예제 2.1.5 어느 바둑 시합에 7명 A, B, C, D, E, F, G가 참가하였다.
(1) 각 참가자가 다른 사람과 정확히 네 판의 바둑을 둘 수 있도록 대진표를 작성하여라.
(2) 각 참가자가 다른 사람과 정확히 세 판의 바둑을 둘 수 있도록 대진표를 작성하여라.

풀이 시합에 참가한 사람을 꼭짓점으로 하고 두 사람이 경기를 하면 두 사람이 해당하는 두 꼭짓점 사이에 변이 있는 그래프를 생각하자.

(1) 이 조건에 맞는 그래프는 각 꼭짓점의 차수가 4이어야 하며 그런 그래프는 아래 그래프를 포함하여 여러 가지가 있다.

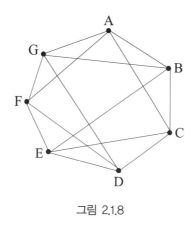

그림 2.1.8

위의 그래프를 이용하여 대진표를 작성하면 다음과 같다.

A와 대국할 사람: B, C, F, G   B와 대국할 사람: A, C, E, G

C와 대국할 사람: A, B, D, E   D와 대국할 사람: C, E, F, G

E와 대국할 사람: B, C, D, F   F와 대국할 사람: A, D, E, G

G와 대국할 사람: A, B, D, F

(2) 각 참가자가 다른 사람과 정확히 세 판의 바둑을 둘 수 있도록 대진표를 작성하였다고 하자. 시합에 참가한 사람을 꼭짓점으로 하고 두 사람이 경기를 하면 두 꼭짓점 사이에 변이 있는 그래프를 생각하면, 이 그래프는 각 꼭짓점의 차수가 3이므로 모든 꼭짓점의 차수의 합은 21이다. 그러나 모든 꼭짓점의 차수의 합은 변의 수의 두 배이므로 홀수가 될 수 없다. 따라서 각 참가자가 다른 사람과 정확히 세 판의 바둑을 두도록 하는 대진표는 작성할 수 없다.

문제 2.1.5 어느 테니스 시합에 5팀 A, B, C, D, E가 참가하였다.

(1) 각 참가자가 다른 팀과 정확히 두 경기를 할 수 있도록 대진표를 작성하여라.

(2) 각 참가자가 다른 팀과 정확히 세 경기를 할 수 있도록 대진표를 작성하여라.

예제 2.1.6 6명 A, B, C, D, E, F가 참석한 어떤 모임에서 모든 참석자는 다른 모든 참석자와 빠짐없이 악수를 나누었다. 모임에 참석한 사람을 꼭짓점으로 나타내고, 두 사람이 악수를 하였으면 두 사람 사이에 변이 있는 그래프를 그려라.

풀이 다음은 이 모임에서 각 참석자가 악수를 나눈 사람을 나타낸 것이다.

A와 악수를 나눈 사람: B, C, D, E, F   B와 악수를 나눈 사람: A, C, D, E, F
C와 악수를 나눈 사람: A, B, D, E, F   D와 악수를 나눈 사람: A, B, C, E, F
E와 악수를 나눈 사람: A, B, C, D, F   F와 악수를 나눈 사람: A, B, C, D, E

따라서 위의 상황을 문제에서 주어진 대로 그래프로 나타내면 다음과 같다.

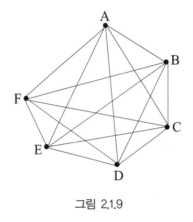

그림 2.1.9

위 그림 2.1.9처럼 모든 두 꼭짓점 사이에 항상 변이 있는 그래프를 **완전그래프**라 하며 꼭짓점의 수가 n인 완전그래프를 K_n으로 나타낸다.

문제 2.1.6 꼭짓점의 수가 각각 3, 4, 5인 완전그래프 K_3, K_4, K_5를 그려라.

예제 2.1.7 다음은 다섯 도시 A, B, C, D, E 사이의 도로의 수를 나타낸 것이다.

두 도시	두 도시 사이의 도로의 수
A와 A	1
A와 B	1
A와 E	1
B와 C	1
B와 E	3
C와 D	1
C와 E	1
D와 E	2

표 2.1.1

각 도시를 꼭짓점으로 나타내고, 두 도시 사이에 도로가 있으면 두 도시 사이에 도로의 수만큼 변이 있는 그래프를 그려라.

풀이

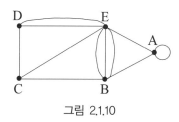

그림 2.1.10

위 그림 2.1.10의 그래프는 이제까지 살펴본 그래프와는 달리 꼭짓점 D와 E 사이에 두 개의 변이 있으며 꼭짓점 A와 그 자신을 잇는 변(**루프**라고 함)이 있다. 이처럼 두 꼭짓점 사이에 한 변보다 많은 변이 있거나 루프가 있는 그래프를 **다중그래프**라고 한다.

문제 2.1.7 다음 그림은 독일 프레겔 강에는 있는 두 개의 섬과, 이 섬과 섬 또는 섬과 육지를 연결하는 7개의 다리를 나타낸 것이다.

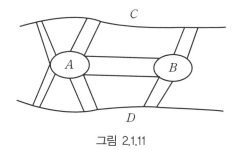

그림 2.1.11

섬이나 육지를 꼭짓점으로 나타내고 두 섬이나 육지 사이에 다리가 있으면 그 해당되는 두 꼭짓점 사이에 그 다리의 개수만큼 변이 있는 그래프를 그려라.

예제 2.1.8 다음은 어떤 도심에 있는 다섯 장소 A, B, C, D, E 사이의 일방통행 도로를 나타낸 것이다.

일방통행의 도로가 있는 곳
$A \rightarrow B$
$A \rightarrow E$
$B \rightarrow C$
$C \rightarrow A$
$C \rightarrow B$
$C \rightarrow D$
$E \rightarrow C$
$E \rightarrow D$

표 2.1.2

각 장소를 꼭짓점으로 나타내고 한 장소에서 다른 장소로 가는 일방통행 도로가 있으면 해당되는 두 꼭짓점 사이에 화살표를 그려라.

풀이

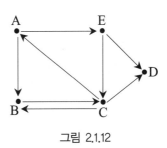

그림 2.1.12

그림 2.1.12처럼 각 변에 방향이 있는 그래프를 **유향그래프**라 한다.

문제 2.1.8 아래 표 2.1.3은 집을 짓기 위한 작업과 작업의 순서 관계를 나타낸 것이다. 표에 나타난 작업을 꼭짓점으로 나타내고 작업 X가 작업 Y전에 행해져야 한다면 꼭짓점 X에서 꼭짓점 Y로 가는 화살표를 그려라.

작 업	먼저 행해져야 할 작업
집의 설계(A)	없음
기초 및 골조공사(B)	A
배관 공사(C)	B
전기, 전화 공사(D)	B
냉난방 공사(E)	D
미장 공사(F)	C, E
외부 공사(G)	B
내부 공사(H)	F
조경 공사(I)	G

표 2.1.3

유향그래프나 다중그래프와 비교하여 변에 방향이 없고 루프도 없으며 두 꼭짓점 사이에는 많아야 한 개의 변이 있는 그래프를 **단순그래프**라고 한다. 앞으로는 특별한 언급이 없으면 그래프는 모두 단순그래프를 뜻하는 것으로 약속한다.

정의 2.1.3

그래프 또는 다중그래프에서 꼭짓점 v_i와 v_{i+1}을 잇는 변을 e_i라 하면

$$v_1 e_1 v_2 e_2 \cdots e_{k-1} v_k e_k v_{k+1} \quad \text{(단, 변은 모두 다름)}$$

을 길이가 k인 **경로**라고 하며 v_1과 v_{k+1}을 각각 이 경로의 **시작점**과 **끝점**이라 한다. 또, 시작점과 끝점이 같은 경로를 **회로**라고 한다.

단순그래프에서는 인접한 두 꼭짓점이 주어지면 그 두 꼭짓점을 잇는 변은 자동적으로 결정되므로 $v_1 e_1 v_2 e_2 \cdots e_{k-1} v_k e_k v_{k+1}$에 나타난 변을 생략하여 이 경로를

$$v_1 \rightarrow v_2 \rightarrow \cdots \rightarrow v_k \rightarrow v_{k+1}$$

로 나타내기도 한다. 예를 들어 그림 2.1.13에서 DaAbBcC 또는 D→A→B→C는 시작점이 D이고 끝점이 C인 길이 3인 경로이고, AbBcCdDaA 또는 A→B→C→D→A는 길이 4인 회로이다. 그러나 AbBeDeBcCdD 또는 A→B→D→B→C→D는 변 $e=\{B, D\}$가 반복되므로 경로가 아니다.

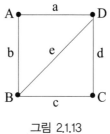

그림 2.1.13

예제 2.1.9 아래 그래프에서 다음 물음에 답하라.

(1) 시작점이 A이고 끝점이 C이며 길이가 4인 경로를 모두 찾아라.

(2) 꼭짓점 A에서 출발하는 길이 4인 회로를 모두 찾아라.

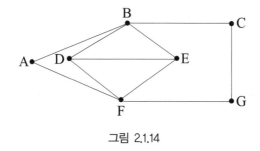

그림 2.1.14

풀이 (1) A→F→E→B→C, A→F→D→B→C

(2) A→F→E→B→A, A→F→D→B→A,

A→B→D→F→A, A→B→E→F→A

문제 2.1.9 아래 그래프를 보고 다음 물음에 답하라.

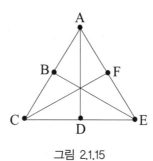

그림 2.1.15

(1) 시작점이 A이며 길이가 3인 경로를 모두 찾아라.

(2) 꼭짓점 A에서 출발하는 길이 4인 회로를 모두 찾아라.

임의의 두 꼭짓점 사이에 항상 적어도 하나의 경로가 있는 그래프를 **연결그래프**라 한다. 연결그래프가 아닌 그래프 G는 몇 개의 연결그래프로 이루어져 있으며 이런 각각의 연결그래프를 그래프 G의 **연결성분**이라고 한다.

예를 들어 아래 그림에서 (a)는 어느 두 꼭짓점 사이에도 경로가 존재하므로 연결그래프이다. 그러나 (b)와 (c)는 꼭짓점 u와 v 사이에 경로가 존재하지 않으므로 연결그래프가 아니며, (b)는 두 개의 연결성분으로 구성되어 있고 (c)는 세 개의 연결성분으로 이루어져 있다.

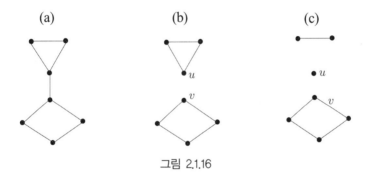

그림 2.1.16

예제 2.1.10 어떤 나라의 수도 A에는 다른 도시로 연결되는 21개의 도로가 있고, 도시 B에는 다른 도시로 연결되는 도로가 오직 하나 있다. 또 A와 B를 제외한 다른 모든 도시는 각각 20개의 도로가 다른 도시와 연결되어 있다. 이 나라의 도로를 이용하여 수도 A에서 도시 B로 여행할 수 있는가?

풀이 이 나라의 각 도시를 꼭짓점으로 나타내고 두 도시 사이에 도로가 있으면 해당되는 두 꼭짓점이 인접한 그래프 G를 생각하여 보자.

만약 수도 A에서 도시 B로 여행할 수 없다면 그래프 G는 연결그래프가 아니며 꼭짓점 A와 B는 아래 그림처럼 각각 G의 다른 두 연결성분 G_1, G_2에 포함되어 있다.

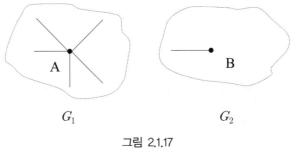

G_1 G_2

그림 2.1.17

그래프 G_1에서 꼭짓점 A의 차수는 21이고 다른 꼭짓점의 차수는 모두 20이므로 G_1의 모든 꼭짓점의 차수의 합은 홀수가 되어 정리 2.1.2에 모순이다. 따라서 주어진 도로를 이용하여 수도 A에서 도시 B로 여행할 수 있다.

문제 2.1.10 어떤 나라에는 각 도시마다 다른 도시로 연결되는 100개의 도로가 있고 어느 도시에서도 다른 모든 도시로 여행이 가능하도록 도로가 설계되어 있다. 이런 도로 중에서 어떤 한 도로가 보수 관계로 폐쇄되었다면 여전히 어느 도시에서도 다른 모든 도시로 여행이 가능한가?

1 네 직종 A_1, A_2, A_3, A_4에 직원을 각각 한 명씩 뽑으려는 어느 회사에 다섯 사람 a_1, a_2, a_3, a_4, a_5가 지원하였다. 다음은 각 지원자가 할 수 있는 직종을 나타낸 것이다.

$a_1 : A_2, A_3, A_4$ $a_2 : A_1, A_2, A_4$ $a_3 : A_1, A_4$

$a_4 : A_1, A_3$ $a_5 : A_3, A_4$

직종과 지원자를 꼭짓점으로 하고 지원자 a_i가 A_j의 직종의 일을 할 수 있으면 a_i와 A_j를 잇는 변을 가진 그래프를 그려라.

2 집합 C를 다음과 같은 구간의 집합이라 하자.

$$C = \{[-4, 2], [0, 1], (-8, 2], [2, 4], [4, 10)\}$$

집합 C에 있는 구간을 꼭짓점으로 하고 두 구간 사이에 공통부분이 있으면 두 구간 사이에 변이 있는 그래프를 그려라.

3 다음은 일주일 동안의 프로농구 일정표이다.

요일	경 기
화요일	동부 : KCC, LG : 삼성
수요일	오리온스 : 모비스, 전자랜드 : SK
목요일	KCC : LG, 동부 : KT
금요일	삼성 : SK, 모비스 : 전자랜드
토요일	동부 : KCC, 오리온스 : 모비스, KT : 삼성
일요일	전자랜드 : SK, LG : 오리온스, 동부 : KT

각 팀을 꼭짓점으로 나타내고 두 팀의 경기가 예정되어 있으면 그 두 팀에 해당하는 꼭짓점 사이에 예정된 경기수 만큼 변이 있는 다중그래프를 그려라.

4 다음은 6개 배구팀 A, B, C, D, E, F의 지난 전적을 나타낸 것이다.

날짜	승리한 팀	패배한 팀
12월 3일	A	B
12월 4일	C	E
12월 10일	D	F
12월 11일	A	E
12월 17일	E	B
12월 18일	C	A
12월 24일	A	D
12월 25일	F	B
12월 31일	D	B
1월 1일	C	F

각 팀을 꼭짓점으로 나타내고 팀 Y가 팀 X에 승리했다면 꼭짓점 X에서 꼭짓점 Y로 가는 화살표를 그려라.

5 아래의 그래프를 G라고 하자.

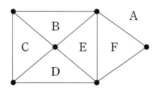

그래프 G의 영역 A, B, C, D, E, F를 꼭짓점으로 하고 두 영역 사이에 공통변이 있으면 두 영역에 해당하는 두 꼭짓점 사이에 변이 있는 그래프 G를 그려라.

6 다음 그림은 어느 관공서의 방, 그리고 방과 방 사이의 문을 나타낸 것이다. 방 A, B, C, D, E를 꼭짓점으로 하고 두 방에 해당하는 꼭짓점 사이에 문의 수만큼 변이 있는 다중그래프를 그려라.

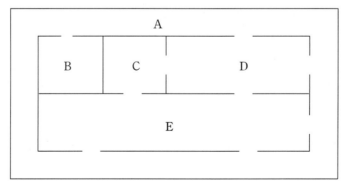

7 토너먼트 방식으로 치러지는 어느 테니스 단식 경기에 12명의 선수 A, B, C, D, E, F, G, H, I, J, K, L이 출전하였다. 다음 그림은 출전한 선수들의 경기 대진표와 그 경기 결과를 나타낸 것이다. 각 선수를 꼭짓점으로 나타내고 Y가 X에 승리했다면 X에 해당하는 꼭짓점에서 Y에 해당하는 꼭짓점으로 가는 화살표가 있는 유향그래프를 그려라. (단, 굵은 선에 해당되는 선수가 승자)

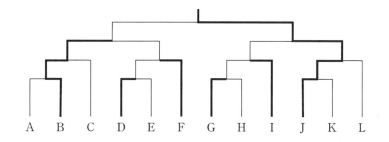

8 아래 그래프의 꼭짓점의 집합, 변의 집합, 그리고 각 꼭짓점의 차수를 구하여라.

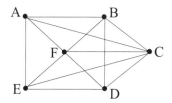

9 아래 두 그래프는 같은 그래프인가 아니면 다른 그래프인가?

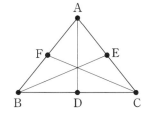 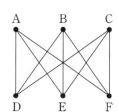

10 다음은 어떤 그래프의 꼭짓점의 차수를 나타낸 것이다. 이 그래프의 변의 수를 구하고 그래프를 그려라.

(1) 0, 1, 1, 2, 2   (2) 1, 1, 2, 3, 3, 4, 4, 6

11 다음 명제가 참인지 거짓인지 알아보아라.

(1) 꼭짓점이 A, B, C, D, E이며 그것의 차수가 각각 4, 4, 4, 4, 2인 그래프는 존재한다.

(2) 꼭짓점이 A, B, C, D, E이며 그것의 차수가 각각 0, 1, 2, 3, 4인 그래프는 존재한다.

(3) 19명이 참석한 동창회에서 참석한 모든 사람이 각각 한 번씩 악수할 수 있다.

(4) 30명으로 이루어진 한 학급에서 9명은 3명의 친구를, 11명은 4명의 친구를, 10명은 5명의 친구를 가질 수 있다.

(5) 평면에 각 직선이 오직 다른 세 직선과만 만나도록 9개의 직선을 그릴 수 있다.

12 완전그래프 K_n의 변의 개수를 구하여라.

13 다음 그래프를 보고 물음에 답하여라.

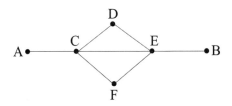

(1) 시작점이 A이고 끝점이 B인 경로의 수를 구하여라.

(2) 시작점이 C인 회로의 수를 구하여라.

14 아래 그래프에서 꼭짓점 A에서 꼭짓점 J로 가는 경로의 총 개수를 구하여라.

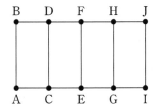

15 다음 물음에 답하여라.

(1) 꼭짓점이 A, B, C인 그래프를 모두 그려라.

(2) 꼭짓점이 A, B, C, D인 그래프를 모두 몇 개가 있는가?

(3) 꼭짓점이 $A_1, A_2, \cdots, A_n$인 그래프는 모두 몇 개가 있는가?

16 영호의 부모님은 주말에 두 쌍의 부부를 집으로 초대하였다. 영호의 부모님을 포함한 여섯 명은 자기 배우자를 제외한 사람들과 악수를 하였는데 영호의 어머님이 다른 다섯 사람에게 각각 악수한 횟수를 물어 보니 그 답이 모두 달랐다고 한다. 영호 아버님과 어머님은 각각 몇 번 악수를 했을까?

17 $2n$ 개의 꼭짓점을 가지며 차수가 각각 1, 1, 2, 2, 3, 3, $\cdots$, n, n인 그래프가 존재함을 보여라.

18 그래프에서 다음 물음에 답하여라.

(1) 차수가 홀수인 꼭짓점은 짝수개 있음을 보여라.

(2) 꼭짓점의 수가 둘 이상인 그래프에는 항상 차수가 같은 두 꼭짓점이 있음을 보여라.

19 어떤 나라는 n 개의 도시로 이루어져 있고 각 도시는 적어도 $\frac{n-1}{2}$ 개의 도로가 서로 다른 도시와 연결되어 있다. 이런 도로를 이용하여 이 나라의 어느 도시에서도 다른 모든 도시로 여행이 가능함을 보여라.

제2절 오일러회로

오른쪽 그림은 어느 아파트 단지의 건물과 도로를 나타낸 그림이다. 주민들의 주차 점검을 위하여 아파트 경비원은 단지 내의 모든 도로를 순찰하려 한다. 이 경비원은 경비실이 있는 P지점에서 출발하여 모든 도로를 정확히 한 번씩만 지나 출발한 P지점으로 돌아올 수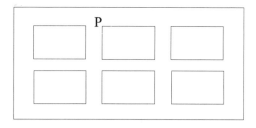

있을까? 이런 상황은 길거리 청소 등 실생활에서 자주 일어나는 문제이다. 이 절에서는 그래프의 성질을 이용하여 여러 가지 상황에서 모든 길을 한 번씩만 지나 원래 출발한 지점으로 돌아올 수 있는가에 대하여 살펴보도록 하자.

예제 2.2.1 아래 그래프에서 한 꼭짓점에서 출발하여 연필을 떼지 않고 변을 따라 모든 변을 정확히 한 번만 지나 원래 출발했던 꼭짓점으로 돌아올 수 있는가? 있다면 그런 방법은 유일한가?

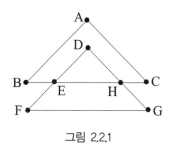

그림 2.2.1

풀이 $A \to B \to E \to H \to D \to E \to F \to G \to H \to C \to A$와 $A \to B \to E \to F \to G \to H \to D \to E \to H \to C \to A$는 각각 꼭짓점 A를 출발하여 위 그래프의 모든 변을 정확히 한번만 지나 다시 A로 돌아오는 경로이다. 이 경로에 나타난 꼭짓점의 순서대로 따라가면 적어도 두 가지 방법으로 연필을 떼지 않고 모든 변을 정확

히 한번만 지나 원래 출발했던 꼭짓점으로 돌아올 수 있다. 따라서 그 방법은
유일하지 않다.

문제 2.2.1 아래 그래프에서 한 꼭짓점에서 출발하여 연필을 떼지 않고 변을 따라
모든 변을 정확히 한번만 지나 원래 출발했던 꼭짓점으로 돌아올 수 있는가?

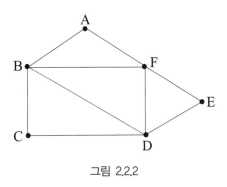

그림 2.2.2

정의 2.2.1

단순그래프나 다중그래프에서 모든 변을 정확히 한번만 통과하는 경로를 **오일러경로**라
고 하고 시작점과 끝점이 같은 오일러경로를 **오일러회로**라고 한다.

예를 들어, 아래 그림에서 왼쪽 그래프는 A → B → C → D → E → C → A와 같은 오일
러회로를 갖는다. 또, 오른쪽 그래프는 오일러경로 B → A → C → D → B → C를 갖지만
오일러회로는 없다.

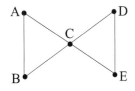
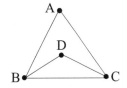

그림 2.2.3

예제 2.2.2) 다음 그래프에서 오일러회로를 찾아라.

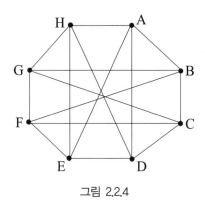

그림 2.2.4

풀이 회로 A→D→H→E→A→B→F→C→G→B→C→D→E→F→G
→H→A는 위 그래프의 모든 변을 한번만 통과하므로 오일러회로이다.

문제 2.2.2) 다음 그래프에서 오일러회로를 찾아라.

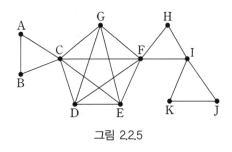

그림 2.2.5

오일러회로에 관해서는 다음과 같은 정리가 잘 알려져 있다.

정리 2.2.2

G를 연결그래프(또는 연결 다중그래프)라 하자.
(1) G가 오일러회로를 가지면 모든 꼭짓점의 차수가 짝수이다.
(2) G의 모든 꼭짓점의 차수가 짝수이면 G는 오일러회로를 갖는다.

예제 2.2.3 다음 그래프에 오일러회로가 존재하는지 판단하라.

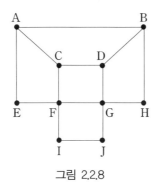

그림 2.2.8

풀이 위의 그래프에는 차수가 홀수인 꼭짓점이 A, B, C, D 넷이므로 오일러회로가 존재하지 않는다.

문제 2.2.3 다음 그래프에 오일러회로가 존재하는지 판단하라.

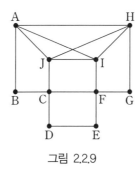

그림 2.2.9

예제 2.2.4 다음 그림은 독일의 쾨니스베르그에 있는 프레겔 강의 섬과 다리를 나타낸 것이다.

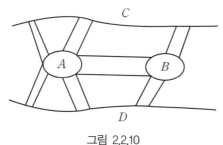

그림 2.2.10

섬이나 육지의 한 지점에서 출발하여 모든 다리를 정확히 한번만 지나 원래 출발한 지점으로 돌아올 수 있는가?

풀이 위의 그림에서 섬과 육지를 꼭짓점으로 나타내고 그것들이 다리로 연결되어 있으면 그 두 꼭짓점 사이에 다리의 수만큼 변이 존재하도록 그래프를 그리면 다음 그림과 같다.

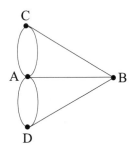

그림 2.2.11

그러면 주어진 문제는 위 그래프에서 오일러회로가 존재하는가 하는 문제와 같다. 그러나 위의 그래프에는 차수가 홀수인 꼭짓점이 A, B, C, D 넷이므로 오일러회로가 존재하지 않는다. 따라서 모든 다리를 정확히 한번만 지나 원래 출발한 지점으로 돌아올 수 있는 방법은 없다.

문제 2.2.4 다음 그림은 어느 집의 방과 방 사이의 문을 나타낸 것이다. 한 지점에서 출발하여 모든 문을 오직 한 번 통과한 후 출발점으로 되돌아 올 수 있는가?

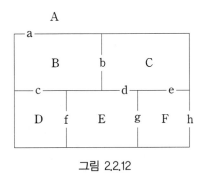

그림 2.2.12

G를 연결그래프(또는 연결다중그래프)라 하자.

(1) G가 오일러경로를 가지면 홀수 차수를 갖는 꼭짓점의 수는 0 또는 2이다.

(2) 홀수 차수를 갖는 꼭짓점의 수가 0 또는 2이면 G는 오일러경로를 갖는다. 특히, 홀수 차수를 갖는 꼭짓점의 수가 2이면 오일러경로는 한 홀수점에서 출발하여 다른 홀수점에서 끝난다.

증명 (1) 그래프 G에서 오일러경로 $P : v_1 \to v_2 \to v_3 \to \cdots \to v_n$가 존재한다고 하자. $v_1 = v_n$이면 P는 G의 오일러회로가 되고 정리 2.2.2에 의하여 모든 꼭짓점의 차수는 짝수이다. $v_1 \neq v_n$이면 그래프 G에 변 $\{v_1, v_n\}$을 첨가한 그래프를 G'이라 하자. 그러면 경로 $P_1 : v_1 \to v_2 \to v_3 \to \cdots \to v_n \to v_1$은 G'의 오일러회로가 되므로 G'에서의 모든 꼭짓점의 차수는 짝수이다. 따라서 그래프 G에서 v_1과 v_n의 차수는 홀수이고 나머지 모든 꼭짓점의 차수는 짝수이다.

(2) 연결그래프 G의 홀수 차수를 갖는 꼭짓점의 수가 0 또는 2라 하자. 홀수 차수를 갖는 꼭짓점의 수가 0이라면 다시 정리 2.2.2에 의하여 G는 오일러회로를 갖고 이것은 분명히 오일러경로이다. 만약 홀수 차수를 갖는 꼭짓점이 x, y 둘이라면 G에 변 $\{x, y\}$를 첨가한 그래프 G'이라 하자. 그러면 G'의 모든 꼭짓점의 차수는 짝수이고, 따라서 G'은 오일러회로 Q를 갖는다. 이제 Q에서 변 $\{x, y\}$를 제거하여 만든 경로 $Q - \{x, y\}$는 꼭짓점 x에서 y로 가는 G의 오일러경로이다.

예제 2.2.5 다음 그래프에서 오일러경로가 있는지 살펴보아라. 또 오일러경로가 있으면 직접 찾아보아라.

(1)

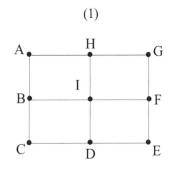

(2)

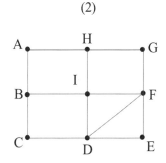

그림 2.2.13

풀이 (1) 차수가 홀수인 꼭짓점이 B, D, F, H 넷이므로 정리 2.2.3에 의하여 오일러경로는 존재하지 않는다.

(2) 차수가 홀수인 꼭짓점이 B와 H 둘 뿐이므로 정리 2.2.3에 의하여 오일러경로가 존재하며 이런 오일러경로는 한 홀수점에서 출발하여 다른 홀수점에서 끝난다. 실제로 B→A→H→I→B→C→D→I→F→E→D→F→G →H는 위 그래프의 오일러경로이다.

문제 2.2.5) 다음 그래프에서 오일러경로를 찾아라.

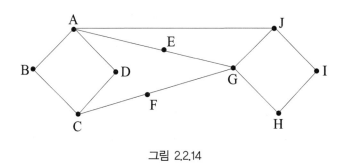

그림 2.2.14

정리 2.2.2와 정리 2.2.3에 의하여 홀수 차수를 갖는 꼭짓점의 수를 조사하여 주어진 연결 그래프가 오일러회로나 오일러경로를 갖고 있는지 쉽게 판단할 수 있다. 오일러회로나 오일러경로가 존재하는 경우 변이 그리 많지 않으면 시행착오로 그런 회로나 경로를 쉽게 찾을 수 있으나 변의 수가 많아지면 그것을 찾는 것은 그리 쉽지 않다. 오일러회로가 존재하는 그래프에서 오일러회로를 찾는 효과적인 방법에 대하여 알아보자.

다음 그래프는 모든 꼭짓점의 차수가 짝수이므로 오일러회로가 존재한다.

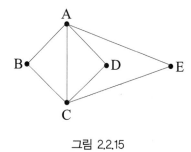

그림 2.2.15

위 그래프의 오일러회로를 찾기 위하여 B에서 출발하여 B→A→C의 순서로 꼭짓점 C까지 왔다고 하자. 이제 C에서 갈 수 있는 꼭짓점은 B나 D 또는 E이다. 그러나 여기서 꼭짓점 B로 간다면 B와 근접한 변을 모두 지났기 때문에 지나온 변을 다시 지나지 않고서는 꼭짓점 D나 E로 갈 수 없고, 따라서 오일러회로도 찾을 없다. 즉, 오일러회로를 찾기 위하여 어떤 꼭짓점에 이르렀을 때 그 꼭짓점과 근접한 변 중에서 적당한 변을 선택하여야 한다.

정의 2.2.4

연결그래프 G에서 한 변 e를 제거할 때 남은 그래프가 두 개 이상의 연결성분으로 나누어지면 변 e를 그래프 G의 **다리**(bridge)라고 한다.

예를 들어, 아래 그래프에서 변 b를 제거하면 그래프는 두 연결성분으로 나누어지므로 b는 이 그래프의 다리이나 변 a는 제거되더라도 남은 그래프는 여전히 연결되어 있으므로 다리가 아니다.

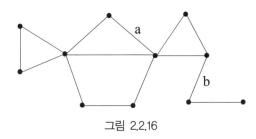

그림 2.2.16

플루리(Fleury)의 오일러회로를 찾는 알고리즘
① 그래프 G가 모든 꼭짓점의 차수가 짝수인 연결그래프인지 확인한다. 그렇지 않으면 오일러회로는 존재하지 않는다.
② G의 임의의 한 꼭짓점에서 출발한다.
③ 한 꼭짓점 v에 이르렀을 때 아직 사용하지 않은 남은 변들로 이루어진 그래프에서 v의 근접한 변 중 다리가 아닌 변을 임의로 선택한다. 단, 다리만 있는 경우에는 그 다리를 선택한다.
④ G의 모든 변이 사용될 때까지 위 ③의 과정을 되풀이 한다.

예제 2.2.6 플루리의 알고리즘을 이용하여 다음 그래프 G의 오일러회로를 찾아라.

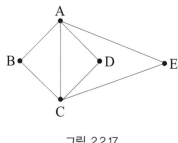

그림 2.2.17

풀이
- 주어진 그래프는 모든 꼭짓점의 차수가 짝수인 연결그래프이므로 오일러회로 가 존재한다.
- G의 한 꼭짓점 B에서 출발한다.
- B와 근접한 변 {A, B}, {B, C} 모두 G의 다리가 아니므로 어느 변을 선택 해도 좋다. 여기서는 변 {A, B}를 선택하기로 한다. 아직 사용하지 않은 남 은 변들로 이루어진 그래프 G_1은 다음과 같다.

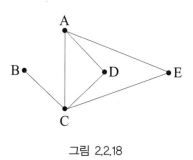

그림 2.2.18

- A와 근접한 변 {A, C}, {A, D}, {A, E} 모두 G_1의 다리가 아니므로 어느 변을 선택해도 좋다. 여기서는 변 {A, C}를 선택하기로 한다. 아직 사용하지 않은 남은 변들로 이루어진 그래프 G_2는 다음과 같다.

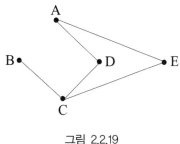

그림 2.2.19

- C와 근접한 변은 {B, C}, {C, D}, {C, E}이나 변 {B, C}는 G_2의 다리
 이다. 따라서 다리가 아닌 {C, D}, {C, E} 어느 변을 선택해도 좋으며 여기
 서는 변 {C, D}를 선택하기로 한다. 아직 사용하지 않은 남은 변들로 이루
 어진 그래프 G_3은 다음과 같다.

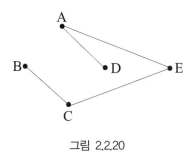

그림 2.2.20

- D와 근접한 변은 오직 {A, D} 뿐이므로 변 {A, D}를 선택한다.
 계속하여 A와 근접한 변 {A, E}를 선택한다. 다음에 E와 근접한 변
 {C, E}를 선택한다. 마지막으로 C와 근접한 변 {B, C}를 선택한다.
- 모든 변이 사용되었으므로 멈춘다.

위 과정에서 선택한 변에 차례로 번호를 매기면 아래 그림 2.2.21과 같고 이 번호의 순서
대로 따라가면 주어진 그래프의 오일러회로가 된다.

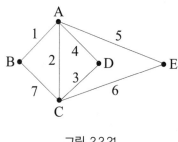

그림 2.2.21

문제 2.2.6 플루리의 알고리즘을 이용하여 다음 그래프 G의 오일러회로를 찾아라.

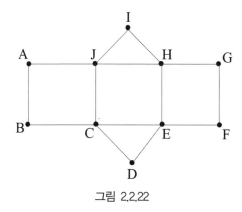

그림 2.2.22

위 플루리의 오일러회로를 찾는 알고리즘 ②의 과정을 조금 수정하면 홀수점이 두 개뿐인 그래프의 오일러경로를 찾을 수 있다. 즉, 알고리즘의 과정 ②에서 임의의 꼭짓점에서 출발하는 대신에 차수가 홀수인 한 꼭짓점에서 출발하여 알고리즘을 적용하면 마지막에 다른 홀수점에서 끝나는 오일러경로가 얻어진다.

예제 2.2.7 플루리의 알고리즘을 이용하여 다음 그래프 G의 오일러경로를 찾아라.

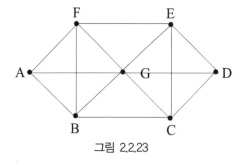

그림 2.2.23

위 그래프 G는 차수가 홀수인 꼭짓점이 A, D 둘 뿐이므로 오일러경로가 존재한다. 차수가 홀수인 꼭짓점 A에서 출발하여 플루리의 알고리즘을 적용하면 다음과 같은 오일러경로가 만들어진다.

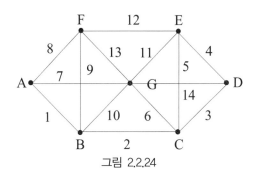

그림 2.2.24

플루리의 알고리즘을 이용하여 다음 그래프 G의 오일러경로를 찾아라.

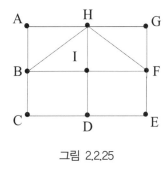

그림 2.2.25

실생활에서 길에 관하여 자주 일어나는 문제는 모든 길을 지나 출발한 지점으로 돌아와야 하는 경우가 많다. 오일러회로가 존재하는 그래프에서는 오일러회로를 따라가면 모든 변을 한번만 지나 출발한 꼭짓점으로 돌아올 수 있다. 그러나 오일러회로가 존재하지 않는 그래프에서는 모든 변을 지나 출발한 꼭짓점으로 돌아오려면 어떤 변은 적어도 두 번 이상 지나야만 한다.

예를 들어 아래와 같은 그래프를 생각하여 보자.

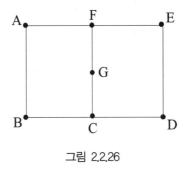

그림 2.2.26

위 그래프에는 차수가 홀수인 꼭짓점이 C와 F 둘이므로 오일러회로는 존재하지 않는다. 이제 위 그래프에 몇 개의 변을 첨가하여 새로 만들어진 그래프의 모든 꼭짓점의 차수를 짝수로 만들어 보자.

그림 2.2.27의 (a)는 주어진 그래프에 이미 존재하는 변 {A, F}, {A, B}, {B, C}를 중복해서 그렸고, (b)는 변 {F, G}, {C, G}를 중복해서 그린 것이다. 한편, (c)는 변 {C, F}를 첨가하여 모든 꼭짓점의 차수를 짝수로 만들었지만 새로 첨가된 변 {C, F}가 원래 그래프에서는 존재하지 않는 새로운 변이므로 적당하지 않다.

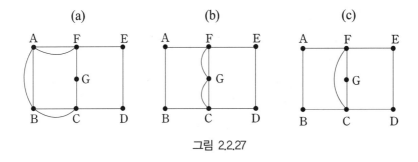

그림 2.2.27

위 그래프 (a)와 (b)는 꼭짓점의 차수가 모두 짝수이므로 오일러회로가 존재한다. 예를 들어 (a)에는 오일러회로 A→B→C→D→E→F→A→B→C→G→F→A가 존재하고 이 회로는 그림 2.2.28의 (a)처럼 주어진 그래프의 모든 변을 지나 출발한 꼭짓점으로 돌아오며 변 {A, F}, {A, B}, {B, C}가 두 번 이용되었음을 알 수 있다. 또 (b)에도 오일러회로 A→B→C→D→E→F→G→C→G→F→A가 존재하고 이 회로는 아래 그림의 (b)처럼 그래프의 모든 변을 지나 출발한 꼭짓점으로 돌아오고 이 때 변 {F, G}, {C, G}는 두 번 이용되었다.

(a)   (b)

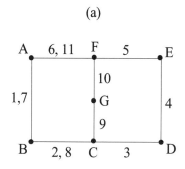   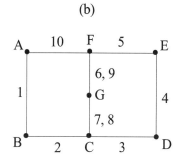

그림 2.2.28

위처럼 오일러회로가 존재하지 않는 그래프에 이미 존재하는 몇 개의 변을 두 번 중복해서 그려 모든 꼭짓점의 차수가 짝수가 되도록 하면 이 새 그래프에는 오일러회로가 존재하고, 이 오일러회로를 이용하면 어떤 변이 두 번 이상 이용되는지 쉽게 알 수 있다.

예제 2.2.8 두 번 이상 지나는 변의 수를 최소로 하면서 다음 그래프의 모든 변을 지나 출발한 꼭짓점으로 돌아오는 방법을 찾아라.

(1)   (2)

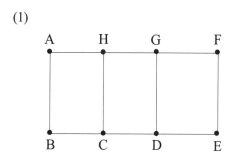

그림 2.2.29

풀이 (1) 그림 2.2.30의 (a)처럼 주어진 그래프에 변 {C, D}와 {H, G}를 중복해서 그리면 모든 꼭짓점의 차수가 짝수가 되고 이렇게 새로 만들어진 그래프에는 오일러회로   A→B→C→D→E→F→G→H→C→D→G→H→A 가 존재한다. 이 회로는 그림 2.4.30의 (b)처럼 주어진 그래프의 모든 변을 지나 출발한 꼭짓점으로 돌아오며 변 {C, D}와 {H, G}만 두 번 이용되었음을 알 수 있다.

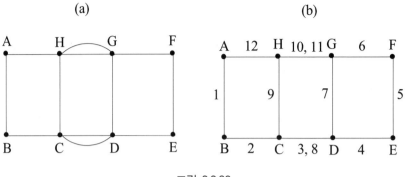

그림 2.2.30

(2) 그림 2.2.31의 (b)처럼 주어진 그래프에 변 {B, C}, {C, D}, {F, G}, {G, H}를
중복해서 그리면 모든 꼭짓점의 차수가 짝수가 되고 이렇게 새로 만들어진
그래프에는 오일러회로 A→B→C→D→E→F→G→H→I→B→C
→D→I→F→G→H→A가 존재한다. 이 회로는 그림 2.2.31의 (b)처럼
주어진 그래프의 모든 변을 지나 출발한 꼭짓점으로 돌아오며 변 {B, C},
{C, D}, {F, G}, {G, H}만 두 번 이용되었다.

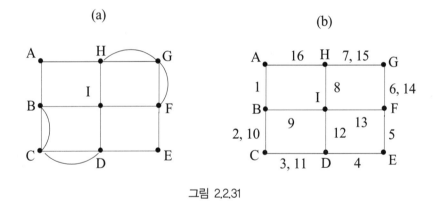

그림 2.2.31

문제 2.2.8 두 번 이상 지나는 변의 수를 최소로 하면서 다음 그래프의 모든 변을
지나 출발한 꼭짓점으로 돌아오는 방법을 찾아라.

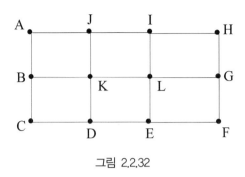

그림 2.2.32

예제 2.2.9 다음 그래프에서 홀수 차수를 갖는 꼭짓점이 A, B, C, D 넷이므로 오일러회로는 존재하지 않는다. 이 그래프에 이미 존재하는 변을 중복하여 그려 <u>오일러회로</u>가 존재하도록 하려고 한다. 여러 가지 경우를 생각하여 중복하는 변의 수를 최소로 하여 <u>오일러회로</u>가 존재하도록 하여라.

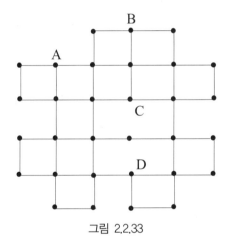

그림 2.2.33

풀이 **경우 1** : A에서 C, B에서 D로의 경로에 있는 변을 중복하면 그림 2.2.34의 (a)와 같으며, 이 경우 모두 9개의 변이 중복된다.

경우 2 : A에서 B, C에서 D로의 경로에 있는 변을 중복하면 그림 2.2.34의 (b)와 같으며, 이 경우 모두 7개의 변이 중복된다.

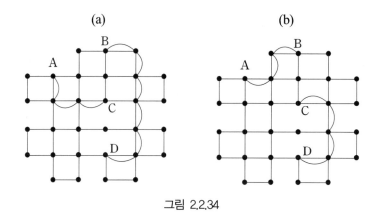

(a)   (b)

그림 2.2.34

경우 3 : 마찬가지 방법으로 A에서 D, B에서 C로의 경로에 있는 변을 중복하면
그림 2.2.35와 같으며, 모두 7개의 변이 중복된다.

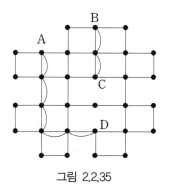

그림 2.2.35

따라서 A에서 B, C에서 D로의 경로에 있는 변을 중복하거나 A에서 D, B에서 C로의 경로에 있는 변을 중복하는 것이 중복하는 변의 수를 최소로 하여 오일러회로가 존재하도록 하는 방법이다.

문제 2.2.9 다음 그래프에 이미 존재하는 변을 중복하여 그려 <u>오일러경로</u>가 존재하도록 하려고 한다. 여러 가지 경우를 생각하여 중복하는 변의 수를 최소로 하여 <u>오일러경로</u>가 존재하도록 하여라.

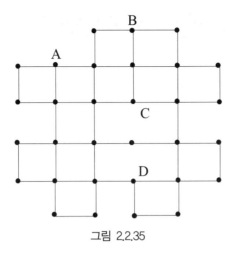

그림 2.2.35

1 아래 그래프에서 오일러회로가 존재하는가? 또 오일러경로가 존재하는가?

(1)
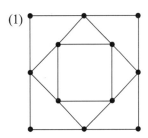

(2)
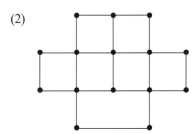

(3)
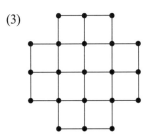

2 G를 오일러회로가 있는 그래프라고 하자.

(1) G에서 임의의 한 변을 제거하고 남은 그래프는 연결그래프인가?

(2) G에서 임의의 한 변을 제거하고 남은 그래프에도 오일러회로가 존재하는가?

3 직사각형 모양의 철판을 용접기를 이용하여 아래 그림과 같이 조각을 내려고 한다. 용접기를 철판에서 떼지 않고 모든 조각을 잘라낼 수 있는지 살펴보아라.

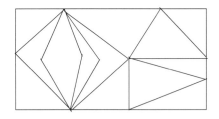

4 120cm의 철사로 한 변이 10cm인 정육면체를 만들려고 한다. 철사를 자르지 않고 정육면체를 만들 수 있는가? 만들 수 없다면 최소 몇 번을 잘라야 정육면체를 만들 수 있나?

5 그래프에서 연필을 떼지 않고 한 꼭짓점을 출발하여 모든 변을 한 번만 지나도록 할 때 어떤 한 꼭짓점 A는 세 번 지났다고 한다.

(1) A에서 출발하여 A에서 끝났다면 A의 차수는 얼마인가?

(2) A에서 출발하여 A가 아닌 다른 꼭짓점에서 끝났다면 A의 차수는 얼마인가?

(3) A가 아닌 꼭짓점에서 출발하여 A가 아닌 꼭짓점에서 끝났다면 꼭짓점 A의 차수는 얼마인가?

6 아래 그래프에서 플루리의 알고리즘을 이용하여 오일러회로를 찾아라.

(1) 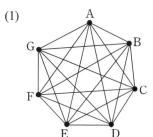　　(2)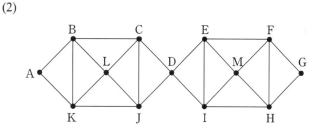

7 아래 그래프 또는 다중그래프에서 플루리의 알고리즘을 이용하여 오일러경로를 찾아라.

(1) 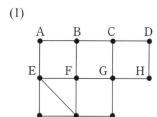　　(2)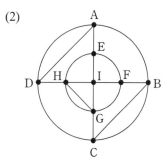

8 다음 그래프에서 모든 변을 지나 출발한 꼭짓점으로 돌아올 때 두 번 이상 지나는 변은 최소 몇 개인가?

(1) 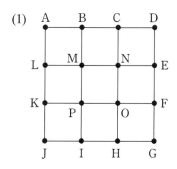　　(2)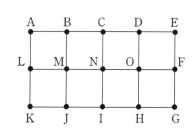

9 아래 그래프에서 오일러회로가 존재하도록 새로운 변을 추가하여라. (단, 추가하는 변의 수를 최소로 할 것)

(1)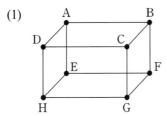

(2)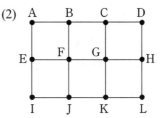

10 다음은 어느 도시에 있는 강의 섬과 다리를 나타낸 그림이다.

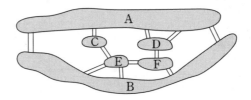

(1) 위 그림에서 섬과 육지를 꼭짓점으로 나타내고 그것들이 다리로 연결되어 있으면 그 두 꼭짓점 사이에 다리의 수만큼 변이 존재하도록 다중그래프를 그려라.

(2) 섬이나 육지의 한 지점에서 출발하여 모든 다리를 정확히 한번만 지나 출발한 지점으로 돌아올 수 있는가? 돌아올 수 없다면 어떤 다리를 두 번 지나야 모든 다리를 지나 출발한 지점으로 돌아올 수 있는가?

11 다음 그림은 앞에서 살펴보았던 쾨니스베르크에 있는 프레겔 강의 섬과 다리를 나타낸 것이다.

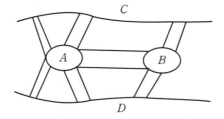

섬이나 육지의 한 지점에서 출발하여 모든 다리를 정확히 한번만 지나 원래 출발한 지점으로 돌아올 수 있도록 새로운 다리를 건설하려고 한다. 적어도 몇 개의 다리를 새로 건설해야 하는가?

제3절 해밀턴회로

앞에서 우리는 주어진 그래프의 모든 변을 오직 한 번만 지나 출발한 꼭짓점으로 돌아오는 오일러회로의 존재유무를 살펴보았다. 이 절에서는 주어진 그래프의 모든 꼭짓점을 정확히 한 번만 지나 출발한 꼭짓점으로 돌아올 수 있는지에 대하여 살펴보자.

예제 2.3.1 아래 그래프에서 한 꼭짓점에서 출발하여 연필을 떼지 않고 변을 따라 모든 꼭짓점을 정확히 한번만 통과한 후에 출발했던 꼭짓점으로 돌아올 수 있는가?

그림 2.3.1

풀이 그림 2.3.2의 진하게 표시된 선을 따라가면 모든 꼭짓점을 정확히 한번만 통과한 후에 원래 출발했던 꼭짓점으로 돌아올 수 있다.

그림 2.3.2

문제 2.3.1 아래 그래프에서 한 꼭짓점에서 출발하여 연필을 떼지 않고 변을 따라 모든 꼭짓점을 정확히 한번만 통과한 후에 출발했던 꼭짓점으로 돌아올 수 있는가?

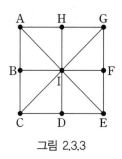

그림 2.3.3

정의 2.3.2

그래프에서 모든 꼭짓점을 정확히 한번만 통과하는 회로를 **해밀턴회로**라고 한다.

예를 들어, 그림 2.3.4에서 (a)는 해밀턴회로 $A \to B \to D \to C \to A$를 갖지만 (b)는 해밀턴 회로를 갖지 않는다.

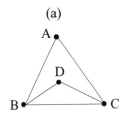

그림 2.3.4

예제 2.3.2 다음 그래프에서 해밀턴회로를 찾아라.

그림 2.3.5

풀이 그림 2.3.6의 굵게 표시된 선을 따라가면 모든 꼭짓점을 정확히 한번만 통과한 후에 출발했던 꼭짓점으로 돌아오는 해밀턴회로이다.

그림 2.3.6

문제 2.3.2 다음 그래프에서 해밀턴회로를 찾아라.

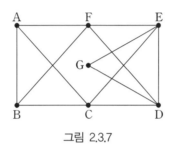

그림 2.3.7

연결그래프나 연결다중그래프에서 오일러회로의 존재를 판단하기 위해서는 각 꼭짓점의 차수를 구하여 홀수 차수의 꼭짓점이 있는지 알아보면 된다. 그러나 일반적으로 그래프에서 해밀턴회로의 존재유무를 알려주는 정리는 현재까지 알려지지 않고 있다. 따라서 그래프의 꼭짓점의 수가 많으면 해밀턴회로가 존재하는지 판단하기는 쉽지 않다. 해밀턴회로에 관한 다음 사실을 알면 경우에 따라서는 해밀턴회로의 존재를 판단하는 데 상당한 도움이 된다.

정리 2.3.3

꼭짓점이 n개인 연결그래프 G가 해밀턴회로 C를 갖는다고 하자.
(1) C는 길이 n인 회로이다.
(2) 각 꼭짓점에 대하여 꼭짓점에 근접한 변 중 정확히 두 변만이 C에 포함된다. 그러므로 차수가 2인 꼭짓점의 모든 근접한 변은 C에 포함된다.
(3) C와는 다르며 C의 일부분으로 만들어진 회로는 없다.

예제 2.3.3 다음 그래프에서 해밀턴회로가 있는지 판단하라.

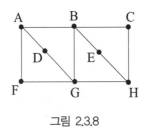

그림 2.3.8

풀이 위 그래프에 해밀턴회로 P가 존재한다고 하자. 그러면 꼭짓점 C와 E의 차수는 2이므로 정리 2.3.3에 의하여 P는 꼭짓점 C와 E의 모든 근접한 변 {B, C}, {C, H}, {B, E}, {E, H}를 포함해야 한다. 그러므로 C → B → E → H → C는 P의 일부분이면서 회로를 이루고 이는 정리 2.3.3에 모순이다. 따라서 위의 그래프에는 해밀턴회로가 존재하지 않는다.

문제 2.3.3 다음 그래프에서 해밀턴회로가 있는지 판단하라.

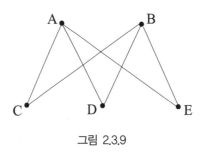

그림 2.3.9

앞에서도 언급했듯이 주어진 그래프의 해밀턴회로의 존재유무를 알려주는 일반적인 정리는 존재하지 않지만 특수한 경우에 적용할 수 있는 다음과 같은 정리가 있다.

정리 2.3.4

n개의 꼭짓점을 갖고 있는 연결그래프에서 인접하지 않는 임의의 두 꼭짓점의 차수의 합이 n 이상이면 해밀턴회로가 존재한다. (단, $n \geq 3$)

예제 2.3.4 아래 그래프에서 해밀턴회로가 존재하는지 판단하라.

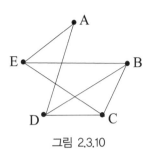

그림 2.3.10

풀이 위의 그래프에서 인접하지 않는 두 꼭짓점 A와 B, A와 C, D와 E의 차수의 합은 각각 5, 5, 6이고 이는 그래프의 꼭짓점의 수 5보다 크거나 같다. 그러므로 정리 2.3.4에 의하여 해밀턴 회로가 존재한다.

실제로 $A \rightarrow D \rightarrow C \rightarrow B \rightarrow E \rightarrow A$는 위 그래프의 해밀턴회로이다.

문제 2.3.4 아래 그래프에서 해밀턴회로가 존재하는지 판단하라.

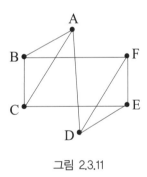

그림 2.3.11

서울에 사는 영업사원 철수는 지방의 여러 도시를 방문하고 다시 서울로 돌아오려고 한다. 가능한 한 적은 교통비로 위 도시를 모두 방문하려면 어떤 순서로 방문하여야할까? 이런 종류의 문제는 영업사원에게는 물론 우유배달이나 쓰레기 수거 등 일상생활에서 빈번히 일어나는 문제로서 통틀어 **영업 사원 방문 문제**라고 한다.

예제 2.3.5 겨울 방학을 맞아 영수는 살고 있는 A 도시를 출발하여 친척들이 살고 있는 B, C, D 도시를 모두 방문하고 다시 A 도시로 돌아오려고 한다. A, B, C, D 도시 사이의 교통비가 아래 표와 같을 때, 되도록 교통비를 적게 하려면 각 도시를 어떤 순서로 방문하여야 할까?

(단위 : 천원)

	A	B	C	D
A	*	38	18	12
B	38	*	22	10
C	18	22	*	8
D	12	10	8	*

표 2.3.1

풀이 위의 도시를 꼭짓점으로 하는 완전그래프를 그리고 두 꼭짓점을 잇는 변 위에 두 도시 사이에 필요한 교통비를 적으면 다음과 같다.

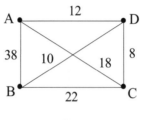

그림 2.3.12

그러면 문제에서 주어진 대로 A에서 출발하여 모든 도시를 한 번씩 방문하고 다시 A로 돌아오는 방법은 위 그래프에서 시작점이 A인 해밀턴회로를 찾는 것과 같고 그런 해밀턴회로는 아래와 같이 6가지 종류가 있다.

A→B→C→D→A　　A→B→D→C→A　　A→C→B→D→A
A→C→D→B→A　　A→D→B→C→A　　A→D→C→B→A

회로 A→D→C→B→A를 따라 방문하는 것은 A→B→C→D→A의 순서로 방문할 때와 정확히 방문 순서를 거꾸로 하는 것이기에 이 두 회로를 따라 방문할 때 필요한 교통비는 같다. 마찬가지로 A→B→D→C→A와 A→C→D→B→A, A→C→B→D→A와 A→D→B→C→A에 필요한 교통비도 같으므로 아래 표와 같이 세 회로만의 교통비만 비교하면 충분하다.

해밀턴회로	필요한 교통비	역순서의 해밀턴 회로
A → B → C → D → A	38+22+8+12=80	A → D → C → B → A
A → B → D → C → A	38+10+8+18=74	A → C → D → B → A
A → C → B → D → A	18+22+10+12=62	A → D → B → C → A

표 2.3.2

따라서 A → C → B → D → A 또는 A → D → B → C → A의 순서로 방문할 때 교통비가 가장 적고 이 때 필요한 교통비는 62(천원)이다.

문제 2.3.5 표 2.3.3은 네 도시 A, B, C, D 사이의 거리를 나타낸 것이다. A 도시를 출발하여 B, C, D 도시를 모두 방문하고 다시 A 도시로 돌아오려고 할 때, 되도록 방문 거리를 짧게 하려면 각 도시를 어떤 순서로 방문하여야할까?

(단위 : km)

	A	B	C	D
A	*	20	70	30
B	20	*	15	10
C	70	15	*	50
D	30	10	50	*

표 2.3.3

예제 2.3.6 보험회사에 근무하는 갑은 보험회사가 있는 A 도시를 출발하여 B, C, D, E 도시를 모두 방문하고 다시 A 도시로 돌아오는 여행 일정을 세우려 한다. A, B, C, D, E 도시 사이의 교통비가 아래 표와 같을 때, 교통비를 가능한 한 적게 하려면 각 도시를 방문하는 순서를 어떻게 정하여야할까?

(단위 : 천원)

	A	B	C	D	E
A	*	18	11	16	25
B	18	*	12	15	20
C	11	12	*	17	12
D	16	15	17	*	19
E	25	20	12	19	*

표 2.3.4

풀이 위의 도시를 꼭짓점으로 하는 완전그래프를 그리고 두 꼭짓점을 잇는 변 위에 두 도시 사이에 필요한 교통비를 적으면 다음과 같다.

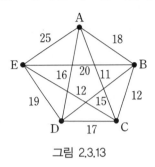

그림 2.3.13

위 그래프에서 시작점이 A인 모든 해밀턴회로를 찾고 그 회로를 따라 방문할 때 교통비를 계산하면 다음 표와 같다.

해밀턴회로	필요한 교통비	역순서의 해밀턴 회로
A→B→C→D→E→A	18+12+17+19+25=91	A→E→D→C→B→A
A→B→C→E→D→A	18+12+12+19+16=77	A→D→E→C→B→A
A→B→D→C→E→A	18+15+17+12+25=87	A→E→C→D→B→A
A→B→D→E→C→A	18+15+19+12+11=75	A→C→E→D→B→A
A→B→E→C→D→A	18+20+12+17+16=83	A→D→C→E→B→A
A→B→E→D→C→A	18+20+19+17+11=85	A→C→D→E→B→A
A→C→B→D→E→A	11+12+15+19+25=82	A→E→D→B→C→A
A→C→B→E→D→A	11+12+20+19+16=78	A→D→E→B→C→A
A→C→D→B→E→A	11+17+15+20+25=88	A→E→B→D→C→A
A→C→E→B→D→A	11+12+20+15+16=74	A→D→B→E→C→A
A→D→B→C→E→A	16+15+12+12+25=80	A→E→C→B→D→A
A→D→C→B→E→A	16+17+12+20+25=90	A→E→B→C→D→A

표 2.3.5

따라서 A→C→E→B→D→A 또는 A→D→B→E→C→A의 순서로 방문할 때 교통비가 가장 적고 이 때 필요한 교통비는 74(천원)이다.

문제 2.3.6 표 2.3.6은 다섯 도시 A, B, C, D, E 사이의 거리를 나타낸 것이다. 갑은 A도시를 출발하여 B, C, D, E 도시를 모두 방문하고 다시 A 도시로 돌아오려고 한다. 되도록 방문 거리를 짧게 하려면 갑은 각 도시를 어떤 순서로 방문하여야할까?
(단위 : 10km)

	A	B	C	D	E
A	*	15	30	12	11
B	15	*	14	40	13
C	30	14	*	13	23
D	12	40	13	*	22
E	11	13	23	22	*

표 2.3.6

예제 2.3.5와 예제 2.3.6에서 살펴보듯이 다음과 같은 과정을 통하여 영업 사원 방문 문제를 해결할 수 있다.

---

① 방문할 도시를 꼭짓점으로 하는 완전그래프를 그리고 두 꼭짓점을 잇는 변 위에 두 도시 사이에 필요한 교통비를 적는다.

② 위 ①의 그래프에서 출발할 도시를 시작점으로 하는 모든 해밀턴회로를 찾는다.

③ 위 ②에서 구한 각 해밀턴회로에 대하여 그 회로를 따라 방문할 때 필요한 교통비를 계산한다.

④ 위 ③에서 계산한 교통비를 비교하여 교통비가 가장 적은 해밀턴회로를 찾는다.

---

n 도시를 방문한다면 ①에는 모두 $n!$ 개의 해밀턴회로가 있다. n이 비교적 크지 않으면 $n!$이 그리 크지 않아 위의 방법으로 영업 사원 방문 문제의 정확한 답인 최적해를 구할 수 있다. 그러나 n이 커지면 $n!$은 엄청나게 커지고 그만큼 해밀턴회로가 무척 많아져 ③에서 각 회로에 필요한 교통비를 모두 계산하는 것이 불가능한 경우가 많다. 예를 들어, 50개의 도시를 방문한다면 50!개의 해밀턴회로가 있고 방문하는 순서가 역인 것을 같은 것으로 보아도 $\frac{1}{2} \times 50!$의 해밀턴회로가 있다. 최신의 슈퍼컴퓨터가 하나의 해밀턴회로에 대한 교통비를 계산하는데 백만분의 1초가 걸린다고 가정하면 모든 해밀턴회로의 값을 계산하는데는 대략 4.9×10^{50} 년이 걸리게 되며 이는 우주 나이의 1.13×10^{41} 배에 해당한다. 따라서 n이 커지면 위의 방법으로는 영업 사원 방문 문제를 근본적으로 해결할 수 없다.

사실 지금까지 모든 해밀턴회로의 교통비를 점검하지 않고 영업 사원 방문 문제의 최적해를 구하는 어떤 효과적인 알고리즘도 알려져 있지 않다.

다음에서 비록 최적해는 아니지만 비교적 짧은 시간에 만족할 만한 답을 얻을 수 있는 몇 가지 간단한 알고리즘을 살펴보자.

예제 2.3.7 다음 그림은 예제 2.3.6의 영업 사원 방문 문제에서 살펴본 그래프이다.

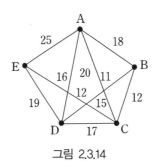

그림 2.3.14

아래와 같은 방법으로 각 도시의 방문 순서를 정하고 그 때 필요한 교통비를 구하라.

최근접 선택 알고리즘(nearest−neighbor algorithm)

① A에서 교통비가 가장 싼 도시 중 임의의 한 도시로 방문한다.
② 한 도시에 이르면 그 도시에서 이미 방문한 도시를 제외하고 교통비가 가장 싼 다음 도시로 방문한다.
③ 위의 ②와 같은 방법으로 A를 제외한 모든 도시를 방문한 다음 A로 돌아온다.

풀이 (그림 2.3.15 참조)

- A에서 교통비가 가장 싼 C로 방문한다.
- C에서 교통비가 가장 싼 B나 E로 방문한다. 여기서는 B로 방문한다고 하자.
- B에서 교통비가 가장 싼 D로 방문한다.
- D에서 교통비가 가장 싼 E로 방문한다.
- 모든 도시를 방문하였으므로 E에서 처음 출발한 도시 A로 돌아온다.

따라서 해밀턴회로 $A \rightarrow C \rightarrow B \rightarrow D \rightarrow E \rightarrow A$를 따라 방문하게 되며 이 때 필요한 경비는 $11 + 12 + 15 + 19 + 25 = 82$(천원)이다.

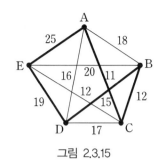

그림 2.3.15

위의 풀이에서 도시 C에서 도시 B 대신 도시 E로 여행하는 경우에는 해밀턴회로 A→ C→E→D→B→A를 따라 각 도시를 방문하게 되고 이 때 필요한 교통비는 11+12+19+15+18=75(천원)이 되어 더 저렴하게 되나 C에서는 단지 바로 다음 도시만을 결정하며 그 뒤의 경로는 고려하지 않는 것이기에 C에서 어떤 도시를 선택하는 것이 더 저렴한지 알 수가 없다.

문제 2.3.7 다음 표는 문제 2.3.6에서 살펴본 것이다. A에서 시작하여 최근접 선택 알고리즘을 이용하여 각 도시의 방문 순서를 정하고 그 때 방문한 거리를 구하라.

	A	B	C	D	E
A	*	15	30	12	11
B	15	*	14	40	13
C	30	14	*	13	23
D	12	40	13	*	22
E	11	13	23	22	*

표 2.3.7

그림 2.3.16에서 시작점이 B인 회로 B→C→A→D→E→B는 A→D→E→B→C →A로 생각하여 A에서 출발하여 A로 돌아오는 회로로 생각할 수 있다. 이 성질을 이용하여 영업 사원 방문 문제를 생각하여 보자.

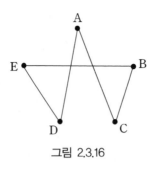

그림 2.3.16

예제 2.3.8 다음 그림은 예제 2.3.6의 영업 사원 방문 문제에서 살펴본 그래프이다.

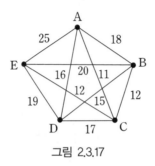

그림 2.3.17

-

아래와 같은 방법으로 각 도시의 방문 순서를 정하고 그 때 필요한 교통비를 구하라.

┤ **반복 최근접 선택 알고리즘**(repetitive nearest−neighbor algorithm) ├

① 한 꼭짓점을 선택하고 최근접 선택 알고리즘을 이용하여 그 꼭짓점에서 시작하는 해밀턴 회로를 찾는다.

② 다른 모든 꼭짓점에 대해서도 ①의 방법을 계속한다.

③ 위의 ①과 ②에서 찾은 해밀턴회로 중에서 변 위의 합이 최소인 것을 찾는다.

풀이 각 꼭짓점에서 최근접 선택 알고리즘을 이용하여 해밀턴회로를 찾아 그 때 필요한 교통비를 구하면 다음과 같다.

$A \to C \to E \to D \to B \to A$: 75 $B \to C \to A \to D \to E \to B$: 78

$C \to A \to D \to B \to E \to C$: 74 $D \to B \to C \to A \to E \to D$: 82

$E \to C \to A \to D \to B \to E$: 74

따라서 위에서 최솟값을 갖는 회로 $C \to A \to D \to B \to E \to C$나 $E \to C \to A \to D \to B \to E$를 선택하여 $A \to D \to B \to E \to C \to A$의 순서로 여행하고 이 때 필요한 교통비는 74(천 원)이다.

문제 2.3.8 다음 표는 문제 2.3.6에서 살펴본 것이다. 반복 최근접 선택 알고리즘을 이용하여 각 도시의 방문 순서를 정하고 그 때 방문한 거리를 구하라.

	A	B	C	D	E
A	*	15	30	12	11
B	15	*	14	40	13
C	30	14	*	13	23
D	12	40	13	*	22
E	11	13	23	22	*

표 2.3.8

예제 2.3.9 다음 그림은 예제 2.3.6의 영업 사원 방문 문제에서 살펴본 그래프이다.

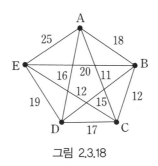

그림 2.3.18

아래와 같은 방법으로 각 도시의 방문 순서를 정하고 그 때 필요한 교통비를 구하라.

최소변 선택 알고리즘(sorted-edge algorithm)

① 완전그래프에서 가장 작은 값의 변을 선택한다.
② 다음을 제외한 변 중에서 가장 작은 값의 변을 선택한다. 같은 값인 경우는 임의로 선택한다.
  • 먼저 선택된 변과 합쳐서 회로를 이루는 변
  • 먼저 선택된 변과 합쳐서 차수가 3인 꼭짓점이 있게 하는 변

풀이 (그림 2.3.19 참조)

- 가장 값이 작은 변 {A, C}를 선택한다.
- 그 다음 값이 작은 변 {C, E}를 선택한다.
- 다음으로 값이 작은 변은 {B, C}이나 이미 선택된 그래프와 합쳐서 차수가 3 인 꼭짓점 C가 되므로 변 {B, C}는 제외한다. 그 다음으로 값이 작은 변 {B, D}를 선택한다.
- 다음으로 값이 작은 변 {A, D}를 선택한다.
- 마지막으로 꼭짓점 B와 E를 이어 해밀턴회로를 완성한다.

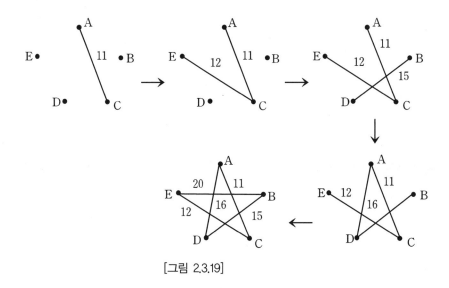

[그림 2.3.19]

따라서 회로 A → C → E → B → D → A를 따라 방문하게 되며 이 때 필요한 교통비는 $11 + 12 + 20 + 15 + 16 = 74$(천 원)이다.

문제 2.3.9 다음 표는 문제 2.3.6에서 살펴본 것이다. 최소변 선택 알고리즘을 이용하여 각 도시의 방문 순서를 정하고 그 때 방문한 거리를 구하라.

	A	B	C	D	E
A	*	15	30	12	11
B	15	*	14	40	13
C	30	14	*	13	23
D	12	40	13	*	22
E	11	13	23	22	*

표 2.3.9

1 다음 그래프에서 해밀턴회로를 찾아라.

(1)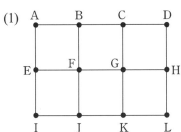

(2)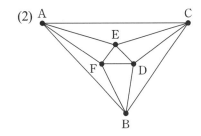

2 다음 그래프에서는 해밀턴회로가 없음을 보여라.

(1)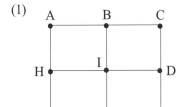

(2)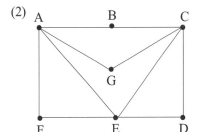

3 영이는 A에서 출발하여 B, C, D를 한 번씩만 방문하고 다시 A로 돌아오려고 한다. A, B, C, D 사이의 거리가 아래 표와 같을 때, 방문하는 거리를 가능한 한 짧게 하려면 어떤 순서로 방문하여야 할까?

(단위 : m)

	A	B	C	D
A	*	3800	1800	1200
B	3800	*	2200	1000
C	1800	2200	*	800
D	1200	1000	800	*

4 다음 표는 도시 A, B, C, D, E 사이의 교통비를 나타낸 것이다. 철수는 도시 A를 출발하여 B, C, D, E 도시를 모두 방문하고 다시 A로 돌아오려고 한다. 교통비를 가능한 한 적게 하려면 어떤 순서로 방문하여야 할까? (단위: 원)

	A	B	C	D	E
A	*	6000	6500	5500	7000
B	6000	*	5000	8500	6500
C	6500	5000	*	8000	7500
D	5500	8500	8000	*	4000
E	7000	6500	7500	4000	*

5 다음 표는 갑이 오늘 방문할 장소와 거리를 나타낸 것이다. 다음 방법을 이용하여 갑이 A에서 출발하여 B, C, D, E를 모두 방문하고 다시 A로 돌아올 때까지 갑이 걸은 총 거리를 구하라.

(1) 최근접 선택 알고리즘

(2) 반복 최근접 선택 알고리즘

(3) 최소변 선택 알고리즘

(단위 : 100m)

	A	B	C	D	E
A	*	50	14	12	10
B	50	*	11	10	14
C	14	11	*	9	12
D	12	10	9	*	11
E	10	14	12	11	*

6 영업사원인 A는 회사가 있는 도시 1을 출발하여 도시 2, 도시 3, 도시 4, 도시 5를 방문하고 다시 도시 1로 돌아오려 한다. 도시 i에서 도시 j까지 여행할 때 필요한 비용은 아래 행렬의 (i, j) 성분과 같다고 할 때 다음 제시한 방법을 이용하여 A가 필요한 여행 비용을 결정하라.

(단위 : 천원)

$$\begin{pmatrix} * & 7 & 9 & 4 & 2 \\ 7 & * & 12 & 5 & 1 \\ 9 & 12 & * & 8 & 3 \\ 4 & 5 & 8 & * & 6 \\ 2 & 1 & 3 & 6 & * \end{pmatrix}$$

(1) 최근접 선택 알고리즘

(2) 반복 최근접 선택 알고리즘

(3) 최소변 선택 알고리즘

7 다음 그림은 갑이 오늘 방문할 장소를 나타낸 도로망이다. 여기서 한 칸의 길이는 100m 이다. 다음 방법을 이용하여 갑이 집에서 출발하여 위의 장소를 모두 방문하고 다시 집 으로 돌아올 때까지 갑이 걸은 총 거리를 구하라.

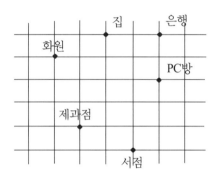

(1) 최근접 선택 알고리즘

(2) 반복 최근접 선택 알고리즘

(3) 최소변 선택 알고리즘

8 다음 표는 화성의 일곱 개의 지점 A, G, H, I, N, P, W 사이의 거리를 나타낸 것이다. 우주인 갑은 A를 출발하여 G, H, I, N, P, W를 모두 방문하고 다시 A로 돌아오려고 한다. 다음에 제시한 방법을 이용하여 갑이 방문한 총거리를 구하여라.   (단위: km)

	A	G	H	I	N	P	W
A	*	7500	5000	2800	3500	1500	2200
G	7500	*	3000	6000	8000	6500	5000
H	5000	3000	*	4000	4800	3500	2800
I	2800	6000	4000	*	2000	3000	2900
N	3500	8000	4800	2000	*	4000	3200
P	1500	6500	3500	3000	4000	*	1300
W	2200	5000	2800	2900	3200	1300	*

(1) 최근접 선택 알고리즘

(2) 최소변 선택 알고리즘

제 4 절 수형도

어떤 지역에 되도록 적은 비용으로 상수도를 건설하려고 한다. 모든 가정에 물을 공급하기 위해서는 모든 집이 수도관으로 연결되어야 하고, 이런 연결된 수도관은 회로가 없어야 건설비용을 줄일 수 있다. 이처럼 회로가 없는 연결그래프를 수형도라 한다. 실제로 수형도는 수학은 물론 화학이나 생물학 등의 여러 분야에서 자주 이용되며, 특히 컴퓨터공학에서는 정보를 체계적으로 탐색하고 자료를 분류하는 프로그램에서 수형도를 이용한다.

정의 2.4.1

회로를 갖지 않는 연결그래프를 **수형도**(tree)라 한다.

예를 들어 아래 그림에서 (a)는 회로가 없는 연결그래프이므로 수형도이나, (b)는 연결되어 있지 않고, 또 (c)는 회로를 가지므로 (b)와 (c)는 수형도가 아니다.

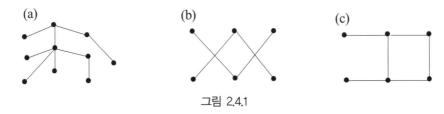

그림 2.4.1

예제 2.4.1 6개의 꼭짓점을 갖는 수형도를 모두 찾아라.

풀이 꼭짓점의 수가 6인 수형도는 아래처럼 여섯 가지 종류가 있다.

그림 2.4.2

문제 2.4.1 5개의 꼭짓점을 갖는 수형도를 모두 찾아라.

수형도에서 꼭짓점의 수와 변의 수의 관계를 알기 위하여 간단한 수형도를 그려보자. 꼭짓점의 수가 1이라면 분명히 변의 수는 0이므로 꼭짓점은 변보다 하나 더 많다. 여기에 하나의 꼭짓점을 첨가하여 수형도를 만들면 변도 하나 더 늘어 여전히 꼭짓점은 변보다 하나 더 많다. 일반적으로 수형도 T에 하나의 꼭짓점을 첨가하여 새로운 수형도 T'을 만들면 변도 하나 더 늘어 T'에서도 꼭짓점은 변보다 하나 더 많게 된다.

그림 2.4.3

정리 2.4.2

수형도 G에서 꼭짓점의 수가 v이고 변의 수가 e이면

$$e = v - 1$$

이다.

예제 2.4.2 꼭짓점의 수가 n인 완전그래프 K_n의 변을 지워 수형도를 만들려고 한다. 몇 개의 변을 지워야 하는가? (단, $n \geq 3$)

풀이 꼭짓점의 수가 n인 완전그래프 K_n에는 $\dfrac{n(n-1)}{2}$ 개의 변이 있고 꼭짓점의 수가 n인 수형도에는 $n-1$ 개의 변이 있다. 따라서 완전그래프 K_n에서 변을 지워 수형도를 만들려면 모두

$$\frac{n(n-1)}{2} - (n-1) = \frac{(n-1)(n-2)}{2}$$

개의 변을 지워야 한다.

문제 2.4.2 꼭짓점의 수가 n인 연결그래프 G의 변의 수 e의 범위를 구하라.

정리 2.4.3

G를 n개의 꼭짓점을 갖는 연결그래프라고 하자(단, $n \geq 2$). 그러면 다음 성질이 성립한다.

(1) G가 수형도이면 차수가 1인 꼭짓점이 적어도 둘 이상 존재한다.

(2) G가 수형도이면 임의의 두 꼭짓점 u, v에 대하여 u에서 v로 가는 유일한 경로가 있다.

(3) G가 수형도이면 G에서 임의의 한 변을 제거하면 남은 그래프는 연결그래프가 아니다.

(4) 변의 수가 $n-1$이면 G는 수형도이다.

예제 2.4.3 수형도 G에 한 변 $\{x, y\}$를 첨가하여 만들어진 그래프 $G+\{x, y\}$에는 단 하나의 회로가 있음을 보여라.

증명 G가 n개의 꼭짓점을 갖는 수형도라면 G는 $n-1$개의 변을 갖고 있다. 만약 $G+\{x, y\}$에 회로가 없다면 $G+\{x, y\}$는 꼭짓점과 변의 수가 모두 n인 수형도가 되어 모순이다. 그러므로 $G+\{x, y\}$는 적어도 하나의 회로를 갖고 있다. 이제 $G+\{x, y\}$에 서로 다른 두 개의 회로 C_1, C_2가 있다고 하자. C_1, C_2는 모두 $\{x, y\}$를 포함하므로 C_1, C_2에서 각각 변 $\{x, y\}$를 제거한 경로

$$P_1 : C_1 - \{x, y\}$$
$$P_2 : C_2 - \{x, y\}$$

는 G에서 x에서 y로 가는 서로 다른 두 경로가 되어 정리 2.4.3에 의해 모순이다. 따라서 $G+\{x, y\}$에는 단 하나의 회로가 있다.

문제 2.4.3 n개의 꼭짓점으로 이루어진 수형도가 갖는 길이가 1 이상인 서로 다른 경로의 총 개수를 구하여라.

정의 2.4.4

$G(V, E)$를 그래프라 하자. 수형도 $G'(V', E')$가 다음 두 조건을 만족하면 G'를 G의 **생성수형도**(spanning tree)라고 한다.

(i) $V' = V$ (ii) $E' \subseteq E$

즉, 그래프 G의 생성수형도는 G의 모든 꼭짓점과 G의 변의 일부를 이용하여 만든 수형도이다. 예를 들어, 아래 그림에서 (b)는 (a)의 생성수형도이다. 그러나 (c)는 (a)의 일부분이기는 하지만 (a)의 꼭짓점인 F를 갖고 있지 않기 때문에 (a)의 생성수형도가 아니다.

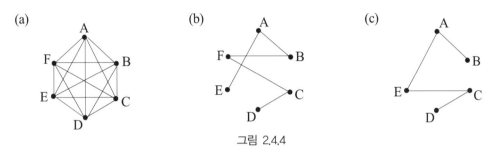

그림 2.4.4

예제 2.4.4 아래 그래프의 생성수형도의 총 개수를 구하라.

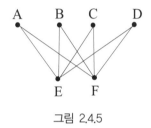

그림 2.4.5

풀이 A, B, C, D 중에서 E와 F가 동시에 인접한 꼭짓점은 단 한 개이고, 나머지는 E와 F 둘 중에 한 개의 꼭짓점과만 인접하므로 $4 \cdot 2^3 = 32$개의 생성수형도가 존재한다.

문제 2.4.4 길이가 n인 회로 $C_n : A_1 \rightarrow A_2 \rightarrow \cdots \rightarrow A_n \rightarrow A_1$의 생성수형도의 총 개수를 구하라.

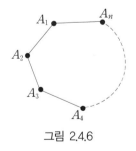

그림 2.4.6

주어진 연결그래프 G의 생성수형도를 찾아보자. G에 회로가 없다면 G는 수형도이므로 G가 자신의 생성수형도이다. G에 회로가 있다면 그림 2.4.7에서 보듯이 G에서 회로의 한 변을 제거하여도 남은 그래프는 여전히 연결되어 있다. 더 이상 회로가 존재하지 않을 때까지 회로의 변을 제거하면 마지막 남은 그래프는 회로가 없는 연결그래프인 수형도가 되어 G의 생성수형도가 된다. 따라서 연결그래프에는 항상 생성수형도가 있다.

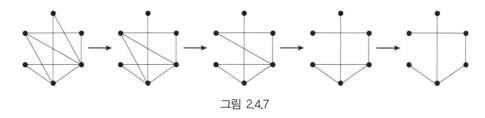

그림 2.4.7

정리 2.4.5

연결그래프에는 항상 생성수형도가 있다.

예제 2.4.5) 아래 주어진 방법으로 다음 그래프 G의 생성수형도를 찾아라.

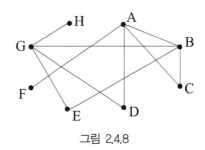

그림 2.4.8

깊이 우선 탐색(depth-first search) 방법

① 그래프에서 한 꼭짓점을 잡아 현재 꼭짓점으로 둔다.
② 현재 꼭짓점에 인접한 꼭짓점 중에서
  • 아직 선택되지 않은 꼭짓점이 있으면 그 중 한 꼭짓점과 그 두 꼭짓점을 잇는 변을 택하고, 새로 선택된 꼭짓점을 현재 꼭짓점으로 한다.
  • 모든 꼭짓점이 이미 선택되었다면 현재 꼭짓점 바로 전에 선택된 꼭짓점으로 되돌아가서 그 꼭짓점을 현재 꼭짓점으로 한다.
③ 더 이상 선택할 꼭짓점이 없으면 과정을 끝내고 그렇지 않으면 위 ②의 과정을 반복한다.

풀이 (그림 2.4.9 참조)

- 그림 2.4.8의 그래프에서 먼저 꼭짓점 A를 잡는다.

- A와 인접한 꼭짓점 B와 변 {A, B}를 선택한다.

- B와 인접한 꼭짓점 C와 변 {B, C}를 선택한다.

- C와 인접한 꼭짓점은 모두 사용하였으므로 바로 전 꼭짓점인 B로 돌아가 B와 인접한 꼭짓점 E와 변 {B, E}를 선택한다.

- E와 인접한 꼭짓점 G와 변 {E, G}를 선택한다.

- G와 인접한 꼭짓점 D와 변 {G, D}를 선택한다.

- D와 인접한 꼭짓점은 모두 사용하였으므로 바로 전 꼭짓점인 G로 돌아가 G와 인접한 꼭짓점 H와 변 {G, H}를 선택한다.

- H와 인접한 꼭짓점은 모두 사용하였으므로 바로 전 꼭짓점인 G로 돌아간다. G와 인접한 꼭짓점은 모두 사용하였으므로 바로 전 꼭짓점인 E로 돌아간다. E와 인접한 꼭짓점은 모두 사용하였으므로 바로 전 꼭짓점인 B로 돌아간다. B와 인접한 꼭짓점은 이미 사용하였으므로 바로 전 꼭짓점인 A로 돌아간다.

- A와 인접한 꼭짓점 F와 변 {A, F}를 선택한다.

- G의 모든 꼭짓점이 선택되었으므로 지금까지 선택된 꼭짓점과 변으로 이뤄진 그래프가 G의 생성수형도이다.

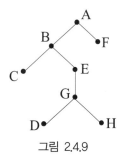

그림 2.4.9

문제 2.4.5 깊이 우선 탐색 방법으로 꼭짓점 A부터 시작하여 다음 그래프 G의 생성수형도를 찾아라.

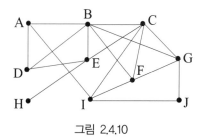

그림 2.4.10

예제 2.4.6 다음 그림은 예제 2.4.5에서 주어진 그래프 G이다. 아래 주어진 방법으로 G의 생성수형도를 찾아라.

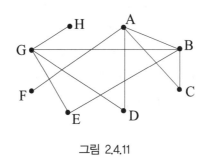

그림 2.4.11

┤ 너비 우선 탐색(width-first search) 방법 ├

① 그래프에서 한 꼭짓점을 잡는다.
② 위 ①의 꼭짓점에 인접한 모든 꼭짓점과 그 두 꼭짓점을 잇는 변을 선택한다.
③ 차례차례로 위 ②에서 선택한 꼭짓점에 인접한 꼭짓점 중 이미 사용하지 않은 모든 꼭짓점과 그 변을 선택한다.
④ 사용하지 않은 꼭짓점이 없을 때까지 ③의 과정을 반복한다.

풀이 (그림 2.4.12 참조)

- 그림 2.4.11의 그래프에서 먼저 꼭짓점 A를 잡는다.
- A와 인접한 모든 꼭짓점 B, C, D, F와 변 {A, B}, {A, C}, {A, D}, {A, F}를 선택한다.
- B와 인접한 꼭짓점 중 이미 사용하지 않은 꼭짓점 E, G와 변 {B, E}, {B, G}를 선택한다.
- C, D, F와 인접한 꼭짓점은 이미 모두 사용되었고 E도 사용하지 않은 인접한 꼭짓점이 없다. 다음 차례인 G와 인접한 한 꼭짓점 H와 변 {G, H}를 선택한다.
- 그래프 G의 모든 꼭짓점이 선택되었으므로 지금까지 선택된 꼭짓점과 변으로 만들어진 그래프가 G의 생성수형도이다.

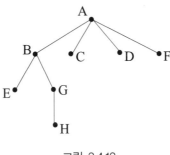

그림 2.4.12

문제 2.4.6 다음 그림은 문제 2.4.5에서 주어진 그래프이다. 너비 우선 탐색 방법을 이용하여 꼭짓점 A부터 시작하여 이 그래프의 생성수형도를 구하라.

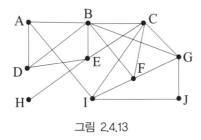

그림 2.4.13

예제 2.4.7 농촌의 다섯 주택 A, B, C, D, E에 수돗물 공급을 위하여 배관 작업을 하려고 한다. 각 주택 사이의 거리에 따른 배관작업 비용이 아래 표와 같을 때, 각 주택에 최소의 비용으로 수돗물이 공급되도록 배관 작업을 하려면 어떻게 연결하여야 할까?

(단위 : 10만 원)

	A	B	C	D	E
A	*	2	4	3	2
B	2	*	3	1	3
C	4	3	*	2	3
D	3	1	2	*	5
E	2	3	3	5	*

표 2.4.1

풀이 최소의 비용으로 모든 주택에 수돗물을 공급하기 위해서는 모든 주택이 수도관으로 서로 연결되어야 하며, 이렇게 연결된 수도관에는 회로가 없어야 한다. 이제 주택 A, B, C, D, E를 꼭짓점으로 하는 완전그래프 G를 그리고 두 꼭짓점을 잇는 변 위에 그 변에 해당하는 배관 작업에 필요한 비용을 나타내면 그림 2.4.14와 같다.

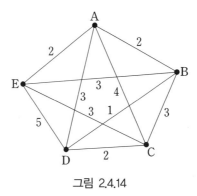

그림 2.4.14

주어진 문제는 위 그래프에서 변의 값의 합이 최소인 생성수형도를 찾는 문제와 같으며 다음과 같은 방법으로 그런 생성수형도를 찾아보자.

⊢ Greedy 알고리즘 ⊢

① 그래프에서 변을 제거하여도 남은 그래프가 여전히 연결그래프인 변 중 가장 큰 값을 갖는 변을 제거한다. 단, 같은 값을 갖는 변이 있으면 그 중 임의로 한 변을 제거한다.

② 남은 그래프가 G의 생성수형도인지를 살펴본다.

  1) 생성수형도가 아니면 ①로 되돌아간다.   2) 생성수형도이면 이 과정을 끝낸다.

- 값이 가장 큰 변 {E, D}를 제거하여도 남은 그래프가 연결그래프이므로 변 {E, D}를 제거한다.
- 남은 그래프가 G의 생성수형도가 아니므로, 제거하여도 연결그래프가 되는 변 중에서 가장 큰 값을 갖는 변 {A, C}를 제거한다.
- 남은 그래프가 G의 생성수형도가 아니므로, 제거하여도 연결그래프가 되는 변 중에서 가장 큰 값을 갖는 한 변을 제거한다. 여기서는 변 {B, E}를 제거하였다.
- 남은 그래프가 G의 생성수형도가 아니므로, 제거하여도 연결그래프가 되는 변 중에서 가장 큰 값을 갖는 한 변을 제거한다. 여기서는 변 {A, D}를 제거하였다.
- 남은 그래프가 G의 생성수형도가 아니므로, 제거하여도 연결그래프가 되는 변

중에서 가장 큰 값을 갖는 한 변을 제거한다. 여기서는 변 {C, E}를 제거하였다.

- 남은 그래프가 G의 생성수형도가 아니므로, 제거하여도 연결그래프가 되는 변 중에서 가장 큰 값을 갖는 변 {B, C}를 제거한다.
- 남은 그래프가 G의 생성수형도이므로 과정을 멈춘다.

그림 2.4.15의 마지막 그래프가 G의 변의 값의 합이 최소인 생성수형도이다. 따라서 $E \to A \to B \to D \to C$ 따라 배관하며 필요한 경비는 $2+2+1+2=7$(십만 원)이다.

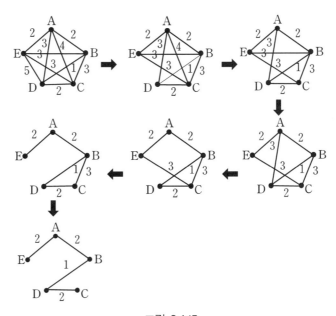

그림 2.4.15

문제 2.4.7 Greedy 알고리즘 이용하여 다음 그래프의 변의 값의 합이 최소인 생성수형도를 찾아라.

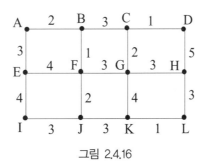

그림 2.4.16

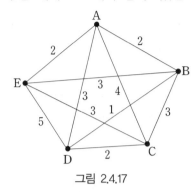

예제 2.4.8 다음 그림은 예제 2.4.7에서 살펴보았던 그래프 G이다.

그림 2.4.17

아래에 주어진 방법으로 그래프의 변의 값의 합이 최소인 생성수형도를 찾아라.

크루스컬 알고리즘

① 가장 작은 값을 갖는 변을 선택한다. 단, 같은 값을 갖는 변이 있으면 그 중 임의로 한 변을 선택한다.

② 나머지 변 중에서 이미 선택된 부분그래프와 회로를 이루지 않으면서 변의 값이 최소인 변을 선택한다.

③ 이미 선택된 변으로 만들어진 그래프가 G의 생성수형도인지 살펴본다.
   1) G의 생성수형도가 아니라면 ②로 되돌아간다.
   2) G의 생성수형도라면 이 과정을 끝낸다.

풀이 (그림 2.4.18 참조)

- 먼저 값이 가장 작은 변 {B, D}를 선택한다.
- 선택된 그래프가 G의 생성수형도가 아니므로, 이미 선택된 그래프와 회로를 이루지 않는 변 중 최솟값을 갖는 한 변 {A, E}를 선택한다.
- 선택된 그래프가 G의 생성수형도가 아니므로, 이미 선택된 그래프와 회로를 이루지 않는 변 중 최솟값을 갖는 한 변 {A, B}를 선택한다.
- 선택된 그래프가 G의 생성수형도가 아니므로, 이미 선택된 그래프와 회로를 이루지 않는 변 중 최솟값을 갖는 한 변 {D, C}를 선택한다.
- 선택된 그래프가 G의 생성수형도이므로 과정을 끝낸다.

그림 2.4.18의 마지막에 있는 그래프가 변의 값의 합이 최소인 G의 생성수형도이며, 이 때 필요한 경비는 $2+2+1+2=7$(십만 원)이다.

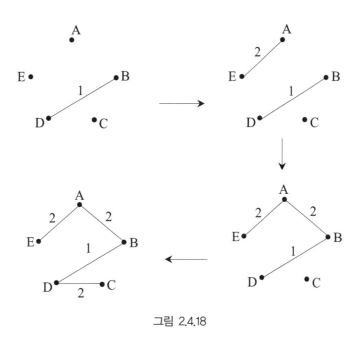

그림 2.4.18

문제 2.4.8 크루스컬 알고리즘을 이용하여 다음 그래프의 변의 값의 합이 최소인 생성수형도를 찾아라.

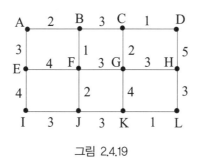

그림 2.4.19

예제 2.4.9 아래에 기술된 프림(Prim) 알고리즘을 이용하여 다음 그래프의 변의 값의 합이 최소인 생성수형도를 찾아라.

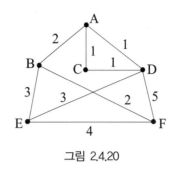

그림 2.4.20

┤ 프림 알고리즘 ├

① 임의의 한 꼭짓점 S를 선택한다.

② S와 인접한 꼭짓점 중에서 두 꼭짓점 사이의 변의 값이 가장 작은 꼭짓점과 그 변을 선택한다. 단, 같은 값을 갖는 변이 있으면 그 중 임의로 한 꼭짓점을 선택한다.

③ 이미 선택된 그래프의 꼭짓점에 인접하는 꼭짓점 중에서 두 꼭짓점 사이의 변의 값이 가장 작은 꼭짓점과 그 변을 선택한다.

④ 이미 선택된 그래프가 원래 그래프의 생성수형도인지 살펴본다.
   1) 생성수형도가 아니라면 ③으로 되돌아간다.
   2) 생성수형도라면 이 과정을 끝낸다.

풀이 (그림 2.4.21 참조)

• 임의의 한 꼭짓점을 선택한다. 여기서는 꼭짓점 A를 선택하였다.

• A와 인접한 꼭짓점 중에서 변 {A, D}의 값이 가장 작으므로 꼭짓점 D와 변 {A, D}를 선택한다.

• 선택된 그래프가 G의 생성수형도가 아니다. 따라서 이미 선택된 그래프의 꼭짓점 A나 D와 인접한 꼭짓점 중에서 변 {A, C}의 값이 가장 작으므로 꼭짓점 C와 변 {A, C}를 선택한다.

• 선택된 그래프가 G의 생성수형도가 아니다. 따라서 이미 선택된 그래프의 꼭짓점 A, C, D와 인접한 꼭짓점 중에서 변 {A, B}의 값이 가장 작으므로 꼭짓점 B와 변 {A, B}를 선택한다.

• 선택된 그래프가 G의 생성수형도가 아니다. 따라서 이미 선택된 그래프의 꼭짓점 A, B, C, D와 인접한 꼭짓점 중에서 변 {B, F}의 값이 가장 작으므로 꼭짓점 F와 변 {B, F}를 선택한다.

• 선택된 그래프가 G의 생성수형도가 아니다. 따라서 이미 선택된 그래프의 꼭

짓점 A, B, C, D, F와 인접한 꼭짓점 중에서 변 {B, E}의 값이 가장 작으므로
꼭짓점 E와 변 {B, E}를 선택한다.
- 선택된 그래프가 G의 생성수형도이므로 과정을 끝낸다.

그림 2.4.21의 마지막 과정에 있는 그래프가 변의 값의 합이 최소인 G의 생성
수형도이며, 이 생성수형도에 있는 변의 합은 $1+1+2+2+3=9$이다.

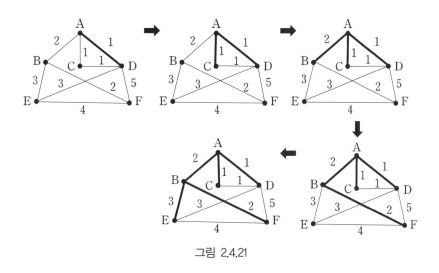

그림 2.4.21

문제 2.4.9 프림 알고리즘을 이용하여 다음 그래프의 변의 값의 합이 최소인 생성
수형도를 찾아라.

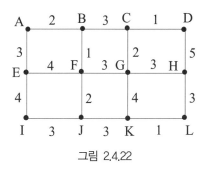

그림 2.4.22

1 다음 그래프가 수형도인지 아닌지를 판별하여라.

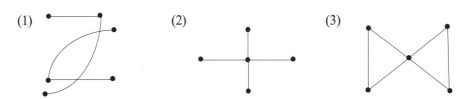

(1)   (2)   (3)

2 수형도에서 한 꼭짓점 A와 그리고 A에 근접한 모든 변을 삭제하였더니 남은 그래프도 수형도가 되었다. 꼭짓점 A의 차수를 구하여라.

3 k개의 연결성분이 수형도 T_1, T_2, $\cdots$, T_k인 그래프를 G라 하자. G의 꼭짓점의 수가 n이라면 G의 변의 수는 얼마인가?

4 56명이 토너먼트로 테니스 단식 경기를 하려고 한다. 우승자가 나올 때까지 총 경기 수를 구하라.

5 꼭짓점의 수보다 변의 수가 더 작은 연결그래프는 수형도임을 보여라.

6 n개의 꼭짓점을 갖는 연결그래프 G의 꼭짓점의 차수를 각각 d_1, d_2, $\cdots$, d_n이라 하자.
(1) 그래프 G가 수형도이면 $d_1 + d_2 + \cdots + d_n = 2(n-1)$임을 보여라.
(2) $d_1 + d_2 + \cdots + d_n = 2(n-1)$이면 그래프 G는 수형도임을 보여라.

7 수형도에서 길이가 가장 긴 경로의 양 끝 꼭짓점의 차수는 1임을 보여라. 또, 이 사실을 이용하여 꼭짓점의 수가 2 이상인 수형도에는 차수가 1인 꼭짓점이 적어도 두 개 있음을 보여라.

8 다음 그래프의 서로 다른 생성수형도의 총 개수를 구하라.

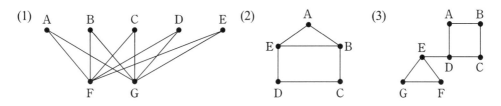

(1) A B C D E (2) (3)

9 다음은 수형도의 모든 꼭짓점을 검색하는 방법이다.

(1) 깊이 우선 탐색

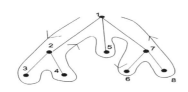

(2) 너비 우선 탐색

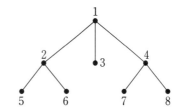

각각 위의 방법을 이용하여 다음 수형도의 모든 꼭짓점을 탐색할 때 탐색되는 꼭짓점을 순서대로 나열하라.

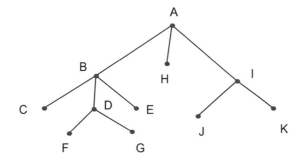

(1) A부터 시작하여 깊이 우선 탐색 방법을 이용하는 경우
(2) A부터 시작하여 너비 우선 탐색 방법을 이용하는 경우

10 꼭짓점 A부터 시작하여 각각 깊이 우선 탐색과 너비 우선 탐색의 방법을 이용하여 다음 그래프의 생성수형도를 찾아라.

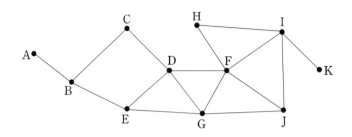

11 용량이 각각 10 리터, 7 리터, 4 리터인 세 양동이가 있다. 10 리터 용량의 양동이엔 물이 가득 차 있고 7 리터, 4 리터 용량의 두 양동이는 비어 있다고 하자. 이제 세 양동이를 이용하여 물을 채우고 비우는 작업을 여러 차례 반복하여 7 리터 용량의 양동이나 4 리터 용량의 양동이에 2 리터의 물을 남기려 한다. 이 경우 깊이 우선 탐색과 너비 우선 탐색 중 어떤 방법이 더 효율적인가? (단, 물을 채우고 비울 때는 더 이상 채울 수 없거나 비울 수 없을 때까지 계속 채우거나 비우도록 하기로 한다.)

12 다음 그림에 있는 미로에서 입구로 들어가서 출구로 나오는 길을 찾아라. 이 경우 깊이 우선 탐색과 너비 우선 탐색 중 어떤 방법이 더 효율적인가?

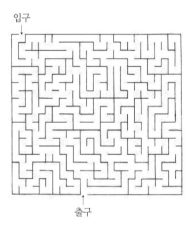

13 아래 그래프에서 주어진 방법을 이용하여 변의 값의 합이 최소인 생성수형도를 찾아라.

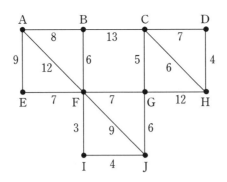

(1) Greedy 알고리즘   (2) 크루스컬 알고리즘   (3) 프림 알고리즘

14 아래 그래프에서 주어진 방법을 이용하여 변의 값의 합이 최소인 생성수형도를 찾아라.

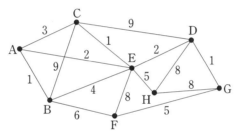

(1) Greedy 알고리즘   (2) 크루스컬 알고리즘   (3) 프림 알고리즘

15 신규 주택 A, B, C, D, E, F에 전력을 공급하기 위하여 전기공사를 하려고 한다. 각 주택 사이의 거리에 따른 전기공사 비용은 아래 표와 같다. 아래에 제시한 방법을 이용하여 최소의 비용으로 각 주택에 전력이 공급되도록 전기공사를 하려면 전기선을 어떻게 연결하여야 할까?   (단위: 만원)

	A	B	C	D	E	F
A	*	21	22	27	29	26
B	21	*	24	30	28	22
C	22	24	*	12	20	28
D	27	30	12	*	25	31
E	29	28	20	25	*	18
F	26	22	28	31	18	*

(1) Greedy 알고리즘   (2) 크루스컬 알고리즘   (3) 프림 알고리즘

16 다음 물음에 답하여라.

(1) 꼭짓점이 A, B, C, D인 수형도를 모두 구하라.

(2) 꼭짓점이 A, B, C, D인 완전그래프 K_4의 생성수형도의 개수를 구하여라.

제5절 계획세우기

우리가 집을 짓는다고 가정하여 보자. 이를 위해서는 설계나 기초공사, 배관 공사 등 여러 가지 작업이 필요하고, 또 이런 작업을 수행할 인력이나 장비가 필요하다. 이 때 수행할 작업과 그에 필요한 시간, 장비 등은 고정되어 있는 것이어서 어렵지 않게 계산할 수 있다. 그러나 그런 것이 결정되었다 하더라도 수행할 작업의 순서, 인력과 장비의 배치 등에 따라 집을 완성할 때까지 걸리는 시간은 매우 달라질 수 있다. 이 절에서는 집짓기에서와 같이 여러 가지 작업이 수행될 때 어떻게 계획을 세워야 보다 효과적인지에 대하여 알아 보자.

예제 2.5.1 아래 표 2.5.1은 충분한 인력과 장비가 갖추어져 있을 때 어떤 집을 짓기 위한 작업과 그 작업을 끝마치기 위해 필요한 작업 일수와 작업의 순서 관계를 나타낸 것이다.

기호	작 업	작업 일수	먼저 행해져야 할 작업
A	집의 설계	3	없음
B	기초 및 골조공사	17	A
C	배관 공사	5	B
D	전기, 전화 공사	3	B
E	냉난방 공사	7	D
F	미장 공사	9	C, E
G	외부 공사	15	B
H	내부 공사	7	F
I	조경 공사	4	G

표 2.5.1

(1) 집짓기를 끝마치려면 적어도 몇 일이 필요한가?
(2) 작업이 하루 늦어져도 전체 작업일수에는 지장을 주지 않는 작업은 무엇인가?

풀이 위에 표에 나타난 작업을 꼭짓점으로 나타내고 작업 X가 작업 Y전에 행해져야 한다면 꼭짓점 X에서 Y로 가는 변이 있는 유향그래프를 그리면 다음과 같다. 여기서 꼭짓점에 있는 수는 그 작업을 끝내기 위해 필요한 작업일수이다.

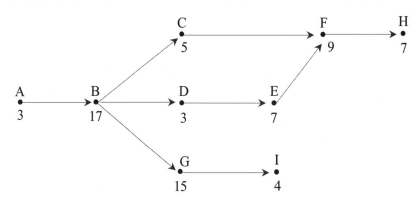

(1) 집짓기에 필요한 모든 작업을 마치기 위해서는 A부터 시작하여 위의 그래프의 변을 따라 H와 I까지의 일을 마쳐야 한다. 따라서 주어진 문제는 위의 그래프에서 시작점이 A이고 끝점이 H나 I인 경로 중 꼭짓점 위에 있는 수의 합이 가장 큰 경로를 찾는 문제와 같다. 시작점이 A이고 끝점이 H나 I인 경로와 경로에 있는 꼭짓점 위의 수의 합은 다음과 같다.

$$A \rightarrow B \rightarrow D \rightarrow E \rightarrow F \rightarrow H: \qquad 3+17+3+7+9+7=46$$
$$A \rightarrow B \rightarrow C \rightarrow F \rightarrow H: \qquad 3+17+5+9+7=41$$
$$A \rightarrow B \rightarrow G \rightarrow I: \qquad 3+17+15+4=39$$

따라서 집짓기를 모두 끝마치려면 적어도 46일이 필요하다.

(2) 위 (1)에서 알 수 있듯이 경로 $P : A \rightarrow B \rightarrow D \rightarrow E \rightarrow F \rightarrow H$에 나타난 꼭짓점의 순서로 작업을 하게 되고 위의 작업을 하는 동안 P에 있지 않은 꼭짓점의 작업을 병행할 수 있다. 따라서 경로 P에 있는 꼭짓점의 작업이 늘어지면 전체 작업일수도 늘어지게 되나 P에 있지 않은 꼭짓점의 작업은 하루가 늘어져도 전체 일수에는 영향을 주지 않는다. 즉, 경로 P에 있지 않은 작업 C, G, I는 작업일수가 하루 늘어져도 전체 작업 일수에는 영향을 주지 않는다.

그림 2.5.1처럼 어떤 일을 하기 위하여 필요한 작업을 꼭짓점으로 나타내고 그런 작업의 순서 관계를 화살표로 나타낸 그림을 **작업순서 유향그래프**라고 한다. 작업 순서 유향그래프에서 꼭짓점 X에서 Y로 가는 화살표가 있으면 작업 X는 작업 Y전에 행해져야 한다는 것을 뜻한다.

문제 2.5.1 아래 표는 충분한 인력과 장비가 갖추어져 있을 때 아파트 수리를 하기 위한 작업과 그 작업을 끝마치기 위해 필요한 작업 시간, 작업의 순서 관계를 나타낸 것이다.

기호	작 업	작업 시간	먼저 행해져야 할 작업
B	화장실 청소	8	P
C	거실 청소	4	S, W
F	각종 필터 교환	1	P
G	침실 청소	8	B, F, K
K	부엌 청소	12	P
L	전구 청소 및 교환	1	
P	페인트 작업	32	L
S	각종 탐지기 청소 및 전지 교환	1	G
W	창문 닦기	4	G

표 2.5.2

(1) 위 아파트 수리를 위한 작업순서 유향그래프를 그려라.
(2) 위 아파트 수리를 끝마치려면 적어도 몇 시간이 필요한가?

위 예제 2.5.1의 표에서 주어진 작업을 끝내기 위해서는 이를 수행할 인력이나 장비가 필요하다. 이처럼 주어진 작업을 수행하는 인력이나 장비를 **처리기**라고 부른다. 처리기는 경우에 따라서 사람이 되기도 하나 때로는 기계나 로봇, 컴퓨터 등이 되기도 한다. 여기서는 문제를 간편하기 위하여 다음과 같은 사실을 가정하기로 하자.

① 처리기는 문제에서 주어진 모든 일을 수행할 수 있고, 또 일을 수행하기 시작하면 중간에 멈추지 않고 그 일을 끝까지 수행한다.
② 처리기는 현재 작업을 수행하고 있지 않으면 언제든지 작업을 수행하게 할 수 있다.
③ 작업에 선후관계가 있으면 처리기는 먼저 해야 할 일을 나중에 해야 할 일보다 먼저 수행한다.

예제 2.5.2 아래 표 2.5.3은 사고로 망가진 자동차를 수리하기 위해 필요한 작업과 그 작업을 끝마치기 위해 필요한 작업 시간 및 작업의 순서 관계를 나타낸 것이다.

작업	작업 시간	먼저 행해져야 할 작업
엔진 수리(A)	5	없음
변속기 수리(B)	3	없음
차체 수리(C)	4	없음
페인트 작업(D)	7	C

표 2.5.3

(1) 위 자동차를 고치기 위한 작업순서 유향그래프를 그려라.

(2) 여러 가지 경우로 나누어 위 표에 나타난 작업을 두 사람 P_1, P_2에게 맡기고 각 경우에 자동차 수리를 끝내기 위해 필요한 시간을 구하라.

풀이 (1)

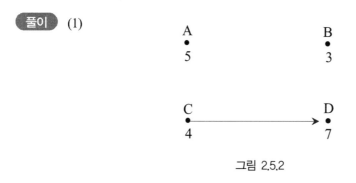

그림 2.5.2

(2) ① 선후관계가 없는 작업은 C, A, B, D의 순서로 작업할 때: 아래 그림과 같이 작업을 배정하며 이 경우 모든 작업을 끝내기 위해서 12시간이 필요하다.

	1	2	3	4	5	6	7	8	9	10	11	12	13	14
P_1		C				B								
P_2			A					D						

그림 2.5.3

② 선후관계가 없는 작업은 C, B, A, D의 순서로 작업할 때: 아래 그림과

같이 작업을 배정하며 이 경우 모든 작업을 끝내기 위해서 11시간이 필요하다.

	1	2	3	4	5	6	7	8	9	10	11	12	13	14
P_1		C					D							
P_2		B					A							

그림 2.5.4

③ 선후관계가 없는 작업은 A, B, C, D의 순서로 작업할 때: 아래 그림과 같이 작업을 배정하며 이 경우 모든 작업을 끝내기 위해서 14시간이 필요하다.

	1	2	3	4	5	6	7	8	9	10	11	12	13	14
P_1		A								D				
P_2		B				C								

그림 2.5.5

문제 2.5.2 위 예제 2.5.2에서 선후관계가 없는 작업은 C, A, D, B의 순서로 작업할 때 모든 작업을 끝내기 위해서 필요한 시간을 구하라.

작업에 선후관계가 있으면 처리기는 먼저 해야 할 일을 나중에 해야 할 일보다 먼저 수행해야 한다. 그러나 위 예제 2.5.2에서 알 수 있듯이 선후관계가 없는 작업의 수행 순서에 따라 모든 작업을 끝내기 위해서 걸리는 전체 시간은 달라질 수 있으므로 계획을 세울 때 작업의 수행 순서를 적절하게 정하는 것이 중요하다. 모든 작업에 선후관계를 무시하고 작업의 수행 순서를 작성한 목록을 **작업우선순위목록**이라 한다. 실제로는 어떤 특정한 작업 사이에는 선후관계가 있을 수 있으므로 작업우선순위목록에 나타난 순서대로 작업이 이루어지지 않을 수 있음을 유의해야 한다.

예제 2.5.3 다음은 잡지를 만들기 위해 필요한 작업 시간과 작업의 순서 관계를 나타낸 것이다.

작 업	작업 시간	먼저 행해져야 할 작업
A	8	없음
B	6	A
C	9	B
D	4	C
E	5	B
F	3	E
G	5	없음
H	7	없음

표 2.5.4

(1) 작업순서 유향그래프를 그려라.

(2) 이용할 수 있는 처리기가 충분히 많다고 하자. 잡지를 만들기 위해 적어도 몇 시간이 필요한가?

(3) 1개의 처리기를 이용한다면 잡지를 만들기 위해 몇 시간이 필요한가?

(4) 작업우선순위목록이 H, G, F, E, D, C, B, A이고 2개의 처리기를 이용한다면 잡지를 만들기 위해 몇 시간이 필요한가?

(5) 작업우선순위목록이 A, B, C, D, E, F, G, H이고 2개의 처리기를 이용한다면 잡지를 만들기 위해 몇 시간이 필요한가?

풀이 (1) 위에 표에 나타난 작업을 꼭짓점으로 나타내고 작업 X가 작업 Y전에 행해져야 한다면 꼭짓점 X에서 Y로 가는 화살표를 그리면 다음과 같다. 여기서 꼭짓점에 있는 수는 그 작업을 끝내기 위해 필요한 작업시간이다.

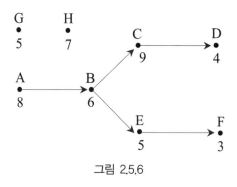

그림 2.5.6

(2) 위 유향그래프에서 꼭짓점에 있는 수의 합이 가장 큰 경로는 P : A → B → C → D이므로 이 경로 P에 나타난 꼭짓점의 순서대로 작업하면 8+6+9+4=27

시간이 걸린다. 물론 경로 P에 있지 않은 작업은 경로 P에 있는 작업을 하면서 병행할 수 있기 때문에 전체 작업 시간에는 영향을 미치지 않는다.

(3) 하나의 처리기가 표의 모든 일을 해야 하기 때문에 걸리는 시간은 위의 표에 나타난 작업시간을 모두 합한 47시간이다.

(4) 2개의 처리기를 각각 P_1, P_2라 하자.
- 우선순위목록의 맨 처음 작업 H를 처리기 P_1에게 처리하도록 한다.
- 우선순위목록의 그 다음 작업 G를 처리기 P_2에게 처리하도록 한다.
- 작업 G를 마친 처리기 P_2에게 작업 A를 처리하도록 한다.
- 작업 H를 마친 처리기 P_1은 작업 A가 끝날 때까지 기다려 작업 B를 처리한다.
- 작업 B가 끝나면 우선순위목록의 그 다음 작업 E를 처리기 P_1에게, 그 다음 작업 C를 처리기 P_2에게 처리하도록 한다.
- 작업 E가 끝나면 작업 F를 처리기 P_1에게 처리하도록 한다.
- 작업 C가 끝나면 작업 D를 처리기 P_1에게 처리하도록 한다.

위의 과정을 그림으로 나타내면 아래와 같다. 이 그림에서 보듯이 H, G, F, E, D, C, B, A의 우선순위목록을 이용하면 모두 32시간이 걸린다.

	1	2	3	4	5	6	7	8	9	10	11	12	13	14	15	16	17	18	19	20	21	22	23	24	25	26	27	28	29	30	31	32
P_1			H														B									E		F			D	
P_2			G					A															C									

그림 2.5.7

(5) 위 (3)과 같은 방법으로 A, B, C, D, E, F, G, H의 우선순위목록을 이용하여 두 처리기 P_1, P_2에게 표에 나타난 작업을 배정하면 아래와 같다. 따라서 이 우선순위목록을 이용하면 모두 27시간이 걸린다.

	1	2	3	4	5	6	7	8	9	10	11	12	13	14	15	16	17	18	19	20	21	22	23	24	25	26	27
P_1			A								B						C								D		
P_2			G								H							E			F						

그림 2.5.8

문제 2.5.3 다음은 어떤 요리를 만들기 위해 필요한 작업 시간과 작업의 순서 관계를 나타낸 것이다.

작 업	작업 시간 (분)	먼저 행해져야 할 작업
A	12	없음
B	9	없음
C	7	없음
D	13	A
E	15	B, C
F	20	D, E, G
G	10	C

표 2.5.5

(1) 이용할 수 있는 처리기가 충분히 많다고 하자. 작업순서 유향그래프를 그려서 요리를 만들기 위해 적어도 몇 분이 필요한지 알아보아라.

(2) 1개의 처리기를 이용한다면 요리를 만들기 위해 몇 분이 필요한가?

(3) 작업우선순위목록이 A, C, G, B, D, E, F이고 2개의 처리기를 이용한다면 요리를 만들기 위해 몇 분이 필요한가?

(4) 작업우선순위목록이 A, C, B, D, E, F, G이고 2개의 처리기를 이용한다면 요리를 만들기 위해 몇 분이 필요한가?

예제 2.5.4 다음은 장난감을 조립하기 위한 작업순서 유향그래프이다. 작업우선순위목록이 A, C, D, E, F, G, H, I, B일 때 다음 물음에 답하라. (단위 : 분)

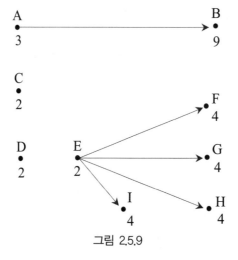

그림 2.5.9

(1) 세 개의 처리기 P_1, P_2, P_3를 이용한다면 모든 작업을 끝마치기 위해 모두 몇 분이 필요한가?

(2) 모든 작업을 1분씩 단축하였다고 하자. 이 때 3개의 처리기 P_1, P_2, P_3를 이용한다면 모든 작업을 끝마치기 위해 모두 몇 분이 필요한가?

(3) 네 개의 처리기 P_1, P_2, P_3, P_4를 이용한다면 모든 작업을 끝마치기 위해 모두 몇 분이 필요한가?

(4) 그림 2.5.9에 주어진 작업의 모든 선후 관계를 무시하고 3개의 처리기 P_1, P_2, P_3를 이용한다면 모든 작업을 끝마치기 위해 모두 몇 분이 필요한가?

풀이 (1) 아래와 같이 작업이 배분되며 모든 작업을 끝마치기 위해 모두 12분이 필요하다.

	1	2	3	4	5	6	7	8	9	10	11	12	13	14	15	16	17	18
P_1	A						B											
P_2	C		E			F				H								
P_3	D					G				I								

그림 2.5.10

(2) 새로운 작업순서 유향그래프는 그림 2.5.11과 같다.

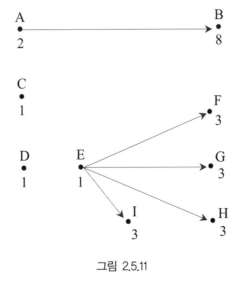

그림 2.5.11

위 유향그래프를 이용하여 작업을 배분하면 아래 그림과 같이 모든 작업을 끝마치기 위해 모두 13분이 필요하다.

	1	2	3	4	5	6	7	8	9	10	11	12	13	14	15	16	17	18
P_1	A			F			I											
P_2	C	E		G		B												
P_3	D			H														

그림 2.5.12

(3) 아래와 같이 작업이 배분되며 모든 작업을 끝마치기 위해 모두 15분이 필요하다.

	1	2	3	4	5	6	7	8	9	10	11	12	13	14	15	16	17	18
P_1		A			I													
P_2	C			F					B									
P_3	D			G														
P_4	E			H														

그림 2.5.13

(4) 어떤 작업에도 선후관계가 없으므로 A, C, D, E, F, G, H, I, B의 순서로 작업을 배분하면 아래와 같으므로 모든 작업을 끝마치기 위해 모두 16분이 필요하다.

	1	2	3	4	5	6	7	8	9	10	11	12	13	14	15	16	17	18
P_1		A			G				B									
P_2	C		E			H												
P_3	D			F				I										

그림 2.5.14

문제 2.5.4 다음은 조립식 책꽂이를 조립하기 위한 작업순서 유향그래프이다. 우선순위목록이 A, C, D, E, F, G, H, B일 때 다음 물음에 답하라. (단위: 분)

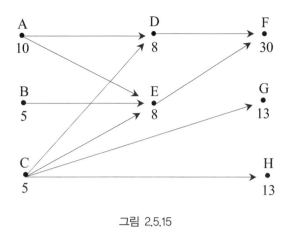

그림 2.5.15

(1) 두 개의 처리기 P_1, P_2를 이용한다면 모든 작업을 끝마치기 위해 모두 몇 분이 필요한가?

(2) 세 개의 처리기 P_1, P_2, P_3를 이용한다면 모든 작업을 끝마치기 위해 모두 몇 분이 필요한가?

여러 가지 작업으로 이루어진 어떤 일을 수행할 때 전체 작업을 끝마치기 위한 시간을 줄이기 위해서는 다음과 같은 방법을 생각할 수 있다.

① 각 작업의 수행에 필요한 시간의 단축
② 보다 많은 처리기의 이용
③ 작업의 선후관계 완화

그러나 예제 2.5.4-(2)에서는 각 작업에 필요한 작업시간을 1분씩 줄였음에도 불구하고 전체 작업시간은 1분 늘었고, (3)에서는 처리기를 하나 더 이용했는데도 전체 작업시간은 오히려 3분 늘었다. 또 (4)에서 작업의 선후관계가 없음에도 그렇지 않을 때보다 전체 작업에 필요한 시간은 줄어들지 않았다. 즉, 예제 2.5.4에서는 위의 어떤 방법도 항상 전체 작업시간을 줄일 수 없었다. 따라서 전체 작업 시간을 줄이기 위해서는 위에 나열한 방법보다 오히려 적절한 작업우선순위목록을 이용하는 것이 보다 더 효과적이다. 다음은 작업순서 유향그래프가 주어졌을 때 그래프의 가장 긴 경로를 이용하여 작업우선순위목록을 결정하는 방법으로 실제로 계획을 세울 때 자주 사용하는 방법이다.

---| **최장 경로를 이용한 작업우선순위목록** |---

① 작업순서 유향그래프에서 꼭짓점에 있는 수의 합이 가장 큰 경로의 시작점에 해당하는 작업을 가장 먼저 수행하게 한다. 단, 그런 꼭짓점이 여러 개 있으면 작업시간이 작은 작업을 먼저 수행한다.
② 작업순서 유향그래프에서 위 ①에서 결정된 꼭짓점과 그에 근접한 모든 변을 제거하여 새로운 작업순서 유향그래프를 만들고 이 새 그래프를 이용하여 ①의 방법으로 그 다음 수행할 작업을 결정한다.
③ 모든 작업의 수행순서가 결정될 때까지 위 ②의 과정을 반복한다.

예제 2.5.5 다음 그림은 어떤 책상을 만들기 위해 필요한 작업순서 유향그래프를 나타낸 것이다.

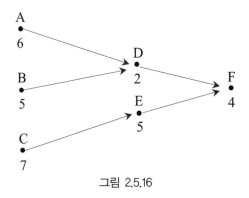

그림 2.5.16

최장 경로를 이용한 작업우선순위목록을 작성하여라.

풀이 위 작업순서 유향그래프에서 꼭짓점에 있는 수의 합이 가장 큰 경로는 C → E → F이고 이 경로의 시작점 C를 맨 먼저 수행한다. 이제 위 작업순서 유향그래프에서 꼭짓점 C와, C의 근접한 변을 모두 제거하면 다음과 같다.

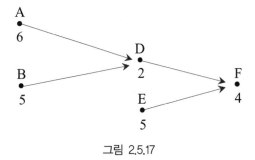

그림 2.5.17

이제 그림 2.5.17의 새로운 작업순서 유향그래프에서 꼭짓점에 있는 수의 합이 가장 큰 경로는 A→D→F이고 이 경로의 시작점 A를 C 다음 수행한다. 위 작업순서 유향그래프에서 꼭짓점 A와, A의 근접한 변을 모두 제거하면 다음과 같다.

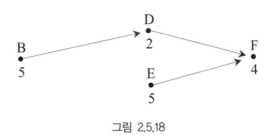

그림 2.5.18

위 유향그래프에서 꼭짓점에 있는 수의 합이 가장 큰 경로는 B→D→F이고 이 경로의 시작점 B를 A 다음 수행한다. 이런 방법을 계속하여 작업순서를 정하여 얻은 우선순위목록은 C, A, B, E, D, F이다.

문제 2.5.5 다음 그림은 장난감 비행기를 조립하기 위해 필요한 작업순서 유향그래프를 나타낸 것이다.

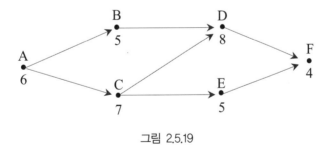

그림 2.5.19

최장 경로를 이용한 작업우선순위목록을 작성하여라.

예제 2.5.6 작업순서 유향그래프가 다음과 같이 주어지는 경우를 생각하여 보자. (단위 : 분)

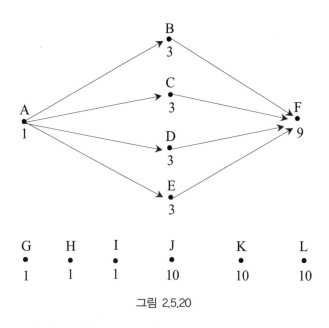

그림 2.5.20

(1) 최장 경로를 이용한 작업우선순위목록을 작성하여라.

(2) 위 (1)에서 구한 우선순위목록을 이용하여 네 개의 처리기 P_1, P_2, P_3, P_4에 위 작업을 배분한다면 전체 작업을 끝마치기 위해 모두 몇 분이 필요한가?

(3) 전체 작업 시간이 가장 짧도록 네 개의 처리기 P_1, P_2, P_3, P_4에 위 작업을 배분하여라.

풀이 (1) 최장 경로를 이용한 작업우선순위목록은 A, B, C, D, E, J, K, L, F, G, H, I이다.

(2) 위 A, B, C, D, E, J, K, L, F, G, H, I의 작업우선순위목록으로 처리기 P_1, P_2, P_3, P_4에 배분하면 아래 그림과 같으므로 모든 작업을 끝마치기 위해 모두 22분이 필요하다.

	1	2	3	4	5	6	7	8	9	10	11	12	13	14	15	16	17	18	19	20	21	22	23
P_1	A	B			C			D			E			F									
P_2		J									G												
P_3		K									H												
P_4		L									I												

그림 2.5.21

(3) A, G, H, I, B, C, D, E, J, K, L, F의 우선순위목록을 이용하여 처리기 P_1, P_2, P_3, P_4에 배분하면 아래 그림과 같고, 따라서 모든 작업을 끝마치기 위해 모두 14분이 필요하다. 이렇게 배분할 때 각 처리기는 P_4의 마지막 1분을 제외하고 쉬는 시간이 전혀 없으므로 14분이 가장 짧은 작업 시간임을 알 수 있다.

	1	2	3	4	5	6	7	8	9	10	11	12	13	14	15	16	17	18	19	20	21	22	23
P_1	A		B						J														
P_2	G		C						K														
P_3	H		D						L														
P_4	I		E						F														

그림 2.5.22

문제 2.5.6 다음은 컴퓨터를 조립하기 위해 필요한 작업 시간과 작업의 순서 관계를 나타낸 것이다.

작 업	작업 시간 (분)	먼저 행해져야 할 작업
A	3	없음
B	10	C, F, G
C	2	A
D	4	G
E	5	C
F	8	A, H
G	7	H
H	5	없음

표 2.5.6

(1) 작업순서 유향그래프를 그려라.
(2) 최장 경로를 이용한 작업우선순위목록을 작성하여라.
(3) 위 (2)에서 구한 작업우선순위목록을 이용하여 두 개의 처리기 P_1, P_2에 위 작업을 배분한다면 전체 작업을 끝마치기 위해 모두 몇 분이 필요한가?

앞에서 언급한 대로 최장 경로의 작업우선순위목록은 실제 계획을 세울 때 많이 사용되고 있지만 예제 2.5.6에서 보듯이 이것을 이용한 계획세우기가 항상 최선은 아님을 알 수 있다. 어떤 일을 수행할 때 필요한 작업의 수가 n이라면 $n!$ 가지의 작업우선순위목록이 존재하며 이 중에서 전체 작업 시간을 최소로 하는 것이 무엇인지 알려주는 방법은 지금까지 알려지지 않고 있다.

예제 2.5.7 다음은 어떤 일을 하기 위해 필요한 작업과 그 작업시간을 나타낸 표이다. 어떤 작업 사이에도 작업의 선후관계는 없다.

작 업	작업 시간 (분)
A	7
B	5
C	4
D	10
E	7
F	9

표 2.5.7

(1) 작업우선순위목록이 A, B, C, D, E, F이고 2개의 처리기를 이용한다면 전체 작업을 끝마치기 위해 모두 몇 분이 필요한가?

(2) 2개의 처리기를 이용하여 작업시간이 긴 작업부터 먼저 수행한다면 전체 작업을 끝마치기 위해 모두 몇 분이 필요한가?

풀이 (1) A, B, C, D, E, F의 우선순위목록을 이용하여 처리기 P_1, P_2에 배분하면 아래 그림과 같고, 따라서 모든 작업을 끝마치기 위해 모두 25분이 필요하다.

	1	2	3	4	5	6	7	8	9	10	11	12	13	14	15	16	17	18	19	20	21	22	23	24	25
P_1			A									D													
P_2			B				C					E						F							

그림 2.5.23

(2) 작업시간이 긴 작업부터 먼저 수행할 때 작업우선순위목록은 D, F, A, E, B, C이다. 이 순서로 처리기 P_1, P_2에 배분하면 아래 그림과 같고, 따라서 모든

작업을 끝마치기 위해 모두 21분이 필요하다.

	1	2	3	4	5	6	7	8	9	10	11	12	13	14	15	16	17	18	19	20	21	22	23	24	25
P_1				D										E					C						
P_2				F									A						B						

그림 2.5.24

문제 2.5.7 다음은 어떤 일을 하기 위해 필요한 작업과 그 작업시간을 나타낸 표이다. 어떤 작업 사이에도 작업의 선후관계는 없다.

작 업	작업 시간 (분)
A	9
B	4
C	6
D	11
E	10

표 2.5.8

(1) 작업우선순위목록이 A, B, C, D, E이고 2개의 처리기를 이용한다면 전체 작업을 끝마치기 위해 모두 몇 분이 필요한가?

(2) 2개의 처리기를 이용하여 작업시간이 긴 작업부터 먼저 수행한다면 전체 작업을 끝마치기 위해 모두 몇 분이 필요한가?

예제 2.5.7과 같이 작업의 선후관계가 없을 때 실생활에서는 작업시간이 긴 작업부터 먼저 수행하는 방법이 자주 쓰인다. 그러나 문제 2.5.7에서 보듯이 이 방법도 항상 전체 작업시간을 최소로 하는 것은 아니다.

예제 2.5.8 다섯 명의 연사 A, B, C, D, E가 한 시간씩 강연하는 강연회가 있다. 다음 표처럼 연사들도 다른 연사들의 강연을 듣고 싶어 한다. 연사들이 듣고 싶은 강연을 모두 들을 수 있도록 하면서 이 강연회가 되도록 빨리 끝나도록 강연을 배정하라.

연사 A가 듣고 싶어 하는 강연의 연사	B, C
연사 B가 듣고 싶어 하는 강연의 연사	C, D
연사 C가 듣고 싶어 하는 강연의 연사	A
연사 D가 듣고 싶어 하는 강연의 연사	C
연사 E가 듣고 싶어 하는 강연의 연사	C, D

표 2.5.9

풀이 세 강사 A, B, C는 어느 두 사람도 같은 시간에 배정할 수 없으므로 적어도 세 시간은 필요하며, 아래 표와 같이 시간을 배정하면 모두 원하는 강의를 들을 수 있으므로 최소 필요한 시간은 세 시간이다.

첫째 시간	A, D
둘째 시간	B, E
셋째 시간	C

표 2.5.10

문제 2.5.8 어느 대학 수학과에는 10명의 교수 A, B, C, D, E, F, G, H, I, J가 재직하고 있고 교수들은 다음과 같이 8개의 위원회에 소속되어 있다.

위원회	교수	위원회	교수
인사위원회	A, B, C, D	교양교육위원회	D, E
도서관위원회	A, E, F, G	교과과정위원회	C, A
홍보위원회	G, H, I, J	출판위원회	I, G
복지위원회	H, B, F	대학원위원회	J, C

표 2.5.11

수학과의 모든 교수가 소속된 위원회에 참석하여 한 시간 동안 회의할 수 있도록 시간을 배정하려면 최소 몇 시간이 필요한가?

위 예제 2.5.8과 같은 문제를 보다 효과적으로 해결하기 위해 다음과 같은 그래프의 성질을 알아보자.

정의 2.5.1

인접한 꼭짓점은 서로 다른 색깔을 갖도록 그래프 G의 모든 꼭짓점을 색칠할 때, 필요한 색깔의 최소 수를 G의 **색채수**라고 한다.

예제 2.5.9 다음 그래프의 색채수를 구하여라.

(1) 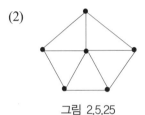   (2) 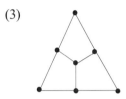   (3)

그림 2.5.25

풀이 그래프에서 삼각형을 이루는 세 꼭짓점은 서로 다른 세 색깔로 색칠되어야 한다. 이 사실을 이용하여 각 그래프의 꼭짓점에 배정되는 색깔을 번호를 나타내면 아래 그림과 같다. 따라서 위 그래프의 색채수는 각각 3, 4, 2이다.

(1) 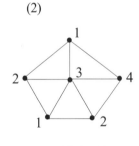   (2) 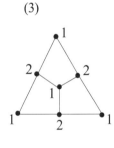   (3)

그림 2.5.26

문제 2.5.9 다음 그래프의 색채수를 구하여라.

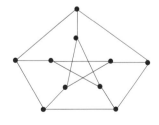   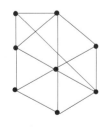   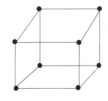

그림 2.5.27

예제 2.5.10 아래 그림은 어떤 지역의 지도를 나타낸 것이다. 서로 인접한 지역은 서로 다른 색이 되도록 지도의 모든 지역을 색칠할 때 최소한 몇 가지 색깔이 필요할까?

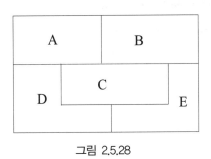

그림 2.5.28

풀이 지도에 나타난 각 지역을 꼭짓점으로 하고 두 지역 사이에 경계선이 있으면 그 지역을 나타내는 두 꼭짓점이 인접한 그래프를 그리면 다음과 같다.

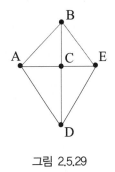

그림 2.5.29

그러면 그림 2.5.28에서 인접한 지역은 다른 색이 되도록 모든 지역을 색칠할 때 필요한 색깔의 최소 수는 그림 2.5.29의 그래프에서 인접한 꼭짓점은 서로 다른 색깔을 갖도록 모든 꼭짓점을 색칠할 때 필요한 색깔의 최소 수인 색채수 3과 같다.

문제 2.5.10 서로 인접한 지역은 서로 다른 색이 되도록 지도의 모든 지역을 색칠할 때 최소한 네 가지 색깔이 필요한 지도를 그려라.

예제 2.5.11 아래 그림은 어떤 지역의 라디오 방송국 A, B, C, D, E, F의 위치를 나타낸 것이다. 방송국 사이의 거리가 40km 미만인 방송국이 같은 주파수를 이용하면 서로 전파 간섭을 일으켜 제대로 방송을 할 수 없다고 한다. 이 지역의 모든 방송국이 전파 간섭 없이 방송을 하려면 적어도 몇 개의 주파수가 필요한가? (단, 그림에서 한 칸의 거리는 10km이다.)

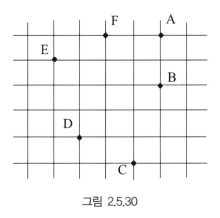

그림 2.5.30

풀이   방송국 A, B, C, D, E, F를 꼭짓점으로 하고 두 방송국 사이의 거리가 40km 미만이면 그 두 방송국에 해당하는 꼭짓점 사이에 변이 있는 그래프를 생각하면 아래와 같다.

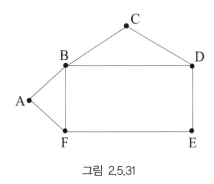

그림 2.5.31

이 그래프에서 인접한 꼭짓점은 같은 주파수를 배정할 수 없으므로 이 지역의 전파 간섭 없는 방송을 위해 필요한 최소한의 주파수의 개수는 위 그래프의 색채수와 같다. 이 그래프의 색채수는 아래와 같이 3이고, 따라서 세 개의 주파수만 있으면 모든 방송국이 서로 전파 간섭 없이 방송을 할 수 있다.

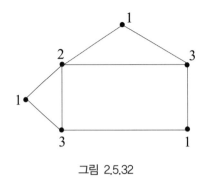

그림 2.5.32

문제 2.5.11 어느 동물원에서는 동물원 선전을 위하여 다음과 같은 동물 먹이주기 투어를 계획하고 있다.

	동 물
투어 1	사자, 코끼리, 버팔로, 악어
투어 2	원숭이, 코뿔소, 사슴, 곰
투어 3	코끼리, 얼룩말, 기린, 악어
투어 4	코뿔소, 악어, 곰
투어 5	캥거루, 원숭이, 바다사자

표 2.5.12

동물원에서는 하루에 한번 먹이를 주며, 먹이 주는 시간에는 한 팀이 한 투어에만 들어갈 수 있다. 동물원의 모든 투어를 실행하려면 적어도 며칠이 필요한가?

예제 2.5.12 어느 대학은 여름 계절 학기에 A, B, C, D, E, F, G, H의 8과목을 개설하고 있다. 다음 표는 과목 X와 과목 Y를 모두 수강하는 학생이 있으면 과목 X와 과목 Y가 만나는 칸에 O표로 표시한 것이다.

	A	B	C	D	E	F	G	H
A		O		O	O	O		O
B	O				O	O		
C						O	O	O
D	O							O
E	O	O				O		
F	O	O	O		O		O	
G			O			O		
H	O		O	O				

표 2.5.13

(1) 계절학기를 수강하는 모든 학생이 중복되지 않게 각 과목마다 한 시간 동안 시험을 보게 하려면 최소 몇 시간이 필요한가?

(2) 냉방 시설이 되어 있는 강의실이 두 강의실 CR_1, CR_2 밖에 없다. 위 (1)에서 구한 최소 시간 동안에 모든 학생들이 냉방 시설이 되어 있는 강의실에서 시험을 보게 강의실을 배정할 수 있는가?

풀이 (1) 각 과목을 꼭짓점으로 나타내고 과목 X와 Y를 모두 수강하는 학생이 있으면 꼭짓점 X와 Y 사이에 변이 있는 그래프를 그리면 그림 2.5.33의 (a)와 같다.

여기서 인접한 두 꼭짓점의 과목은 같은 시간에 시험 시간을 배정할 수 없으므로 중복되지 않게 각 과목마다 한 시간 동안 시험을 볼 때 필요한 최소 시간은 이 그래프의 색채수와 같고, 이 그래프의 색채수는 아래 그림 (b)에서 보듯이 4이므로 최소 4시간이 필요하다.

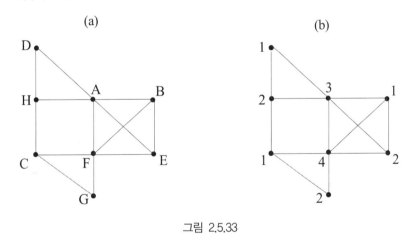

그림 2.5.33

(2) 그림 2.5.4 (b)를 이용하여 같은 번호를 갖는 과목은 같은 시간에 배정하면 다음과 같다.

	과 목
첫째 시간	B, C, D
둘째 시간	E, G, H
세째 시간	A
네째 시간	F

표 2.5.14

첫째 시간과 둘째 시간에는 세 과목의 시험이 있으므로 적어도 세 강의실이 필요하다. 그러나 그림 2.5.33의 (b)에서 꼭짓점 D를 1대신 4로 G를 2 대신 3으로 색칠하면 다음과 같이 인접한 꼭짓점은 다른 색이 되도록 여전히 색칠된다.

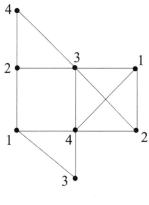

그림 2.5.34

따라서 그림 2.5.34의 그래프를 이용하면 아래와 같이 모든 과목의 시험을 냉방 시설이 되어 있는 강의실 CR_1, CR_2에 배정할 수 있다.

	CR_1	CR_2
첫째 시간	B	C
둘째 시간	E	H
세째 시간	A	G
네째 시간	D	F

표 2.5.15

문제 2.5.12 수족관에서는 새로 들여온 9종류의 열대어 A, B, C, D, E, F, G, H, I 를 수조에 넣어 전시하려고 한다. 다음 표는 열대어 X와 Y가 같은 수조에 있을 때 서로 싸우는 성질이 있으면 X와 Y가 만나는 칸에 O표로 표시한 것이다.

	A	B	C	D	E	F	G	H	I
A						O	O		O
B			O					O	
C		O			O			O	
D					O	O		O	
E			O	O			O		O
F	O			O					
G	O				O			O	
H		O	O	O			O		O
I	O				O			O	

표 2.5.16

(1) 같은 수조에 있을 때 서로 싸우는 성질이 있는 열대어는 다른 수조에 넣어 전시하려면 최소 몇 개의 수조가 필요한가?

(2) 위 (1)처럼 필요한 수조의 수를 최소로 하면서 각 수조에 되도록 적은 종류의 열대어가 들어가도록 수조에 열대어를 배정하라.

1 아래 표는 충분한 인력과 장비가 갖추어져 있을 때 어떤 일을 하기 위한 작업과 그 작업
을 끝마치기 위해 필요한 작업 시간과 작업의 순서 관계를 나타낸 것이다.

기호	작업 시간	먼저 행해져야 할 작업
A	2	없음
B	3	A
C	5	B
D	3	B
E	9	C, D
F	8	E
G	7	D
H	6	G

(1) 모든 작업을 끝마치려면 적어도 몇 시간이 필요한가?

(2) 작업이 한 시간 늦어져도 전체 작업시간에 지장을 주지 않는 작업은 무엇인가?

2 아래 표는 어떤 일을 하기 위한 작업과 그 작업을 끝마치기 위해 필요한 작업 시간과 작
업의 순서 관계를 나타낸 것이다.

기호	작업 시간	먼저 행해져야 할 작업
A	8	없음
B	6	A, D
C	3	B, E
D	5	없음
E	2	D
F	9	E
G	7	없음

(1) 작업순서 유향그래프를 그려라.

(2) 작업우선순위목록이 A, B, C, D, E, F, G이고 1개의 처리기를 이용한다면 위 표의
작업을 모두 끝내기 위해 몇 시간이 필요한가?

(3) 작업우선순위목록이 A, B, C, D, E, F, G이고 2개의 처리기를 이용한다면 위 표의 작업을 모두 끝내기 위해 몇 시간이 필요한가?

(4) 최장 경로를 이용한 작업우선순위목록을 작성하여라.

(5) 위 (4)의 작업우선순위목록으로 2개의 처리기를 이용한다면 위 표의 작업을 모두 끝내기 위해 몇 시간이 필요한가?

3 다음은 어떤 일을 하기 위해 필요한 작업과 그 작업시간을 나타낸 것이다. 어떤 작업 사이에도 작업의 선후관계는 없다.

A : 1분	B : 2분	C : 3분
D : 1분	E : 2분	F : 3분
G : 1분	H : 2분	I : 3분

(1) 작업우선순위목록이 A, B, C, D, E, F, G, H, I이고 2개의 처리기를 이용한다면 위 표의 작업을 모두 끝내기 위해 몇 분이 필요한가?

(2) 2개의 처리기를 이용하여 작업시간이 긴 작업부터 먼저 수행한다면 전체 작업을 끝마치기 위해 모두 몇 분이 필요한가?

(3) 2개의 처리기를 이용할 때 전체 작업을 끝마치기 위한 최소 시간을 구하라.

4 작업순서 유향그래프가 다음과 같이 주어지는 경우를 생각하여 보자. (단위 : 분)

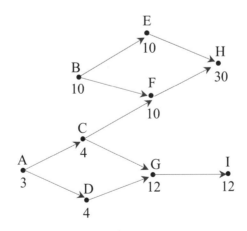

(1) 최장 경로를 이용한 작업우선순위목록을 작성하여라.

(2) 위 (1)에서 구한 우선순위목록을 이용하여 두 개의 처리기 P_1, P_2에 위 작업을 배

분한다면 전체 작업을 끝마치기 위해 모두 몇 분이 필요한가?

(3) 위에 있는 모든 작업을 1분씩 단축하였다고 하자. 이 경우 위 (1)에서 구한 우선순위목록을 이용하여 두 개의 처리기 P_1, P_2에 위 작업을 배분한다면 전체 작업을 끝마치기 위해 모두 몇 분이 필요한가?

(4) (2)와 (3)에서 어떤 사실을 알 수 있는가?

5 작업순서 유향그래프가 다음과 같이 주어지는 경우를 생각하여 보자. (단위 : 분)

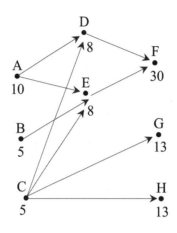

(1) 최장 경로를 이용한 작업우선순위목록을 작성하여라.

(2) 위 (1)에서 구한 우선순위목록을 이용하여 두 개의 처리기 P_1, P_2에 위 작업을 배분한다면 전체 작업을 끝마치기 위해 모두 몇 분이 필요한가?

(3) 위 (1)에서 구한 우선순위목록을 이용하여 세 개의 처리기 P_1, P_2, P_3에 위 작업을 배분한다면 전체 작업을 끝마치기 위해 모두 몇 분이 필요한가?

(4) 위 (2)와 (3)에서 어떤 사실을 알 수 있는가?

6 다음 그래프의 색채수를 구하라.

(1)    (2)    (3)

7 다음 그래프의 색채수를 구하라.

(1) 꼭짓점의 수가 n인 완전그래프 K_n　　(2) 회로를 포함하지 않는 길이가 n인 경로

(3) 길이가 n인 다각형 모양의 회로　　　(4) 꼭짓점의 수가 n인 수형도

8 다음 표는 과목 X와 과목 Y를 모두 수강하는 학생이 있으면 과목 X와 과목 Y가 만나는 칸에 O표로 표시한 것이다.

	A	B	C	D	E	F	G	H	I
A		O		O		O	O		O
B	O				O	O		O	O
C				O		O	O	O	O
D	O		O			O		O	
E		O					O	O	O
F	O	O	O	O					
G	O		O		O			O	
H		O	O	O	O		O		O
I	O	O	O		O			O	

(1) 수강하는 모든 학생이 중복되지 않게 각 과목마다 한 시간 동안 시험을 보게 하려면 최소 몇 시간이 필요한가?

(2) 위 (1)에서 구한 최소 시간 동안에 모든 학생들이 시험을 보려면 최소 몇 개의 강의실이 필요한가?

9 아래 표는 라디오 방송국이 있는 지역 A, B, C, D, E, F의 거리를 나타낸 표이다. 두 방송국 사이의 거리가 60km 미만인 방송국이 같은 주파수를 이용하면 서로 전파 간섭을 일으켜 제대로 방송을 할 수 없다고 한다. (단위 : km)

	A	B	C	D	E	F
A	*	197	85	67	96	50
B	197	*	55	42	40	82
C	85	55	*	69	25	77
D	67	42	69	*	59	35
E	96	40	25	59	*	86
F	50	82	77	35	86	*

(1) 이 지역의 모든 방송국이 전파 간섭 없이 방송을 하려면 적어도 몇 개의 주파수가 필요한가?

(2) 위 (1)에서 부여된 각 주파수는 몇 개의 방송국이 이용하는가?

제6절 배낭꾸리기와 상자채우기

실생활에서 자주 일어나는 배낭꾸리기나 상자채우기 문제는 관련된 물건의 개수가 많아지면 점검해야 할 경우의 수가 무척 커져 정확한 답을 구하려 할 때는 엄청난 시간을 필요로 한다. 이러한 문제에서 비록 정확한 답은 아니지만 비교적 짧은 시간에 만족할 만한 답을 얻을 수 있는 몇 가지 간단한 알고리즘을 살펴보기로 한다.

예제 2.6.1 (배낭꾸리기) 명수는 여행을 가기 위하여 여행에 필요한 품목과 그 품목의 무게, 그리고 그 품목의 가치를 점수로 나타내었더니 다음과 같았다. 가치의 합이 되도록 크게 배낭을 꾸릴 때 배낭에 들어갈 품목을 구하라. 단, 명수가 운반할 수 있는 배낭의 무게는 배낭을 제외하고 5kg이하이다.

품목	무게(kg)	가치
옷	3.5	5
책	2.2	4
사진기	1.8	3

표 2.6.1

풀이 배낭을 꾸릴 수 있는 모든 방법과 그 때의 무게의 합, 가치의 합을 구하면 다음과 같다.

경우	배낭에 꾸려진 품목	무게의 합	가치의 합
1	없음	0	0
2	옷	3.5	5
3	책	2.2	4
4	사진기	1.8	3
5	옷, 책	5.7	9
6	옷, 사진기	5.3	8
7	책, 사진기	4.0	7
8	옷, 책, 사진기	7.5	12

표 2.6.2

위에서 배낭에 들어갈 품목의 무게의 합이 5kg 이하인 경우는 경우 1, 2, 3, 4, 7이고 이 중에서 경우 7이 그 가치의 합이 가장 크다. 따라서 배낭에 책과 사진기를 꾸리면 전체 무게는 5kg 이하이며 가치의 합이 가장 크다.

문제 2.6.1 비행기 승객의 손가방은 4kg까지 기내로 허락된다고 한다. 한 여행객이 손가방에 넣고 싶은 물건과 그것의 무게, 가치는 다음 표와 같다. 가치의 합이 되도록 크게 손가방을 꾸릴 때 손가방에 넣을 품목을 구하여라.

품목	무게(kg)	가치
사진기	2	85
책	1.3	7
자명종 시계	0.5	25
CD 플레이어	1.6	47

표 2.6.3

위 예제 2.6.1처럼 배낭꾸리기 문제의 최적해(정확한 해)를 구하기 위해서는 위의 품목들로 이루어진 모든 집합을 구하고 각 집합 안에 있는 품목의 무게의 합이 제한된 무게를 넘지 않는 것 중에서 가치의 합이 가장 큰 것을 찾아야 한다. 그러므로 품목의 수가 N이면 우리가 생각해야하는 모든 경우의 수는 2^N이다. 그러나 N이 상당히 커지면 2^N은 컴퓨터로도 감당할 수 없을 만큼 엄청나게 큰 수가 되어 사실상 최적해를 구하는 것은 불가능하다. 사실 모든 경우를 점검하지 않고 배낭꾸리기 문제의 최적해를 알려주는 알고리즘은 아직까지 알려져 있지 않다.

비록 정확한 해는 아니지만 짧은 시간에 만족할 만한 답을 얻을 수 있는 몇 가지 간단한 알고리즘을 살펴보자.

예제 2.6.2 갑은 야영을 가기 위하여 배낭을 꾸리려고 한다. 야영에 필요한 품목과 그 품목의 무게 그리고 그 품목의 가치를 점수로 나타내었더니 다음과 같았다. 아래와 같은 방법으로 배낭을 꾸릴 때 배낭에 들어갈 품목을 구하라. 단, 갑이 운반할 수 있는 배낭의 무게는 배낭을 제외하고 13.5kg 이하이다.

품목	무게(kg)	가치
식량 및 식기	6.3	5
침낭	3.6	4
비상 약품	1.1	4
놀이 기구	1.1	3
여벌 옷	0.7	3
책	0.5	2
텐트	0.9	5
사진기	0.2	3

표 2.6.4

(1) 무게가 가벼운 품목부터 꾸림　　　(2) 무게가 무거운 품목부터 꾸림

(3) 가치가 큰 품목부터 꾸림　　　(4) kg당 가치가 큰 품목부터 꾸림

풀이 (1) 위의 품목 중에서 무게가 가벼운 것부터 차례로 배낭을 꾸렸을 때 누적 무게와 누적 점수를 구하면 다음과 같다.

품목	무게(kg)	가치	누적무게(kg)	누적점수
사진기	0.2	3	0.2	3
책	0.5	2	0.7	5
여벌 옷	0.7	3	1.4	8
텐트	0.9	5	2.3	13
비상 약품	1.1	4	3.4	17
놀이 기구	1.1	3	4.5	20
침낭	3.6	4	8.1	24
식량 및 식기	6.3	5	14.4	29

표 2.6.5

배낭에 꾸려진 항목 : 사진기, 책, 여벌 옷, 텐트, 비상 약품, 놀이 기구, 침낭

가치의 합 : 24　　　　　　　　꾸려진 항목의 무게 : 8.1kg

(2) 위의 품목 중에서 무게가 무거운 것부터 차례로 배낭을 꾸렸을 때 누적 무게와 누적 점수를 구하면 다음과 같다.

품목	무게(kg)	가치	누적무게(kg)	누적점수
식량 및 식기	6.3	5	6.3	5
침낭	3.6	4	9.9	9
비상 약품	1.1	4	11	13
놀이 기구	1.1	3	12.1	16
텐트	0.9	5	13	21
여벌 옷	0.7	3	13.7	24
책	0.5	2	14.2	26
사진기	0.2	3	14.4	29

표 2.6.6

배낭에 꾸려진 항목 : 식량 및 식기, 침낭, 비상 약품, 놀이 기구, 텐트

가치의 합 : 21   꾸려진 항목의 무게 : 13kg

(3) 앞의 품목 중에서 가치가 높은 것부터 차례로 배낭을 꾸렸을 때 누적 무게와 누적 점수를 나타내어 보자. 단, 점수가 같으면 무게가 가벼운 것부터 꾸리기로 한다.

품목	무게(kg)	가치	누적무게(kg)	누적점수
텐트	0.9	5	0.9	5
식량 및 식기	6.3	5	7.2	10
비상 약품	1.1	4	8.3	14
침낭	3.6	4	11.9	18
사진기	0.2	3	12.1	21
여벌 옷	0.7	3	12.8	24
놀이 기구	1.1	3	13.9	27
책	0.5	2	14.4	29

표 2.6.7

배낭에 꾸려진 항목 : 텐트, 식량 및 식기, 비상 약품, 침낭, 사진기, 여벌옷

가치의 합 : 24   꾸려진 항목의 무게 : 12.8kg

(4) 각 품목마다 그 품목의 가치를 무게로 나눈 kg당 가치를 소수 둘째 자리까지 구하고, 그 점수가 높은 것부터 차례로 배낭을 꾸렸을 때 누적 무게와 누적 점수를 나타내어보자.

품목	무게(kg)	가치	kg당 가치	누적무게(kg)	누적점수
사진기	0.2	3	15.00	0.2	3
텐트	0.9	5	5.56	1.1	8
여벌 옷	0.7	3	4.29	1.8	11
책	0.5	2	4.00	2.3	13
비상 약품	1.1	4	3.64	3.4	17
놀이 기구	1.1	3	2.73	4.5	20
침낭	3.6	4	1.11	8.1	24
식량 및 식기	6.3	5	0.79	14.4	29

표 2.6.8

배낭에 꾸려진 항목 : 사진기, 배낭, 여벌옷, 책, 비상 약품, 놀이기구, 침낭
가치의 합 : 24   꾸려진 항목의 무게 : 8.1kg

문제 2.6.2 다음은 배낭에 꾸리길 원하는 품목과 그 품목의 무게 그리고 그 품목의 가치를 점수로 나타낸 표이다.

아래와 같은 방법으로 배낭을 꾸릴 때 배낭에 들어갈 품목을 구하여라. 단, 운반할 수 있는 배낭의 무게는 배낭을 제외하고 17kg이하이다.

품목	무게(kg)	가치
A	2.5	16
B	3.2	22
C	1.6	14
D	4.1	20
E	5.8	28
F	0.9	10
G	7.3	30
H	6.0	26

표 2.6.9

(1) 무게가 가벼운 품목부터 꾸림   (2) 무게가 무거운 품목부터 꾸림
(3) 가치가 큰 품목부터 꾸림   (4) kg당 가치가 큰 품목부터 꾸림

예제 2.6.3 다음 물음에 답하여라.

(1) 30kg까지 담을 수 있는 배낭에 가치의 합이 되도록 크게 다음 품목을 꾸리려 한다.

품목	무게(kg)	가치
A	18	10
B	10	9
C	10	9

표 2.6.10

(i) 가벼운 것부터 꾸릴 때 배낭에 꾸려야 할 물건과 그 가치의 합을 구하여라.
(ii) 최적해를 구하여 위의 (i)의 방법은 최적해가 아님을 보여라.

(2) 30kg까지 담을 수 있는 배낭에 가치의 합이 되도록 크게 다음 표에 있는 품목을 꾸리려 한다.

품목	무게(kg)	가치
A	25	10
B	10	9
C	10	9

표 2.6.11

(i) 무거운 것부터 꾸릴 때 배낭에 꾸려야 할 물건과 그 가치의 합을 구하여라.
(ii) 최적해를 구하여 위의 (i)의 방법은 최적해가 아님을 보여라.

(3) 30kg까지 담을 수 있는 배낭에 가치의 합이 되도록 크게 다음 표에 있는 품목을 꾸리려 한다.

품목	무게(kg)	가치
A	25	10
B	10	9
C	10	9

표 2.6.12

(i) 가치가 큰 것부터 꾸릴 때 배낭에 꾸려야 할 물건과 그 가치의 합을 구하여라.

(ii) 최적해를 구하여 위의 (i)의 방법은 최적해가 아님을 보여라.

(4) 30kg까지 담을 수 있는 배낭에 가치의 합이 되도록 크게 다음 표에 있는 품목을 꾸리려 한다.

품목	무게(kg)	가치
A	20	140
B	10	60
C	5	50

표 2.6.13

(i) 단위 무게 당 가치가 큰 것부터 꾸릴 때 배낭에 꾸려야 할 물건과 그 가치의 합을 구하여라.

(ii) 최적해를 구하여 위의 (i)의 방법은 최적해가 아님을 보여라.

풀이 (1) (i) 가벼운 것부터 꾸리면 배낭에 꾸려야 할 물건은 B와 C이고 이때 가치의 합은 18이다.

(ii) 최적해는 배낭에 A와 B를 꾸리는 것이고 그 때의 가치의 합은 19이다. 따라서 이 경우 가벼운 물건부터 꾸리는 것은 최적해가 아니다.

(2) (i) 무거운 것부터 꾸리면 배낭에 꾸려야 할 물건은 A이고 이때 가치의 합은 10이다.

(ii) 최적해는 배낭에 B와 C를 꾸리는 것이고 그 때의 가치의 합은 18이다. 따라서 이 경우 무거운 물건부터 꾸리는 것은 최적해가 아니다.

(3) (i) 가치가 큰 것부터 꾸리면 배낭에 꾸려야 할 물건은 A이고 이때 가치의 합은 10이다.

(ii) 최적해는 배낭에 B와 C를 꾸리는 것이고 그 때의 가치의 합은 18이다. 따라서 이 경우 가치가 큰 물건부터 꾸리는 것은 최적해가 아니다.

(4) 각 품목의 kg당 가치를 구하면 아래와 같다.

품목	무게(kg)	가치	kg당 가치
A	20	140	7
B	10	60	6
C	5	50	10

표 2.6.14

(ⅰ) 단위 무게 당 가치가 큰 물건부터 꾸릴 때 배낭에 꾸려야 할 물건은 A, C이고 이때 가치의 합은 190이다.

(ⅱ) 최적해는 배낭에 A와 B를 꾸리는 것이고 그 때의 가치의 합은 200이다. 따라서 이 경우 단위 무게 당 가치가 큰 물건부터 꾸리는 것은 최적해가 아니다.

위 예제 2.6.3에서 보듯이 예제 2.6.2에서 제시한 어떤 알고리즘도 항상 최적해를 구해주지는 않는다. 앞에서도 언급했듯이 모든 경우를 점검하지 않고 배낭꾸리기 문제의 최적해를 구하는 알고리즘은 현재까지는 알려져 있지 않다.

 문제 2.6.3 다음 물음에 답하여라.

(1) 30kg까지 담을 수 있는 배낭에 다음 품목을 꾸릴 때, 가벼운 것부터 꾸릴 때가 가치의 합이 가장 큼을 보여라.

품목	무게(kg)	가치
A	18	12
B	13	9
C	14	10

표 2.6.15

(2) 30kg까지 담을 수 있는 배낭에 다음 품목을 꾸릴 때, 무거운 것부터 꾸릴 때가 가치의 합이 가장 큼을 보여라.

품목	무게(kg)	가치
A	15	12
B	13	10
C	10	9

표 2.6.16

(3) 30kg까지 담을 수 있는 배낭에 다음 품목을 꾸릴 때, 가치가 가장 큰 것부터 꾸릴 때가 가치의 합이 가장 큼을 보여라.

품목	무게(kg)	가치
A	15	12
B	10	10
C	11	9

표 2.6.17

(4) 30kg까지 담을 수 있는 배낭에 다음 품목을 꾸릴 때, kg당 가치가 가장 큰 것부터 꾸릴 때 가치의 합이 가장 큼을 보여라.

품목	무게(kg)	가치
A	20	140
B	12	60
C	5	50

표 2.6.18

예제 2.6.4 (상자 채우기) 무게가 아래 표와 같이 주어진 여러 가지 물건을 같은 종류의 소포 상자에 담으려고 한다. 소포 상자에 담겨진 물건의 무게는 10kg을 초과해서는 안 된다고 하면 모두 몇 개의 소포 상자가 필요한가?

(단위 : kg)

물건의 무게	6, 5, 5, 4, 4, 4, 2, 2, 2
	3, 3, 7, 5, 8, 8, 4, 5, 1

표 2.6.19

풀이 아래 그림과 같이 위의 물건을 상자에 담을 수 있으므로 모두 8개의 소포 상자가 필요하다.

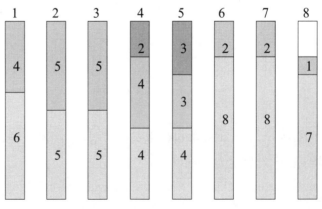

그림 2.6.1

문제 2.6.4 책꽂이를 만들기 위하여 아래 표와 같은 길이의 판자가 필요하며 판자를 파는 가게에서는 1m 길이의 판자만 판매된다고 한다. 이 책꽂이를 만들기 위해서는 모두 몇 개의 판자를 구입해야 하는가?

(단위 : cm)

책꽂이에 필요한 판자의 길이	60, 90, 50, 80, 30, 20, 10, 90, 20, 70
	20, 50, 40, 30, 70, 60, 20, 80, 30, 70

표 2.6.20

앞의 배낭꾸리기 문제처럼 상자채우기 문제도 넣어야 할 물건의 수가 상당히 많으면 관련된 경우의 수가 무척 커져서 모든 경우를 점검하여 최적해를 구하는 것은 사실상 불가능하며, 모든 경우를 점검하지 않고 이 문제의 최적해를 알려주는 알고리즘도 현재까지는 없다.

예제 2.6.5 표 2.6.19의 물건을 다음과 같이 표에 나타난 순서대로 소포 상자에 담을 때 필요한 소포상자의 개수를 구하여라.

① 처음에 6kg의 물건을 소포 상자에 넣는다.
② 다음 물건을
  • 바로 앞에서 사용한 상자에 넣을 수 있으면 그 곳에 넣고,
  • 그렇지 않으면 새로운 소포 상자를 이용한다.
③ 물건을 모두 넣을 때까지 ②의 과정을 반복한다.

풀이 6kg의 물건을 1번 상자에 넣고 다음 5kg의 물건은 바로 앞 1번 상자에 넣지 못하므로 2번 상자에 넣는다. 다음의 5kg의 물건은 바로 앞 2번 상자의 빈 곳에 넣고 그 다음 4kg의 물건은 바로 앞 2번 상자에 넣지 못하므로 3번 상자에 넣는다. 이런 방법을 계속하여 위의 물건을 모두 넣으면 아래 그림 2.6.2처럼 10개의 상자가 필요하다.

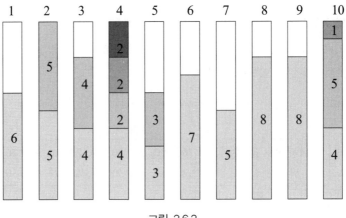

그림 2.6.2

문제 2.6.5 아래 표는 표 2.6.19에 있는 물건을 무거운 것부터 차례로 재배열 한 것이다.

(단위 : kg)

물건의 무게	8, 8, 7, 6, 5, 5, 5, 5, 4
	4, 4, 4, 3, 3, 2, 2, 2, 1

표 2.6.21

예제 2.6.5의 방법을 이용하여 이 표에 나타난 순서대로 물건을 소포 상자에 넣을 때 필요한 소포 상자의 개수를 구하여라.

예제 2.6.6 표 2.6.19의 물건을 다음과 같이 표에 나타난 순서대로 소포 상자에 담을 때 필요한 소포 상자의 개수를 구하여라.

---

① 처음에 6kg의 물건을 소포 상자에 넣는다.

② 다음 물건을
   • 이미 사용한 상자에 넣을 수 있을 때는 사용 가능한 최초의 상자에 넣고,
   • 그렇지 않으면 새로운 소포 상자를 이용한다.

③ 물건을 모두 넣을 때까지 ②의 과정을 반복한다.

풀이 6kg의 물건을 1번 상자에 넣고 다음 5kg의 물건은 앞 상자에 넣지 못하므로 2번 상자에 넣는다. 다음의 5kg의 물건은 앞 2번 상자의 빈 곳에 넣고 그 다음 4kg의 물건은 앞 1번 상자의 빈 곳에 넣는다.

그 다음 4kg의 물건은 앞 상자에 넣지 못하므로 3번 상자에 넣으며 이런 방법을 계속하여 위의 물건을 모두 넣으면 아래 그림 2.6.3처럼 9개의 상자가 필요하다.

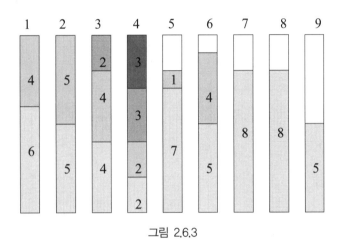

그림 2.6.3

문제 2.6.6 표 2.6.21에 있는 물건을 예제 2.6.6의 방법을 이용하여 표에 나타난 순서대로 물건을 소포 상자에 넣을 때 필요한 소포 상자의 개수를 구하여라.

예제 2.6.7 표 2.6.19의 물건을 다음과 같이 표에 나타난 순서대로 소포 상자에 담을 때 필요한 소포 상자의 개수를 구하여라.

---

① 처음에 6kg의 물건을 소포 상자에 넣는다.

② 다음 물건을
 • 이미 사용한 상자에 넣을 수 있을 때는 사용 가능한 상자 중 가장 여유가 많은 상자에 넣고,
 • 그렇지 않으면 새로운 상자를 이용한다.

③ 물건을 모두 넣을 때까지 ②의 과정을 반복한다.

6kg의 물건을 1번 상자에 넣고 다음 5kg의 물건은 앞 상자에 넣지 못하므로 2번 상자에 넣는다. 다음의 5kg의 물건은 앞 2번 상자의 빈 곳에 넣고 그 다음 4kg의 물건은 앞 1번 상자의 빈 곳에 넣는다. 그 다음 4kg의 물건은 앞 상자에 넣지 못하므로 3번 상자에 넣으며 이런 방법을 계속하여 위의 물건을 모두 넣으면 아래 그림 2.6.4처럼 9개의 상자가 필요하다.

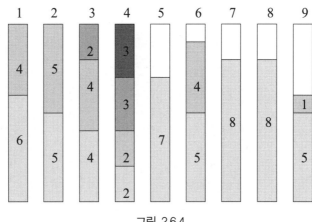

그림 2.6.4

위 그림 2.6.4에서 보듯이 예제 2.6.7의 방법을 이용하여 위의 물건을 모두 넣으면 맨 마지막 1kg의 물건을 제외하고 예제 2.6.6의 방법을 이용하여 물건을 넣을 때와 동일하다. 그러나 마지막 1kg의 물건을 넣을 때 예제 2.6.6에서는 여유가 있는 상자 5, 6, 7, 8, 9 번 중 가장 앞에 있는 5번 상자에 넣었으나 예제 2.6.7에서는 가장 여유가 많은 9번 상자에 넣었으므로 위 두 방법은 서로 다른 알고리즘이다.

문제 2.6.7 표 2.6.21에 있는 물건을 예제 2.6.7의 방법을 이용하여 표에 나타난 순서대로 물건을 소포 상자에 넣을 때 필요한 소포 상자의 개수를 구하여라.

1 유미는 여행을 가기 위하여 여행에 필요한 품목과 그 품목의 무게, 그리고 그 품목의 가치를 점수로 나타내었더니 다음과 같았다. 가치의 합이 되도록 크게 배낭을 꾸릴 때 배낭에 들어갈 품목을 구하라. 단, 유미가 운반할 수 있는 배낭의 무게는 배낭을 제외하고 3.5kg이하이다.

품목	무게(kg)	가치
A	2	8
B	1.3	6
C	0.5	4
D	1.8	7

2 비행기 승객의 손가방은 4kg까지 허락된다고 한다. 한 여행객이 가져가고자 하는 물건의 무게와 가치는 다음 표와 같다.

품목	무게(kg)	가치
사진기	2	85
책	0.3	7
자명종 시계	0.5	25
망원경	2.5	105
CD 플레이어	1.6	47

아래에서 제시한 방법으로 위의 물건을 손가방에 넣을 때 손가방에 넣을 물건과 그 물건의 가치의 합을 구하여라.

(1) 무거운 물건부터 차례로 손가방에 넣을 때

(2) 가벼운 물건부터 차례로 손가방에 넣을 때

(3) 가치가 큰 물건부터 차례로 손가방에 넣을 때

(4) 물건의 가치를 무게로 나누고 그 값이 큰 물건부터 차례로 손가방에 넣을 때

3 무게가 아래 표와 같이 주어진 여러 가지 물건을 같은 종류의 소포 상자에 담으려고 한다. 소포 상자에 담겨진 물건의 무게는 10kg을 초과해서는 안 된다고 하면 모두 몇 개의 소포 상자가 필요한가?

	(단위 : kg)
물건의 무게	2, 3, 3, 3, 4, 5, 5, 7, 8, 9

4 책꽂이를 만들기 위하여 아래 표와 같은 길이의 판자가 필요하며 판자를 파는 가게에서
는 1m 길이의 판자만 판매된다고 한다. 본문에서 살펴본 세 가지 상자채우기 방법을 이
용하여 책꽂이를 만들기 위해 몇 개의 판자를 구입해야 하는지 결정하여라.

	(단위 : cm)
책꽂이에 필요한 판자의 길이	60, 90, 50, 80, 30, 20, 10, 90, 20, 70 20, 50, 40, 30, 70, 60, 20, 80, 30, 70

5 위 문제 4의 판자를 긴 것부터 차례로 재배열 한 후 본문에서 살펴본 세 가지 상자채우
기 방법을 이용하여 책꽂이를 만들기 위해 몇 개의 판자를 구입해야 하는지 결정하여라.

6 어느 국제선 항공사는 화물 가방 하나의 무게를 25kg으로 제한하고 있다. 어떤 운송 회
사에서 다음과 같은 무게의 물건을 화물 가방에 넣어 항공기로 외국에 보내려 한다.

	(단위 : kg)
외국에 보낼 상품의 무게	12, 15, 16, 12, 9, 11, 15, 17, 12, 14 17, 18, 19, 21, 11, 7, 21, 9, 23, 24

다음 규칙에 따라 위의 상품들을 표에 나타난 순서대로 물건을 가방에 넣을 때 필요한
화물 가방의 개수를 구하여라.

> ① 순서의 처음 물건을 화물 가방에 넣는다.
> ② 다음 물건을
> - 이미 사용한 가방에 넣을 수 있을 때는 사용 가능한 가방 중 가장
>   여유가 없는 가방에 넣고,
> - 그렇지 않으면 새로운 가방을 이용한다.
> ③ 물건을 모두 넣을 때까지 ②의 과정을 반복한다.

7 위 문제 6의 상품을 무거운 것부터 차례로 재배열 한 후 문제 6의 방법으로 물건을 가방에 넣을 때 필요한 화물 가방의 개수를 구하여라.

8 위 문제 6의 상품을 가벼운 것부터 차례로 재배열 한 후 문제 6의 방법으로 물건을 가방에 넣을 때 필요한 화물 가방의 개수를 구하여라.

9 아래 표는 휴대전화, MP3 플레이어, 전자수첩을 구입할 때 가격별 만족도를 나타낸 것이다. 예를 들어 30만원으로 휴대전화를 구입할 때의 만족도는 42이다.

물품＼가격	10만 원	20만 원	30만 원	40만 원	50만 원
휴대전화	0	30	42	50	55
MP3 플레이어	20	30	37	41	44
전자수첩	10	19	25	28	30

다음과 같은 예산으로 위의 제품을 구입할 때, 총 만족도를 최대로 하려면 어떤 제품을 구입해야 하나?

(1) 150만 원   (2) 120만 원   (3) 100만 원

(4) 60만 원   (5) 30만 원

제3장 생활 속의 수학

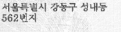
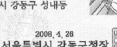

주민등록증

하니

850101-2079518

서울특별시 강동구 성내동
562번지

2008. 4. 26
서울특별시 강동구청장

수학은 첨단과학에서는 물론 우리 일상생활 속에서도 빈번히 나타난다. 예를 들어 우리가 신분증으로 사용하고 있는 주민등록증이나 현금 대신 사용하는 신용카드의 번호에는 주어진 번호가 올바른 것인지를 점검하는 수단으로 자연수의 나눗셈이 사용되고 있다. 이 장에서는 생활 속에 나타나는 수학에 대하여 살펴본다.

제1절 신분 확인 번호

인터넷으로 신분을 확인하기 위하여 주민등록번호를 입력할 때 주민등록번호가 아닌 번호를 입력하면 정상적인 주민등록번호가 아니니 다시 입력하라는 창이 뜬다. 이것은 주민등록번호가 각 개인에게 주어지는 고유번호일 뿐만 아니라 그 개인의 특정한 정보를 담고 있고, 또 그 번호가 일정한 규칙에 의하여 제대로 만들어진 것인지 점검하는 체계를 포함하기 때문이다. 이 절에서는 일상생활에서 많이 쓰이는 각종 신분 또는 물품 확인 번호의 특성을 살펴보기로 하자.

1. 우편환 번호

우체국에서 송금하려고 할 때는 우편환이란 것이 이용되고 있다. 이 우편환의 번호는 11자리수로 되어 있고 마지막 자리의 수는 이 번호가 올바른 체계를 갖추어 만들어진 번호인지 점검하는 수로서 앞 10자리 숫자의 합을 9로 나눈 나머지로 결정된다. 즉, 우편환의 번호가 $a_1a_2a_3a_4a_5a_6a_7a_8a_9a_{10}a_{11}$이면 a_{11}은

$$a_1 + a_2 + a_3 + a_4 + a_5 + a_6 + a_7 + a_8 + a_9 + a_{10}$$

을 9로 나눈 나머지이다. 이를 이용하여 주어진 우편환의 번호가 올바른 것인지 아닌지를 점검할 수 있다. 이처럼 대부분의 신분 또는 물품 확인 번호에는 주어진 번호가 올바른 것인지 아닌지를 판단하는 수를 포함하고 있는데 이런 수를 **점검수**라고 한다.

예제 3.1.1 다음 주어진 번호가 올바른 우편환 번호인지 아닌지를 점검하여라.

(1) 21364750192   (2) 11410112530

풀이 (1) 2+1+3+6+4+7+5+0+1+9=38이고, 38을 9로 나눌 때 나머지는 2로 주어진 번호의 마지막 자리에 있는 수 2와 일치하므로 이 번호는 올바른 우편환 번호이다.

(2) 1+1+4+1+0+1+1+2+5+3=19이고, 19를 9로 나눌 때 나머지는 1로 주어진 번호의 마지막 자리에 있는 수 0과 일치하지 않으므로 이 번호는 올바른 우편환 번호가 아니다.

문제 3.1.1 다음 주어진 번호가 올바른 우편환 번호인지 아닌지를 점검하여라.

(1) 42356879461   (2) 03325761281

정의 3.1.1

m이 자연수이고 a, b가 정수일 때 $a-b$가 m의 배수이면 $a \equiv b \,(\mathrm{mod}\, m)$라고 쓴다. 예를 들어 $26 \equiv 5 \,(\mathrm{mod}\, 7)$이다.

 예제 3.1.2 $a0218043087$는 올바른 우편환 번호이다.

(1) a의 값을 구하여라.

(2) 첫째 자리 수만 다른 두 번호 $a_1 a_2 a_3 a_4 a_5 a_6 a_7 a_8 a_9 a_{10} a_{11}$과 $a_1{}' a_2 a_3 a_4 a_5 a_6 a_7 a_8 a_9 a_{10} a_{11}$는 둘 다 올바른 우편환 번호일 수 있는가? (단, $a_1 \neq a_1{}'$)

(3) 첫 두 자리가 서로 바뀐 두 번호 $a_1 a_2 a_3 a_4 a_5 a_6 a_7 a_8 a_9 a_{10} a_{11}$과 $a_2 a_1 a_3 a_4 a_5 a_6 a_7 a_8 a_9 a_{10} a_{11}$는 둘 다 올바른 우편환 번호일 수 있는가? (단, $a_1 \neq a_2$)

풀이 (1) $a+0+2+1+8+0+4+3+0+8=a+26$을 9로 나눌 때 나머지가 7이 되어야 하므로 $a=8$이다.

(2) $a_1 a_2 a_3 a_4 a_5 a_6 a_7 a_8 a_9 a_{10} a_{11}$과 $a_1{}' a_2 a_3 a_4 a_5 a_6 a_7 a_8 a_9 a_{10} a_{11}$ 모두 올바른 우편환 번호라면

$$a_1 + a_2 + a_3 + a_4 + a_5 + a_6 + a_7 + a_8 + a_9 + a_{10}$$
$$\equiv a_1{}' + a_2 + a_3 + a_4 + a_5 + a_6 + a_7 + a_8 + a_9 + a_{10}$$

$(\mathrm{mod}\, 9)$이다. 따라서 $a_1 \equiv a_1{}'(\mathrm{mod}\, 9)$이고 $a_1 - a_1{}'$는 9의 배수이어야 한다. 그러므로 $a_1 = 9$, $a_1{}' = 0$ 또는 $a_1 = 0$, $a_1{}' = 9$이면 주어진 두 번호는 모두 올바른 우편환 번호이다.

(3) 우편환의 번호에서 두 수를 바꾸어도 그 합은 변하지 않으므로 주어진 두 번호는 모두 올바른 우편환 번호일 수 있다.

 문제 3.1.2 $1203296801a$는 올바른 우편환 번호이다.

(1) a의 값을 구하여라.

(2) $9203296801a$는 올바른 우편환 번호일 수 있는가?

(3) $2103296801a$는 올바른 우편환 번호일 수 있는가?

2. 주민등록번호

우리가 쓰는 주민등록번호는 abcdef-tuvwxyz와 같이 13자리 수로 구성되어 있으며 번호에 포함된 각 자리 수는 다음과 같은 정보를 담고 있다.

① ab: 출생년도
② cd: 출생한 달
③ ef: 출생한 날
④ t: 아래 표와 같이 성별을 나타낸다.

수	대상	수	대상
1	19XX년생 남자	6	19XX년생 외국인 여자
2	19XX년생 여자	7	20XX년생 외국인 남자
3	20XX년생 남자	8	20XX년생 외국인 여자
4	20XX년생 여자	9	18XX년생 남자
5	19XX년생 외국인 남자	0	18XX년생 여자

표 3.1.1

⑤ uvwx: 주민등록을 신청하는 관할관청 지역번호
⑥ y: 주민등록을 신청하는 관할관청에 당일 접수된 출생 신고 일련번호
⑦ z: 주어진 번호가 올바른 주민등록번호인지 검증하는 수로서 abcdef-tuvwxyz가 올바른 주민등록번호라면 z는 $11 - (2a + 3b + 4c + 5d + 6e + 7f + 8t + 9u + 2v + 3w + 4x + 5y$ 를 11로 나눌 때 나머지)와 같다.

예제 3.1.3 다음 주어진 번호가 올바른 주민등록번호인지 아닌지를 점검하여라.

(1) 820429-2032131   (2) 831204-1324687

풀이 (1) 주어진 번호가 올바른 주민등록번호인지 확인하기 위하여 마지막 자리의 수를 점검하여 보자.

$$2 \cdot 8 + 3 \cdot 2 + 4 \cdot 0 + 5 \cdot 4 + 6 \cdot 2 + 7 \cdot 9 +$$
$$8 \cdot 2 + 9 \cdot 0 + 2 \cdot 3 + 3 \cdot 2 + 4 \cdot 1 + 5 \cdot 3 = 164$$

이고 164를 11로 나눌 때 나머지는 10이므로 올바른 주민등록번호라면 마지

막 숫자는 11－10=1이어야 한다. 위 번호의 마지막 자리의 수는 1로 일치하므로 이 번호는 올바른 주민등록번호이다. 물론 이 번호의 앞 일곱 자리로부터 1982년 4월 29일 출생한 대한민국 여성임을 알 수 있다.

(2) 위 (1)과 같은 방법으로

$$2 \cdot 8 + 3 \cdot 3 + 4 \cdot 1 + 5 \cdot 2 + 6 \cdot 0 + 7 \cdot 4 +$$
$$8 \cdot 1 + 9 \cdot 3 + 2 \cdot 2 + 3 \cdot 4 + 4 \cdot 6 + 5 \cdot 8 = 182$$

이고 182를 11로 나눌 때 나머지는 6이므로 올바른 주민등록번호라면 마지막 숫자는 11－6=5이어야 한다. 위 번호의 마지막 자리의 수는 7로 5와 일치하지 않으므로 이 번호는 올바른 주민등록번호가 아니다.

 문제 3.1.3) 다음 주어진 번호가 올바른 주민등록번호인지 아닌지를 점검하여라.

(1) 900429-2014723   (2) 351123-2034616

3. ISBN (International Standard Book Number)

세계에서 출판되고 있는 대부분의 책은 맨 마지막 표지에 그 책에게 주어지는 고유번호인 ISBN과 그 번호를 나타내는 바코드를 갖고 있어 그 책의 제목이나 저자를 기억하지 못하더라도 ISBN만 알면 인터넷을 통하여 쉽게 검색할 수 있다. 이런 ISBN은 $a_1a_2 - a_3a_4a_5a_6 - a_7a_8a_9 - a_{10}$ 또는 $a_1 - a_2a_3a_4 - a_5a_6a_7a_8a_9 - a_{10}$과 같이 10자리로 되어 있으며 각 자리는 다음과 같은 정보를 담고 있다.

a_1a_2 (또는 a_1)	출판된 나라의 주요 언어
$a_3a_4a_5a_6$ (또는 $a_2a_3a_4$)	출판사의 고유번호
$a_7a_8a_9$ (또는 $a_5a_6a_7a_8a_9$)	출판사에 책에 부여한 번호
a_{10}	올바른 번호인지 점검하는 수

표 3.1.2

예를 들어 어떤 책의 ISBN이 89-7282-820-3이면 89는 이 책이 출판된 나라에서 사용되는 주요 언어는 한국어라는 뜻이며, 7282는 이 책을 출판한 출판사가 한국의 경문사란 뜻이고, 820은 경문사에서 이 책에 부여한 일련번호이다. ISBN의 마지막 자리수 a_{10}은 주어진 번호가 올바른 번호인지 점검하는 수로서

$$10a_1 + 9a_2 + 8a_3 + 7a_4 + 6a_5 + 5a_6 + 4a_7 + 3a_8 + 2a_9 + a_{10}$$

이 11의 배수가 되도록 결정된다. 이 때 마지막 합 a_{10}을 제외한 수

$$10a_1 + 9a_2 + 8a_3 + 7a_4 + 6a_5 + 5a_6 + 4a_7 + 3a_8 + 2a_9$$

이 11로 나누어 나머지가 1이면 $a_{10} = 10$이어야 하나 두 자리이므로 이 경우에는 $a_{10} = \text{X}$로 나타낸다. 따라서 위 예에서

$$10 \cdot 8 + 9 \cdot 9 + 8 \cdot 7 + 7 \cdot 2 + 6 \cdot 8 + 5 \cdot 2 + 4 \cdot 8 + 3 \cdot 2 + 2 \cdot 0 + 3 = 330$$

이고 330은 11의 배수이므로 위의 번호는 올바른 ISBN이다.

예제 3.1.4 다음 주어진 번호가 올바른 ISBN인지 아닌지를 점검하여라.

(1) 89-7282-296-X　　　　　　　　(2) 0-471-86371-8

풀이 (1) $10 \cdot 8 + 9 \cdot 9 + 8 \cdot 7 + 7 \cdot 2 + 6 \cdot 8 + 5 \cdot 2 + 4 \cdot 2 + 3 \cdot 9 + 2 \cdot 6 + 10 = 346$이고 346은 11의 배수가 아니므로 이 번호는 올바른 ISBN이 아니다.

(2) $10 \cdot 0 + 9 \cdot 4 + 8 \cdot 7 + 7 \cdot 1 + 6 \cdot 8 + 5 \cdot 6 + 4 \cdot 3 + 3 \cdot 7 + 2 \cdot 1 + 8 = 220$이고 220은 11의 배수이므로 이 번호는 올바른 ISBN이다.

문제 3.1.4 다음 주어진 번호가 올바른 ISBN인지 아닌지를 점검하여라.

(1) 3-805-36030-1　　　　　　　　(2) 1-579-55004-5

예제 3.1.5 ISBN에 관하여 다음 물음에 답하여라.

(1) 0-a21-80430-8는 올바른 ISBN이다. a의 값을 구하여라.

(2) 첫째 자리 수만 다른 두 번호 $a_1 a_2 - a_3 a_4 a_5 a_6 - a_7 a_8 a_9 - a_{10}$과
$a_1' a_2 - a_3 a_4 a_5 a_6 - a_7 a_8 a_9 - a_{10}$는 둘 다 올바른 ISBN일 수 있는가? (단, $a_1 \neq a_1'$)

(3) 첫 두 자리가 서로 바뀐 두 번호 $a_1 a_2 - a_3 a_4 a_5 a_6 - a_7 a_8 a_9 - a_{10}$과

$a_2a_1 - a_3a_4a_5a_6 - a_7a_8a_9 - a_{10}$는 둘 다 올바른 ISBN일 수 있는가? (단, $a_1 \neq a_2$)

풀이 (1) $10 \cdot 0 + 9 \cdot a + 8 \cdot 2 + 7 \cdot 1 + 6 \cdot 8 + 5 \cdot 0 + 4 \cdot 4 + 3 \cdot 3 + 2 \cdot 0 + 8 = 9a + 104$가 11의 배수이므로 $a = 8$이다.

(2) $a_1a_2 - a_3a_4a_5a_6 - a_7a_8a_9 - a_{10}$과 $a_1{'}a_2 - a_3a_4a_5a_6 - a_7a_8a_9 - a_{10}$ 모두 올바른 ISBN이면

$$10a_1 + 9a_2 + 8a_3 + 7a_4 + 6a_5 + 5a_6 + 4a_7 + 3a_8 + 2a_9 + a_{10},$$
$$10a_1{'} + 9a_2 + 8a_3 + 7a_4 + 6a_5 + 5a_6 + 4a_7 + 3a_8 + 2a_9 + a_{10}$$

는 모두 11의 배수이므로 $10a_1 - 10a_1{'} = 10(a_1 - a_1{'})$이 11의 배수이고, $a_1 = a_1{'}$이다. 따라서 $a_1 \neq a_1{'}$이면

$$a_1a_2 - a_3a_4a_5a_6 - a_7a_8a_9 - a_{10}$$과 $a_1{'}a_2 - a_3a_4a_5a_6 - a_7a_8a_9 - a_{10}$

모두 올바른 ISBN일 수는 없다.

(3) $a_1a_2 - a_3a_4a_5a_6 - a_7a_8a_9 - a_{10}$과 $a_2a_1 - a_3a_4a_5a_6 - a_7a_8a_9 - a_{10}$ 모두 올바른 ISBN이면

$$10a_1 + 9a_2 + 8a_3 + 7a_4 + 6a_5 + 5a_6 + 4a_7 + 3a_8 + 2a_9 + a_{10},$$
$$10a_2 + 9a_1 + 8a_3 + 7a_4 + 6a_5 + 5a_6 + 4a_7 + 3a_8 + 2a_9 + a_{10}$$

는 모두 11의 배수이므로 $(10a_1 + 9a_2) - (10a_2 + 9a_1) = a_1 - a_2$가 11의 배수이고, $a_1 = a_2$이다. 따라서 $a_1 \neq a_2$이면

$$a_1a_2 - a_3a_4a_5a_6 - a_7a_8a_9 - a_{10}$$과 $a_1{'}a_2 - a_3a_4a_5a_6 - a_7a_8a_9 - a_{10}$

모두 올바른 ISBN일 수는 없다.

 **문제 3.1.5** 89-7282-8a0-3은 올바른 ISBN이다.

(1) a의 값을 구하여라.

(2) 29-7282-8a0-3은 올바른 ISBN인가?

(3) 89-2782-8a0-3은 올바른 ISBN인가?

4. UPC (Universal Product Code)

세계에서 생산되는 대부분의 제품은 6-39382-00039-3와 같은 제품의 정보를 담고 있는 12 자리 고유번호 UPC가 부여된다. 제품의 UPC는 간단한 스캐너로 읽혀질 수 있게 제품의 포장에 바코드와 함께 표시되어 백화점이나 편의점에서 일일이 입력하는 불편 없이 그 제품에 관한 모든 정보를 쉽게 알 수 있다.

UPC $a_1 - a_2a_3a_4a_5a_6 - a_7a_8a_9a_{10}a_{11} - a_{12}$의 각 자리수는 다음과 같은 정보를 담고 있다.

a_1	제품의 종류
$a_2a_3a_4a_5a_6$	생산자 정보
$a_7a_8a_9a_{10}a_{11}$	생산자가 부여한 일련번호
a_{12}	올바른 번호인지 점검하는 수

표 3.1.3

UPC의 마지막 자리수 a_{12}은 주어진 번호가 올바른 번호인지 점검하는 수로서

$$3(a_1 + a_3 + a_5 + a_7 + a_9 + a_{11}) + (a_2 + a_4 + a_6 + a_8 + a_{10}) + a_{12}$$

가 10의 배수가 되도록 결정된다. 예를 들어 마지막 자리수를 제외한 UPC가 6-39382-00039라면

$$3(6+9+8+0+0+9) + (3+3+2+0+3) = 107$$

이므로 $a_{12} = 3$이다.

예제 3.1.6 다음 주어진 번호가 올바른 UPC인지 아닌지를 점검하여라.

(1) 0-14300-25433-9   (2) 3-81370-09213-5

풀이 (1) 3(0+4+0+2+4+3)+(1+3+0+5+3)+9=60은 10의 배수이므로 이 번호는 올바른 UPC이다.

(2) 3(3+1+7+0+2+3)+(8+3+0+9+1)+5=74는 10의 배수가 아니므로 이 번호는 올바른 UPC가 아니다.

문제 3.1.6 다음 주어진 번호가 올바른 UPC인지 아닌지를 점검하여라.

(1) 0-50743-11502-1   (2) 5-43000-21031-9

 예제 3.1.7 UPC에 관하여 다음 물음에 답하여라.

(1) 1-a2345-67890-1은 올바른 UPC이다. a의 값을 구하여라.

(2) 첫째 자리 수만 다른 두 번호 $a_1 - a_2a_3a_4a_5a_6 - a_7a_8a_9a_{10}a_{11} - a_{12}$과
$a_1' - a_2a_3a_4a_5a_6 - a_7a_8a_9a_{10}a_{11} - a_{12}$는 둘 다 올바른 UPC일 수 있는가? (단 $a_1 \neq a_1'$)

(3) 첫 두 자리가 서로 바뀐 두 번호 $a_1 - a_2a_3a_4a_5a_6 - a_7a_8a_9a_{10}a_{11} - a_{12}$과
$a_2 - a_1a_3a_4a_5a_6 - a_7a_8a_9a_{10}a_{11} - a_{12}$는 둘 다 올바른 UPC일 때 a_1과 a_2의 관계를 구
하여라.

풀이 (1) $3(1+2+4+6+8+0)+(a+3+5+7+9)+1=66+a$는 10의 배수이므로 $a=4$이다.

(2) $a_1 - a_2a_3a_4a_5a_6 - a_7a_8a_9a_{10}a_{11} - a_{12}$과 $a_1' - a_2a_3a_4a_5a_6 - a_7a_8a_9a_{10}a_{11} - a_{12}$
모두 올바른 UPC라면 두 수

$$3(a_1 + a_3 + a_5 + a_7 + a_9 + a_{11}) + (a_2 + a_4 + a_6 + a_8 + a_{10}) + a_{12},$$
$$3(a_1' + a_3 + a_5 + a_7 + a_9 + a_{11}) + (a_2 + a_4 + a_6 + a_8 + a_{10}) + a_{12}$$

은 모두 10의 배수이므로 $3a_1 - 3a_1' = 3(a_1 - a_1')$이 10의 배수이고, $a_1 = a_1'$
이다. 따라서 $a_1 \neq a_1'$이면 $a_1 - a_2a_3a_4a_5a_6 - a_7a_8a_9a_{10}a_{11} - a_{12}$과 $a_1' -$
$a_2a_3a_4a_5a_6 - a_7a_8a_9a_{10}a_{11} - a_{12}$ 모두 올바른 UPC일 수는 없다.

(3) $a_1 - a_2a_3a_4a_5a_6 - a_7a_8a_9a_{10}a_{11} - a_{12}$과 $a_2 - a_1a_3a_4a_5a_6 - a_7a_8a_9a_{10}a_{11} - a_{12}$
모두 올바른 UPC라면 두 수

$$3(a_1 + a_3 + a_5 + a_7 + a_9 + a_{11}) + (a_2 + a_4 + a_6 + a_8 + a_{10}) + a_{12},$$
$$3(a_2 + a_3 + a_5 + a_7 + a_9 + a_{11}) + (a_1 + a_4 + a_6 + a_8 + a_{10}) + a_{12}$$

은 모두 10의 배수이므로 $2a_1 - 2a_2 = 2(a_1 - a_2)$이 10의 배수이다. 따라서
$a_1 - a_2$는 5의 배수이고 $a_1 = a_2$ 또는 $a_1 = a_2 + 5$ 또는 $a_1 = a_2 - 5$이다.
즉, $a_1 = a_2 + 5$이거나 $a_2 = a_1 + 5$이면 위의 두 번호는 둘 다 UPC일 수 있
다.

문제 3.1.7 a-24986-97531-1은 올바른 UPC이다.

(1) a의 값을 구하여라.

(2) a-34986-97531-1은 올바른 UPC인가?

(3) a-42986-97531-1은 올바른 UPC인가?

(4) a-29486-97531-1은 올바른 UPC인가?

5. 신용카드번호

우리가 물건을 살 때 현금을 대신하여 자주 이용하는 신용카드 번호는 대부분 16자리 $a_1a_2a_3a_4a_5a_6a_7a_8a_9a_{10}a_{11}a_{12}a_{13}a_{14}a_{15}a_{16}$로 되어 있고 마지막 자리수 a_{16}은 주어진 번호가 올바른 번호인지 점검하는 수로서 다음과 같이 결정된다.

---

① $2(a_1 + a_3 + a_5 + a_7 + a_9 + a_{11} + a_{13} + a_{15})$을 계산하여 x라 한다.

② $a_1, a_3, a_5, a_7, a_9, a_{11}, a_{13}, a_{15}$에서 4보다 큰 수의 개수를 y라 한다.

③ $x + y + (a_2 + a_4 + a_6 + a_8 + a_{10} + a_{12} + a_{14}) + a_{16}$이 10의 배수가 되게 a_{16}을 결정한다.

예를 들어 주어진 번호가 4128 0012 3456 7896이라면

$$x = 2(4+2+0+1+3+5+7+9) = 62$$

이고 4, 2, 0, 1, 3, 5, 7, 9에서 4보다 큰 수는 5, 7, 9 셋이므로 $y = 3$이다. 따라서

$$x + y + (a_2 + a_4 + a_6 + a_8 + a_{10} + a_{12} + a_{14}) + a_{16}$$
$$= 62 + 3 + (1 + 8 + 0 + 2 + 4 + 6 + 8) + 6$$
$$= 100$$

은 10의 배수이므로 이 번호는 올바른 신용카드의 번호이다.

예제 3.1.8 다음 주어진 번호가 올바른 신용카드의 번호인지 아닌지를 점검하여라.

(1) 3541 0232 0033 2270   (2) 5148 7600 7136 0407

풀이 (1) $x = 2(3+4+0+3+0+3+2+7) = 44$이고 $3, 4, 0, 3, 0, 3, 2, 7$에서 4보다 큰 수는 7 하나뿐이므로 $y = 1$이다. 따라서

$$x + y + (a_2 + a_4 + a_6 + a_8 + a_{10} + a_{12} + a_{14}) + a_{16}$$
$$= 44 + 1 + (5 + 1 + 2 + 2 + 0 + 3 + 2) + 0$$
$$= 60$$

은 10의 배수이므로 이 번호는 올바른 신용카드의 번호이다.

(2) $x = 2(5+4+7+0+7+3+0+0) = 52$이고 $5, 4, 7, 0, 7, 3, 0, 0$에서 4보다 큰 수는 5, 7, 7 셋이므로 $y = 3$이다. 따라서

$$x + y + (a_2 + a_4 + a_6 + a_8 + a_{10} + a_{12} + a_{14}) + a_{16}$$
$$= 52 + 3 + (1 + 8 + 6 + 0 + 1 + 6 + 4) + 7$$
$$= 88$$

은 10의 배수가 아니므로 이 번호는 올바른 신용카드의 번호가 아니다.

문제 3.1.8 다음 주어진 번호가 올바른 신용카드의 번호인지 아닌지를 점검하여라.

(1) 0232 3451 2270 0303　　　　　(2) 8145 7610 3176 1402

예제 3.1.9 $a248\ 3609\ 2432\ 6129$는 올바른 신용카드의 번호이다. a의 값을 구하여라.

풀이 $x = 2(a+4+3+0+2+3+6+2) = 2a + 40$이다.

① $a \leq 4$인 경우 : $a, 4, 3, 0, 2, 3, 6, 2$에서 4보다 큰 수는 6 하나뿐이므로 $y = 1$이다. 따라서

$$x + y + (a_2 + a_4 + a_6 + a_8 + a_{10} + a_{12} + a_{14}) + a_{16}$$
$$= 2a + 41 + (2 + 8 + 6 + 9 + 4 + 2 + 1) + 9$$
$$= 2a + 41 + 41 = 2a + 82$$

가 10의 배수이므로 $a = 4$이다.

② $a > 4$인 경우 : $a, 4, 3, 0, 2, 3, 6, 2$에서 4보다 큰 수는 $a, 6$ 둘이므로 $y = 2$이다. 따라서

$$x + y + (a_2 + a_4 + a_6 + a_8 + a_{10} + a_{12} + a_{14}) + a_{16}$$
$$= 2a + 42 + (2 + 8 + 6 + 9 + 4 + 2 + 1) + 9$$
$$= 2a + 42 + 41 = 2a + 83$$

이고 이 값은 홀수이기 때문에 10의 배수가 될 수 없다. 즉, 위 $a > 4$이면 위 번호는 올바른 신용카드의 번호가 아니다.

문제 3.1.9 a322 4247 2448 7478은 올바른 신용카드의 번호이다. a의 값을 구하여라.

6. 바코드 (Bar Code)

이제까지 여러 종류의 신분 또는 물품 확인 번호에 대하여 살펴보았다. 이런 확인 번호는 대부분 그 번호를 나타내는 바코드와 함께 주어져 스캐너를 이용하면 번호를 일일이 입력하는 번거로움 없이 그 번호가 갖는 정보를 쉽게 알아볼 수 있다.

바코드는 스캐너가 인식하기 쉽도록 선의 길이나 굵기 등을 달리하여 숫자를 나타내는 방법이다. 아래 표는 미국 우편번호인 ZIP 코드에서 사용하는 바코드이다.

숫자	바코드
1	‖‖‖
2	‖‖‖
3	‖‖‖
4	‖‖‖
5	‖‖‖
6	‖‖‖
7	‖‖‖
8	‖‖‖
9	‖‖‖
0	‖‖‖

표 3.1.4

예를 들어 어떤 지역의 ZIP 코드가 48823-9968이면 이 번호를 나타내는 바코드는 다음과 같다.

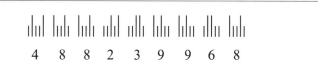

그림 3.1.1

예제 3.1.10 ZIP 코드에 대하여 다음 물음에 답하여라.

(1) ZIP 코드 60515-4226을 바코드로 나타내어라.

(2) 다음은 어떤 지역의 ZIP 코드를 바코드로 나타낸 것이다. ZIP 코드를 구하라.

그림 3.1.2

풀이 (1)

그림 3.1.3

(2) 07418-7236

문제 3.1.10 ZIP 코드에 대하여 다음 물음에 답하여라.

(1) ZIP 코드 23942-7236을 바코드로 나타내어라.

(2) 다음은 어떤 지역의 ZIP 코드를 바코드로 나타낸 것이다. ZIP 코드를 구하라.

그림 3.1.4

1 다음은 점검수를 제외한 신분 또는 물품 확인 번호이다. 각 번호의 점검수 a를 구하여라.

(1) 우편환 번호 $1357924683a$

(2) 주민등록번호 $701209\text{-}201472a$

(3) ISBN $0\text{-}387\text{-}90399\text{-}a$

(4) UPC $4\text{-}20062\text{-}38914\text{-}a$

(5) 신용카드 번호 $2014\ 6127\ 4247\ 380a$

2 ZIP 코드에 대하여 다음 물음에 답하여라.

(1) ZIP 코드 32046-1928를 바코드로 나타내어라.

(2) 다음은 어떤 지역의 ZIP 코드를 바코드로 나타낸 것이다. ZIP 코드를 구하여라.

3 다음은 본문에서 살펴본 신분 또는 물품 확인 번호이다. a의 값을 구하여라.

(1) 우편환 번호 $a2357352948$

(2) 주민등록번호 $a90318\text{-}1062276$

(3) ISBN $0\text{-}a37\text{-}20293\text{-}X$

(4) UPC $a\text{-}91438\text{-}21085\text{-}7$

(5) 신용카드 번호 $a407\ 0328\ 7589\ 4812$

4 어떤 은행에서 발행하는 여행자수표 번호는 10자리수 $a_1a_2a_3a_4a_5a_6a_7a_8a_9a_{10}$로 되어 있다. 여기서 a_{10}은 점검수로서 $a_1 + a_2 + a_3 + a_4 + a_5 + a_6 + a_7 + a_8 + a_9 + a_{10}$이 9의 배수가 되게 결정된다.

(1) 다음에 주어진 번호가 올바른 여행자수표 번호인지 점검하여라.

  (i) 1234567890   (ii) 2468024680

(2) 첫째 자리 수만 다른 두 번호 $a_1a_2a_3a_4a_5a_6a_7a_8a_9a_{10}$과 $a_1{}'a_2a_3a_4a_5a_6a_7a_8a_9a_{10}$은

모두 올바른 여행자수표 번호일 수 있는가? (단, $a_1 \neq a_1'$)

(3) 첫 두 자리가 서로 바뀐 두 번호 $a_1a_2a_3a_4a_5a_6a_7a_8a_9a_{10}$과 $a_2a_1a_3a_4a_5a_6a_7a_8a_9a_{10}$ 은 모두 올바른 여행자수표 번호일 수 있는가? (단, $a_1 \neq a_2$)

5 어느 택배회사의 송품장 번호는 10자리수 $a_1a_2a_3a_4a_5a_6a_7a_8a_9a_{10}$로 되어 있다. 여기서 a_{10}은 점검수로서 $a_1a_2a_3a_4a_5a_6a_7a_8a_9$를 9로 나눌 때 그 나머지로 결정된다.

(1) 다음에 주어진 번호가 올바른 송품장 번호인지 점검하여라.
   (ⅰ) 1234567890   (ⅱ) 2468024680

(2) 첫째 자리 수만 다른 두 번호 $a_1a_2a_3a_4a_5a_6a_7a_8a_9a_{10}$과 $a_1'a_2a_3a_4a_5a_6a_7a_8a_9a_{10}$은 모두 올바른 송품장 번호일 수 있는가? (단, $a_1 \neq a_1'$)

(3) 첫 두 자리가 서로 바뀐 두 번호 $a_1a_2a_3a_4a_5a_6a_7a_8a_9a_{10}$과 $a_2a_1a_3a_4a_5a_6a_7a_8a_9a_{10}$ 은 모두 올바른 송품장 번호일 수 있는가? (단, $a_1 \neq a_2$)

6 어느 은행에서 발행하는 개인수표 번호는 9자리수 $a_1a_2a_3a_4a_5a_6a_7a_8a_9$로 되어 있다. 여기서 a_9는 점검수로서 $7a_1 + 3a_2 + 9a_3 + 7a_4 + 3a_5 + 9a_6 + 7a_7 + 3a_8$을 10으로 나눌 때 그 나머지로 결정된다.

(1) 다음에 주어진 번호가 올바른 개인수표 번호인지 점검하여라.
   (ⅰ) 123456789   (ⅱ) 246812467

(2) 첫째 자리 수만 다른 두 번호 $a_1a_2a_3a_4a_5a_6a_7a_8a_9$와 $a_1'a_2a_3a_4a_5a_6a_7a_8a_9$는 모두 올바른 개인수표 번호일 수 있는가? (단, $a_1 \neq a_1'$)

(3) 첫 두 자리가 서로 바뀐 두 번호 $a_1a_2a_3a_4a_5a_6a_7a_8a_9$와 $a_2a_1a_3a_4a_5a_6a_7a_8a_9$는 모두 올바른 개인수표 번호일 수 있는가? (단, $a_1 \neq a_2$)

7 어떤 공장에서 생산되는 모든 제품에는 $a_1a_2a_3a_4a_5a_6a_7a_8a_9a_{10}a_{11}a_{12}a_{13}a_{14}a_{15}$와 같은 15자리 제품번호를 붙인다. 각 자리에는 0부터 9까지의 자연수와 영어의 모든 알파벳이 올 수 있으며 A=10, B=11, C=12,…로 생각한다. 마지막 수 a_{15}는 점검수로

$$15a_1 + 14a_2 + 13a_3 + 12a_4 + 11a_5 + 10a_6 + 9a_7 +$$
$$8a_8 + 7a_9 + 6a_{10} + 5a_{11} + 4a_{12} + 3a_{13} + 2a_{14} + a_{15}$$

이 36의 배수가 되게 결정된다. 210SA0162322ZAY가 올바른 제품 번호인지 점검하여라.

8 어떤 도시의 운전면허번호는 9자리수 $a_1a_2a_3a_4a_5a_6a_7a_8a_9$로 되어 있으며 마지막 자리수 a_9는 주어진 번호가 올바른 번호인지 점검하는 수로서

$$9a_1 + 8a_2 + 7a_3 + 6a_4 + 5a_5 + 4a_6 + 3a_7 + 2a_8 + a_9$$

이 10의 배수가 되도록 결정된다.

(1) $14910573a$가 이 도시의 올바른 운전면허번호라면 a의 값은 무엇인가?

(2) 첫째 자리 수만 다른 두 번호 두 번호 $a_1a_2a_3a_4a_5a_6a_7a_8a_9$와 $a_1{}'a_2a_3a_4a_5a_6a_7a_8a_9$는 모두 올바른 운전면허번호일 수 있는가? (단, $a_1 \neq a_1{}'$)

(3) 첫 두 자리가 서로 바뀐 두 번호 $a_1a_2a_3a_4a_5a_6a_7a_8a_9$와 $a_2a_1a_3a_4a_5a_6a_7a_8a_9$는 모두 올바른 운전면허번호일 수 있는가? (단, $a_1 \neq a_2$)

제2절 생활 속의 확률

확률은 수학이나 통계학, 경제학 같은 학문에서는 물론 우리가 살아가는 일상생활에서도 자주 나타난다. 이 절에서는 생활 속에 나타나는 확률의 문제를 살펴보자.

예제 3.2.1 아래 그림은 개폐기 A, B가 직렬로 연결되어 있는 전기의 흐름을 나타낸 회로도이다. 개폐기 A, B가 닫힐 확률이 각각 $\frac{1}{2}$, $\frac{1}{3}$이라 할 때, 이 회로에서 전기가 흐를 확률을 구하여라.

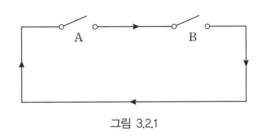

그림 3.2.1

풀이 개폐기 A, B의 열림 또는 닫힘에 따라 회로의 전기의 흐름 상태를 나타내면 다음과 같다.

A	B	흐름 상태
닫힘	닫힘	흐름
닫힘	열림	흐르지 않음
열림	닫힘	흐르지 않음
열림	열림	흐르지 않음

표 3.2.1

따라서 위 회로에서 전기가 흐르기 위해서는 A, B 모두 닫혀야 하고, 그럴 경우의 확률은

$$\frac{1}{2} \times \frac{1}{3} = \frac{1}{6}$$

이다.

문제 3.2.1 위 예제에서 A, B가 닫힐 확률이 각각 p, q라 할 때, 이 회로에서 전기가 흐를 확률을 구하여라.

예제 3.2.2 아래 그림과 같이 개폐기 A, B가 병렬 연결된 회로도를 생각하여 보자. A, B가 닫힐 확률이 각각 $\frac{1}{2}$, $\frac{1}{3}$이라 할 때, 이 회로에서 전기가 흐를 확률을 구하여라.

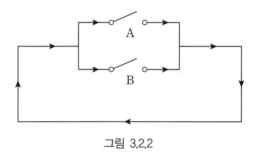

그림 3.2.2

풀이 개폐기 A, B의 열림 또는 닫힘에 따라 회로의 전기의 흐름 상태를 나타내면 다음과 같다.

A	B	흐름 상태
닫힘	닫힘	흐름
닫힘	열림	흐름
열림	닫힘	흐름
열림	열림	흐르지 않음

표 3.2.2

따라서 표 3.2.2에서 위 세 경우에만 회로에서 전기가 흐르며, 이럴 경우의 확률은

$$\frac{1}{2} \times \frac{1}{3} + \frac{1}{2} \times \frac{2}{3} + \frac{1}{2} \times \frac{1}{3} = \frac{2}{3}$$

이다.

위 예제 3.2.2에서 여사건을 생각하여 1에서 A, B 모두 열린 경우의 확률을 빼어

$$1 - \frac{1}{2} \times \frac{2}{3} = \frac{2}{3}$$

로 구할 수도 있다.

문제 3.2.2 위 예제 3.2.2에서 A, B가 닫힐 확률이 각각 p, q라 할 때, 이 회로에서 전기가 흐를 확률을 구하여라.

예제 3.2.3 아래 그림과 같이 개폐기 A, B, C가 혼합 연결된 회로도를 생각하여 보자. A, B, C가 닫힐 확률이 각각 $\frac{1}{2}, \frac{1}{3}, \frac{1}{4}$이라 할 때, 이 회로에서 전기가 흐를 확률을 구하여라.

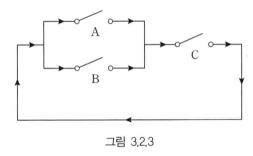

그림 3.2.3

풀이 개폐기 A, B, C의 열림 또는 닫힘에 따라 회로의 전기의 흐름 상태를 나타내면 다음과 같다.

A	B	C	흐름 상태
닫힘	닫힘	닫힘	흐름
닫힘	닫힘	열림	흐르지 않음
닫힘	열림	닫힘	흐름
열림	닫힘	닫힘	흐름
닫힘	열림	열림	흐르지 않음
열림	닫힘	열림	흐르지 않음
열림	열림	닫힘	흐르지 않음
열림	열림	열림	흐르지 않음

표 3.2.3

따라서 회로에서 전기가 흐를 확률은

$$\frac{1}{2} \times \frac{1}{3} \times \frac{1}{4} + \frac{1}{2} \times \frac{2}{3} \times \frac{1}{4} + \frac{1}{2} \times \frac{1}{3} \times \frac{1}{4} = \frac{1}{6}$$

이다.

문제 3.2.3 위 예제 3.2.3에서 A, B, C가 닫힐 확률이 각각 p, q, r이라 할 때, 이 회로에서 전기가 흐를 확률을 구하여라.

사람 눈의 색깔이나, 왼손잡이, 완두콩의 색깔 등은 유전되는 것으로 알려져 있다. 확률을 이용하여 유전되는 특징이 나타나는 개체수의 분포를 알아보자.

예제 3.2.4 완두콩 꽃의 색깔은 두 유전자형 A, a에 의하여 결정된다. 예를 들어, A는 빨강, a는 흰색을 나타내는 유전자형이라면 AA는 빨강 꽃, Aa는 분홍 꽃, aa는 흰 꽃을 나타낸다(Aa와 aA는 구별되지 않는다). 두 유전자형 A와 a 중에서 A가 나올 확률은 p이고, a가 나올 확률은 q라고 할 때, 각각 빨강 꽃, 분홍 꽃, 흰 꽃이 나올 확률을 구하여라. 여기서 $p + q = 1$이다.

풀이 빨간 꽃이 되려면 유전자형이 AA가 되어야 하므로 둘 다 A가 나와야 하고, 그럴 확률은 $p \times p = p^2$이다. 한편, 분홍 꽃이 되려면 유전자형이 Aa가 되어야 하므로 첫 번째에 A, 두 번째에 a가 나오거나 첫 번째에 a, 두 번째에 A가 나와야 하며, 이럴 경우의 확률은 $pq + qp = 2pq$이다. 마지막으로 흰 꽃이 되려면 유전자형이 aa가 되어야 하므로 둘 다 a가 나와야 하고, 그럴 확률은 $q \times q = q^2$이다.

문제 3.2.4 예제 3.2.4를 이용하여 완두콩의 꽃이 빨강 꽃 100개, 분홍 꽃 200개, 흰 꽃 50개의 분포로 나올 수 있는지 판단하여라.

예제 3.2.5 유전자형이 AA인 암컷과 Aa인 수컷의 짝짓기 AA×Aa에서 나오는 새끼의 유전자형은 암컷의 유전자형 AA와 수컷의 유전자형 Aa에서 각각 임의로 한 개씩 선택한 유전자에 의하여 결정된다. AA와 Aa에서 임의로 유전자 한 개씩 선택할 확률이 각 각 $\frac{1}{2}$라고 할 때, 유전자형이 Aa인 새끼가 나올 확률을 구하여라.

풀이 암컷과 수컷의 유전자형에서 선택하는 유전자에 따라 나올 수 있는 경우는 다음 과 같다.

암컷 AA	수컷 Aa	새끼의 유전자형
A	A	AA
A	a	Aa
A	A	AA
A	a	Aa

표 3.2.4

따라서 유전자형이 Aa인 새끼가 나올 확률은 $\frac{1}{2} \times \frac{1}{2} + \frac{1}{2} \times \frac{1}{2} = \frac{1}{2}$이다.

문제 3.2.5 유전자형이 둘 다 Aa인 암컷과 수컷의 짝짓기 Aa×Aa에서 나올 수 있 는 새끼의 유전자형을 구하고 그 유전자형이 나올 확률을 각각 구하여라. 단, 부모의 유전 자형 Aa에서 새끼의 유전자가 A일 확률은 $\frac{2}{3}$, a일 확률은 $\frac{1}{3}$이다.

확률을 이용하여 선거에 관한 다음 문제를 살펴보자.

예제 3.2.6 후보자가 A와 B인 어떤 선거에서 A는 2표, B는 3표를 얻었다. 이제 한 표씩 한 표씩 개표할 때, 개표 중간에 적어도 한 번 A와 B가 같은 득표수가 나올 확률 을 구하여라.

풀이 다음 표는 위 선거에서 차례로 한 표씩 개표할 때 나타나는 모든 경우와 각 경우 개표 도중의 동점 여부를 나타낸 표이다.

경우	개표 결과	동점 여부
경우 1	**AABB**B	O
경우 2	**AB**ABB	O
경우 3	**AB**BAB	O
경우 4	**AB**BBA	O
경우 5	**BA**ABB	O
경우 6	**BA**BAB	O
경우 7	**BA**BBA	O
경우 8	**BBAA**B	O
경우 9	BBABA	X
경우 10	BBBAA	X

표 3.2.5

위 표에서 개표 도중에 동점이 나타나면 그 때까지의 개표결과를 진한 문자로 표시하였다. 예를 들어, 경우1에서 네 표까지 개표했을 때 AABB이므로 A와 B가 같은 득표수를 얻게 된다. 전체 10가지 경우에서 8가지 경우에 동점이 나타나므로 구하는 확률은 $\frac{8}{10} = \frac{4}{5}$ 이다. 실제로 B의 득표수가 A의 득표수 보다 많으므로 A를 최초로 개표한 후에는 반드시 같은 개표 득표수가 나옴을 알 수 있다.

문제 3.2.6 후보자가 A와 B인 어떤 선거에서 A와 B는 각각 다음과 같이 득표하였다. 이제 한 표씩 한 표씩 개표할 때, 개표 중간에 적어도 한 번 A와 B가 같은 득표수가 나올 확률을 구하여라.

(1) A: 1표, B: 5표 (2) A: 5표, B: 5표

이제 술탄의 신부로 잘 알려진 다음의 확률 문제를 살펴보자.

예제 3.2.7 (최대의 지참금을 제안한 신부 찾기) 술탄의 젊은이는 자기에게 지참금을 제안한 처녀들 중에서 다음과 같은 방법으로 결혼할 처녀를 선택한다고 한다.

① 젊은이와 결혼하길 원하는 처녀들은 지참금의 액수를 쪽지에 써서 제출한다.

② 제출된 쪽지를 무작위로 섞은 후 차례로 그 쪽지의 액수를 발표한다.

③ 지참금의 액수가 발표될 때마다 젊은이는 그 지참금을 제안한 처녀를 선택하든지 아니면 다음으로 넘긴다. 단, 넘길 경우 다시는 그 처녀를 선택할 수는 없다.

어떤 술탄의 젊은이에게 네 명의 처녀가 각각 다른 액수의 지참금을 제안했다고 하자. 다음의 각 경우에 젊은이가 최대의 지참금을 제안한 처녀와 결혼할 확률을 구하여라.

(1) 첫 번째로 발표된 액수의 처녀를 선택할 경우

(2) 첫 번째 처녀는 통과하고 그 다음부터는 첫 번째보다 많을 때만 선택할 경우

(3) 처음 두 처녀는 통과하고 그 다음부터는 첫째와 둘째보다 많을 때만 선택할 경우

(4) 네 번째로 발표된 액수의 처녀를 선택할 경우

풀이 간략하게 나타내기 위하여 네 명의 처녀가 제안한 지참금을 작은 것부터 차례로 1,2,3,4라고 하자. 그러면 발표되는 지참금을 차례로 나열한 것은 다음과 같이 24가지가 있다.

$$
\begin{array}{cccccc}
1234 & 1243 & 1324 & 1342 & 1423 & 1432 \\
2134 & 2143 & 2314 & 2341 & 2413 & 2431 \\
3124 & 3142 & 3214 & 3241 & 3412 & 3421 \\
4123 & 4132 & 4213 & 4231 & 4312 & 4321
\end{array} \tag{2.1}
$$

(1) 위 (2.1)에서 첫 번째에 4가 나오는 경우이므로 구하는 확률은 $\dfrac{6}{24} = \dfrac{1}{4}$ 이다.

(2) 위 (2.1) 중에서 3241을 생각하여 보자.

    (a) 위의 예시대로 첫 번째 수 3은 통과한다.

    (b) 두 번째 수 2는 첫 번째 수 3보다 작으므로 통과한다.

    (c) 세 번째 수 4는 첫 번째 수 3보다 크므로 선택한다.

즉, 지참금이 3, 2, 4, 1의 순서로 발표될 경우 젊은이는 가장 많은 지참금 4를 제안한 처녀와 결혼하게 된다. 이와 같은 방법으로 (2.1)에 주어진 각 경우를 살펴보면 4를 제안한 처녀와 결혼하게 되는 경우는 다음과 같은 11가지이다.

$$1423 \quad 1432 \quad 2143 \quad 2413 \quad 2431 \quad 3124$$
$$3142 \quad 3214 \quad 3241 \quad 3412 \quad 3421$$

따라서 젊은이가 가장 많은 지참금을 제안한 처녀와 결혼할 확률은 $\frac{11}{24}$ 이다.

(3) 위 (2.1) 중에서 3214을 생각하여 보자.

　　(a) 위의 예시대로 첫 번째 수 3과 두 번째 수 2는 통과한다.

　　(b) 세 번째 수 1은 첫 번째 수 3이나 두 번째 수 2 보다 작으므로 통과한다.

　　(c) 네 번째 수 4는 첫 번째 수 3과 두 번째 수 2 보다 크므로 선택한다.

따라서 이 경우 젊은이는 가장 많은 지참금 4를 제안한 처녀와 결혼하게 된다. 이와 같은 방법으로 (2.1)에 주어진 각 경우를 살펴보면 4를 제안한 처녀와 결혼하게 되는 경우는 다음과 같은 10가지이고, 따라서 구하는 확률은 $\frac{10}{24} = \frac{5}{12}$ 이다.

$$1243 \quad 1324 \quad 1342 \quad 2143 \quad 2314$$
$$2341 \quad 3124 \quad 3142 \quad 3214 \quad 3241$$

(4) 위 (2.1)에서 네 번째에 4가 나오는 경우이므로 구하는 확률은 $\frac{6}{24} = \frac{1}{4}$ 이다.

위 예제에서 알 수 있듯이 네 명의 처녀가 지참금을 제안할 경우, 첫 번째는 통과시키고 그 다음의 세 차례에서 첫 번째보다 큰 액수를 선택할 때 최다의 지참금을 제안한 처녀와 결혼할 확률이 가장 크다.

문제 3.2.7 위 예제 3.2.7에서 어떤 술탄의 젊은이에게 세 명의 처녀가 각각 다른 액수의 지참금을 제안했다고 하자. 다음의 각 경우에 젊은이가 최대의 지참금을 제안한 처녀와 결혼할 확률을 구하여라.

(1) 첫 번째로 발표된 액수의 처녀를 선택할 경우

(2) 첫 번째 처녀는 통과하고 그 다음부터는 첫 번째보다 많을 때만 선택할 경우

(3) 세 번째로 발표된 액수의 처녀를 선택할 경우

예제 3.2.8 예제 3.2.7에서 다섯 명의 처녀가 지참금을 제안했다고 하자. 처음 두 처녀는 통과하고 그 다음부터는 첫째와 둘째보다 많을 때만 선택할 경우 젊은이가 최대의 지참금을 제안한 처녀와 결혼할 확률을 구하여라.

풀이 다섯 명의 처녀가 제안한 지참금을 작은 것부터 차례로 1,2,3,4,5라고 하자. 그러면 발표되는 지참금을 차례로 나열한 것은 모두 $5 \times 4 \times 3 \times 2 \times 1 = 120$가지가 있다. 위의 주어진 방법으로 처녀를 선택할 때 5가 선택되는 경우를 살펴보자.

① * * 5 * * 꼴의 수는 항상 5가 선택되고 이런 경우의 수는
$4 \times 3 \times 2 \times 1 = 24$이다.

② * * * 5 * 꼴의 수는 다음의 경우에만 5가 선택되고, 그 경우의 수는 16가지이다.

    4 * * 5 * 꼴: $3 \times 2 \times 1 = 6$가지   * 4 * 5 * 꼴: $3 \times 2 \times 1 = 6$가지
    3 * * 5 4 꼴: $2 \times 1 = 2$가지   * 3 * 5 4 꼴: $2 \times 1 = 2$가지

③ * * * * 5 꼴의 수는 다음의 경우에만 5가 선택되고, 그 경우의 수는 12가지이다.

    4 * * * 5 꼴: $3 \times 2 \times 1 = 6$가지   * 4 * * 5 꼴: $3 \times 2 \times 1 = 6$가지

위 ①, ②, ③에 의하여 5가 선택되는 경우의 수는 모두 $24 + 16 + 12 = 52$이고, 따라서 구하는 확률은 $\dfrac{52}{120} = \dfrac{13}{30}$이다.

문제 3.2.8 예제 3.2.7에서 다섯 명의 처녀가 지참금을 제안했다고 하자. 처음 세 처녀는 통과하고 그 다음부터는 첫째, 둘째, 셋째 보다 많을 때만 선택할 경우 젊은이가 최대의 지참금을 제안한 처녀와 결혼할 확률을 구하여라.

예제 3.2.9 광복절을 맞이하여 세 죄수 A, B, C 중 두 명이 특별사면을 받을 예정이며, A의 친구인 교도관 J는 사면될 두 사람을 이미 알고 있다고 한다. 지금까지 겉으로 드러난 세 죄수의 수형 생활 태도는 모두 비슷하여 사면 받을 확률도 모두 같다고 한다. A는 J에게 자신의 사면 여부를 묻는 것이 쑥스러워 자신을 제외한 B와 C 중 누가 사면되는지 그 한 명만을 물으려 하다가 다음과 같은 이유로 그만 두기로 하였다. A의 생각이 옳은지 판단하여라.

① 묻기 전에는 셋 중에서 둘이 사면되므로 A가 사면될 확률이 $\frac{2}{3}$이다.

② 물은 후에는 J가 말하지 않은 죄수와 A 둘 중에서 한 사람이 사면되므로 A가 사면될 확률은 $\frac{1}{2}$로 줄어든다.

풀이 분명히 묻기 전에 A가 사면될 확률은 $\frac{2}{3}$이다. 이제 물은 후에 A가 사면될 확률을 구하여 보자. 사면되는 두 사람은 A, B 또는 B, C 또는 A, C이므로 A, B가 사면될 확률은 $\frac{1}{3}$이고, 마찬가지로 B, C 또는 A, C가 사면될 확률도 각각 $\frac{1}{3}$이다. 사면되는 두 사람과 교도관의 대답에 따른 각 경우의 확률은 다음과 같다.

(i) A, B가 사면되고 J가 B로 답하는 경우; $\frac{1}{3} \times \frac{1}{1} = \frac{1}{3}$

(ii) B, C가 사면되고 J가 B로 답하는 경우; $\frac{1}{3} \times \frac{1}{2} = \frac{1}{6}$

(iii) B, C가 사면되고 J가 C로 답하는 경우; $\frac{1}{3} \times \frac{1}{2} = \frac{1}{6}$

(iv) A, C가 사면되고 J가 C로 답하는 경우; $\frac{1}{3} \times \frac{1}{1} = \frac{1}{3}$

위의 네 가지 중에서 A가 사면되는 경우는 (i) 또는 (iv)이므로 A가 사면될 확률은 $\frac{1}{3} + \frac{1}{3} = \frac{2}{3}$로 묻기 전의 확률과 같다.

문제 3.2.9 위 예제 3.2.9와 같은 상황에서 네 죄수 A, B, C, D 중 세 명이 특별사면을 받을 예정일 때, 묻기 전의 확률과 물은 후의 확률을 각각 구하여 비교하여라.

예제 3.2.10 다음은 어느 TV 방송의 오락 프로그램에서 이뤄지는 게임이다.

① 똑같이 생긴 세 개의 닫힌 문 중 어느 하나 뒤에 상품을 놓는다.

② 참가자는 상품이 있다고 생각되는 하나의 문을 선택한다.

③ 사회자는 문을 모두 열어 참가자가 선택한 문 뒤에 상품이 있으면 참가자에게 그 상품을 준다.

위와 같은 게임에서 상품이 어느 문 뒤에 있다는 사실을 아는 사회자는 참가자가 선택한 문 이외에 상품이 없는 하나의 문을 열어주며 참가자에게 처음의 선택을 그대로 고수하든지 아니면 바꿀 것인지를 선택하게 한다. 어느 선택이 참가자에게 더 유리한지 판단하여라.

풀이 세 개의 문을 A, B, C라 하고, 참가자가 문 A를 선택했다고 하자. 상품이 있는 문에는 O, 없는 문에는 X로 표시하여 모든 경우를 나열하면 다음과 같다.

	A	B	C
경우 1	O	X	X
경우 2	X	O	X
경우 3	X	X	O

표 3.2.6

참가자가 처음의 선택을 고수하면 상품을 획득할 확률은 $\frac{1}{3}$ 이다. 이제 사회자가 B와 C 중에서 상품이 없는 문 하나를 열었다고 하면 표 3.2.6의 세 경우는 다음과 같이 바뀌게 된다.

	A	B(또는 C)
경우 1	O	X
경우 2	X	O
경우 3	X	O

표 3.2.7

따라서 참가자가 A가 아닌 다른 문으로 바꾸면 상품을 획득할 확률은 $\frac{2}{3}$ 이 되어 원래의 선택을 고수하는 것보다 더 유리하게 된다.

문제 3.2.10 위 예제 3.2.10에서 네 개의 문이 있고 사회자는 참가자가 선택한 문 이외에 상품이 없는 다른 두 문을 열어주며 참가자에게 처음의 선택을 그대로 고수하든지 아니면 바꿀 것인지를 선택하게 할 때, 어느 선택이 참가자에게 더 유리한지 판단하여라.

예제 3.2.11 세 배심원으로 구성된 어느 법정에서 모든 판단은 과반수로 결정된다고 한다. 세 배심원 중에서 신중하다고 소문난 두 배심원은 서로 독립적으로 판단하며 사안마다 그 판단이 옳을 확률은 둘 다 p이고, 나머지 한 명의 경솔한 배심원은 항상 동전을 던져 판단한다. 이 법정에서 어떤 사안이 옳게 판정할 확률을 구하여 p와 비교하여라.

풀이 신중한 두 배심원을 각각 A, B라 하고 경솔한 배심원을 C라고 하자. C는 동전을 던져 결정하므로 C가 옳게 판단할 확률은 $\frac{1}{2}$이다. 어떤 사안이 옳게 판정되려면 적어도 두 명이 옳게 판정해야 하므로, 옳게 판정되는 경우와 그 때의 확률을 나타내면 다음과 같다.

	A	B	C	확률
경우1	O	O	O	$p \times p \times \frac{1}{2} = \frac{p^2}{2}$
경우2	O	O	X	$p \times p \times \frac{1}{2} = \frac{p^2}{2}$
경우3	O	X	O	$p \times (1-p) \times \frac{1}{2} = \frac{p(1-p)}{2}$
경우4	X	O	O	$(1-p) \times p \times \frac{1}{2} = \frac{p(1-p)}{2}$

표 3.2.8

따라서 이 법정에서 어떤 사안이 옳게 판정할 확률은

$$\frac{p^2}{2} + \frac{p^2}{2} + \frac{p(1-p)}{2} + \frac{p(1-p)}{2} = p$$

로서 신중한 두 배심원이 옳게 판단할 확률과 같다.

문제 3.2.11 네 배심원으로 구성된 어느 법정에서 모든 판단은 3명 이상의 찬성으로 결정된다고 한다. 배심원 중에서 세 명의 신중한 배심원은 서로 독립적으로 판단하며 사안마다 그 판단이 옳을 확률이 모두 p고, 나머지 한 명의 경솔한 배심원은 항상 동전을 던져 판단한다. 이 법정에서 어떤 사안이 옳게 판정할 확률을 구하여 p와 비교하여라.

예제 3.2.12 어떤 범죄의 공범으로 구속되어 재판을 받고 있는 세 죄수 A, B, C 중에서 판사는 죄가 가장 크다고 판단되는 한 사람에게 사형을 언도한다고 한다. 어떤 사람이 현재까지의 모든 재판 진행 상황을 교도관에게 묻자, 그 교도관은 B는 사형을 언도 받지 않을 것이며 A는 현재 심사되지 않았다고만 말했다. 세 사람의 죄의 크기가 모두 다르다고 할 때, A가 사형을 언도 받을 확률을 구하여라. 또, 교도관이 알려준 정보는 A가 사형을 언도 받을 확률을 구하는데 도움이 되는지 살펴보아라.

풀이 정보를 알지 못 했을 경우 A가 사형을 언도 받을 확률은 $\frac{1}{3}$ 이다.

한편, 교도관의 정보에 의하여 C가 B보다 죄가 더 크고 A에 대한 정보는 없으므로 죄가 큰 사람부터 차례로 나열하면 다음과 같다.

$$ACB, \ CAB, \ CBA$$

여기서 ACB일 때만 A가 사형을 언도 받게 되므로, A가 사형을 언도 받을 확률은 여전히 $\frac{1}{3}$ 이다.

문제 3.2.12 다섯 죄수 A, B, C, D, E 중에서 어느 두 명이 처형된다고 한다. 다섯 죄수가 임의의 순서로 처형대로 향하는 문을 지나 처형대 앞에 서도록 하는 데 처형될 두 명이 모두 문을 통과하면 문은 닫힌다고 한다. A가 맨 먼저 문을 통과하고 그 바로 다음에 B가 문을 통과 했는데 문이 닫히지 않았다고 한다. 이 때 A가 생존할 확률을 구하여라.

예제 3.2.13 A는 오랫동안 만나지 못한 친구 B의 집을 방문하는 중이다. A는 B에게 두 아이가 있다는 사실만 알 뿐 그 아이의 성별은 알 지 못한다. A가 B의 집의 초인종을 누르니 한 남자 아이가 답하였다. 이 때 B의 또 다른 아이가 여자일 확률을 구하여라.

풀이 두 아이의 성별을 나타내면 다음 네 가지 경우가 있다.

$$(남, \ 남), \ (남, \ 여), \ (여, \ 남), \ (여, \ 여)$$

위에서 한 아이가 남자이므로

$$(남, \ 남), \ (남, \ 여), \ (여, \ 남)$$

의 세 경우뿐이고 여기서 나머지가 여자인 경우는 (남, 여), (여, 남)의 두 가지이므로 구하는 확률은 $\dfrac{2}{3}$이다.

문제 3.2.13 눈을 감고 두 개의 동전을 던졌더니 어느 하나가 앞면이었다. 다른 하나가 뒷면일 확률을 구하여라.

예제 3.2.14 두 사람 A, B가 다트를 던져 상대방이 들고 있는 풍선을 터뜨리는 게임을 한다고 하자. A부터 시작하여 A와 B가 번갈아 시도하며 A, B의 명중률은 각각 $\dfrac{2}{5}, \dfrac{1}{2}$이라 한다. 이 게임에서 A가 이길 확률을 구하여라.

풀이 A가 이기는 경우는 다음과 같다.

A	B	A	B	A	B	A	확률
O							$\dfrac{2}{5}$
X	X	O					$\dfrac{3}{5} \cdot \dfrac{1}{2} \cdot \dfrac{2}{5} = \dfrac{3}{10} \cdot \dfrac{2}{5}$
X	X	X	X	O			$\dfrac{3}{5} \cdot \dfrac{1}{2} \cdot \dfrac{3}{5} \cdot \dfrac{1}{2} \cdot \dfrac{2}{5} = \left(\dfrac{3}{10}\right)^2 \cdot \dfrac{2}{5}$
X	X	X	X	X	X	O	$\dfrac{3}{5} \cdot \dfrac{1}{2} \cdot \dfrac{3}{5} \cdot \dfrac{1}{2} \cdot \dfrac{3}{5} \cdot \dfrac{1}{2} \cdot \dfrac{2}{5} = \left(\dfrac{3}{10}\right)^3 \cdot \dfrac{2}{5}$
$\vdots$	$\vdots$	$\vdots$	$\vdots$	$\vdots$	$\vdots$	$\vdots$	$\vdots$

표 3.2.9

따라서 A가 이길 확률은 위 확률을 모두 합한

$$S = \dfrac{2}{5} + \dfrac{3}{10} \cdot \dfrac{2}{5} + \left(\dfrac{3}{10}\right)^2 \cdot \dfrac{2}{5} + \left(\dfrac{3}{10}\right)^3 \cdot \dfrac{2}{5} + \cdots$$

이다. 이 무한합을 구하기 위해 위 양변에 $\dfrac{3}{10}$을 곱하여 원래 식과 비교하면

$$S = \frac{2}{5} + \frac{3}{10} \cdot \frac{2}{5} + \left(\frac{3}{10}\right)^2 \cdot \frac{2}{5} + \left(\frac{3}{10}\right)^3 \cdot \frac{2}{5} + \cdots$$

$$\frac{3}{10}S = \frac{3}{10} \cdot \frac{2}{5} + \left(\frac{3}{10}\right)^2 \cdot \frac{2}{5} + \left(\frac{3}{10}\right)^3 \cdot \frac{2}{5} + \cdots$$

이고, 이 두 등식을 변끼리 빼면

$$\frac{7}{10}S = \frac{2}{5}$$

이 되어 $S = \frac{4}{7}$ 이다. 즉, A가 이길 확률은 $\frac{4}{7}$ 이다.

문제 3.2.14 위 예제 3.2.14에서 B부터 시작할 경우 A가 이길 확률을 구하여라.

예제 3.2.15 A, B, C 세 사람이 다트를 던져 상대방이 들고 있는 풍선을 터뜨리는 게임에서 A, B, C의 적중률은 각각 $\frac{1}{2}$, 1, $\frac{2}{5}$ 라 한다. C, B, A 순서로 돌아가며 시도하고 풍선이 터지면 탈락한다. 마지막까지 풍선이 남는 사람이 승자일 때, 다음 물음에 답하여라.

(1) 맨 처음 C가 B의 풍선에 다트를 던진 때, C가 승자가 될 확률을 구하여라.

(2) 맨 처음 C가 A의 풍선에 다트를 던진 때, C가 승자가 될 확률을 구하여라.

(3) 맨 처음 C가 A, B의 풍선 방향과 전혀 다른 허공에 다트를 던진 때, C가 승자가 될 확률을 구하여라.

풀이 (1) C가 B의 풍선에 다트를 던질 때 성공 또는 실패에 따라 다음의 두 경우가 있다.

(ⅰ) 성공하면 C와 A가 남고, 그 후에 A, C 순서로 번갈아 시도하여 C가 이겨야 한다. 따라서 이 경우 C가 살아서 승자가 될 확률은

$$\frac{2}{5} \times (\text{A, C 순서로 번갈아 시도하여 C가 이길 확률})$$

이다. 한편, A, C의 순서로 번갈아 시도하여 C가 이길 확률은 문제 3.2.14에 의하여 $\frac{2}{7}$ 이다. 따라서 이 경우 C가 승자가 될 확률은

$$\frac{2}{5} \times \frac{2}{7} = \frac{4}{35} \text{이다.}$$

(ii) 실패하면 B는 A와 C중 적중률이 높은 A를 공격하여 A는 바로 탈락하고, 그 다음 C는 B를 공격하여 성공해야 C가 승자가 된다. 따라서 이 경우에 C가 승자가 될 확률은 $\left(1 - \frac{2}{5}\right) \times 1 \times \frac{2}{5} = \frac{6}{25}$ 이다.

위 (i)과 (ii)에 의하여 C가 승자가 될 확률은

$$\frac{4}{35} + \frac{6}{25} = \frac{62}{175} = 0.35$$

이다.

(2) 마찬가지로 성공 또는 실패에 따라 다음의 두 경우가 있다.

(i) 성공하면 B의 공격으로 C는 바로 탈락하게 되므로, 이 경우 C가 승자가 될 확률은 0이다.

(ii) 실패하면 B는 A와 C중 적중률이 높은 A를 공격하고, 그 다음에 C는 B를 공격하여 성공해야 하므로 이 경우 C가 승자가 될 확률은 $\left(1 - \frac{2}{5}\right) \times 1 \times \frac{2}{5} = \frac{6}{25} = 0.24$ 이다.

위 (i)과 (ii)에 의하여 C가 승자가 될 확률은 $0 + 0.24 = 0.24$ 이다.

(3) C가 어느 누구도 공격하지 않는다면 B는 A를 탈락시키고 C는 B를 공격하여 성공해야한다. 따라서 C가 승자가 될 확률은 $1 \times \frac{2}{5} = 0.4$ 이다.

문제 3.2.15 위 예제 3.2.15에서 A, B, C 순서로 돌아가며 시도한다면 맨 처음 공격권을 가진 A는 어디에 다트를 던져야 승자가 될 확률이 가장 높은가?

생활 속에 나타나는 좀 더 다양한 확률 문제를 살펴보기 위해 고등학교에서 배운 조합에 대하여 살펴보자.

예제 3.2.16 다섯 문자 a, b, c, d, e에서 서로 다른 두 문자를 뽑는 방법을 모두 나열하여라.

풀이 a, b, c, d, e에서 서로 다른 2개를 뽑는 방법은 다음의 10가지가 있다.

$$
\begin{aligned}
&ab, \ ac, \ ad, \ ae \\
&bc, \ bd, \ be \\
&cd, \ ce \\
&de
\end{aligned}
$$

문제 3.2.16 다섯 문자 a, b, c, d, e에서 서로 다른 세 문자를 뽑는 방법을 모두 나열하여라.

정의 3.2.1

서로 다른 n개에서 서로 다른 r개를 뽑는 것을 **조합**이라 하며, 이 조합의 수를 $\binom{n}{r}$ 또는 $_nC_r$로 나타낸다.

예를 들어, 네 문자 a, b, c, d에서 서로 다른 두 문자를 뽑는 방법을 모두 나열하면 ab, ac, ad, bc, bd, cd이므로 $\binom{4}{2}= 6$이다.

정의 3.2.2

n, r을 $n \geq r$인 자연수라고 할 때,

$$
\binom{n}{r}= \frac{n(n-1)(n-2)\cdots(n-r+1)}{r!}
$$

$$
= \frac{n!}{r!(n-r)!}
$$

이다. 여기서 $0! = 1$, $m! = 1 \times 2 \times \cdots \times m$이다.

증명 서로 다른 n개에서 서로 다른 r개를 뽑아 일렬로 나열하는 방법의 수 x를 생각하여 보자. 첫 번째에는 어느 것이라도 올 수 있으므로 n가지 경우가 있고 두 번째에는 첫 번째에 온 것을 제외한 $(n-1)$가지 경우가 있다. 일반적으로 i번째에는 첫째부터 $(i-1)$번째까지 쓰인 것을 제외한 $(n-i+1)$개 가운데 하나를 쓸 수 있으므로 $(n-i+1)$가지 경우가 있다. 따라서

$$x = n(n-1)(n-2)\cdots(n-r+1)$$

이다.

한편, 서로 다른 n개에서 서로 다른 r개를 뽑는 방법의 수는 $\binom{n}{r}$이고, 뽑은 r개를 일렬로 나열하는 방법의 수는 $r!$이므로 $x = \binom{n}{r} \times r!$이다. 따라서 $\binom{n}{r} = \dfrac{x}{r!}$이 되어

$$\binom{n}{r} = \frac{n(n-1)(n-2)\cdots(n-r+1)}{r!}$$

$$= \frac{n!}{r!(n-r)!}$$

이다.

예제 3.2.17 다음을 계산하여라.

(1) $\binom{8}{4}$ (2) $\binom{100}{99}$ (3) $\binom{100}{99} \times 99!$ (4) $\binom{n}{n-1}$

풀이

(1) $\binom{8}{4} = \dfrac{8(8-1)(8-2)(8-3)}{4!} = \dfrac{8 \cdot 7 \cdot 6 \cdot 5}{4 \cdot 3 \cdot 2 \cdot 1} = 70$

(2) $\binom{100}{99} = \dfrac{100!}{99!(100-99)!} = \dfrac{100!}{99!1!} = 100$

(3) $\binom{100}{99} \times 99! = \dfrac{100!}{99!(100-99)!} \times 99! = 100! = 100 \times 99 = 100!$

(4) $\binom{n}{n-1} = \dfrac{n!}{(n-1)!1!} = n$

문제 3.2.17 다음을 계산하여라.

(1) $\binom{9}{3}$ (2) $\binom{1000}{999}$ (3) $\binom{1000}{1} \times 999!$ (4) $\binom{n}{n-1} \times \binom{n}{1}$

예제 3.2.18 주머니에 두 개의 흰 공과 두 개의 검은 공이 들어있다. 주머니 속에서 임의로 두 개의 공을 꺼낼 때, 둘 다 흰 공일 확률을 구하여라.

풀이 네 개의 공에서 두 개를 뽑는 경우의 수는 $\binom{4}{2} = 6$ 이고, 둘 다 흰 공을 뽑는 경우의 수는 $\binom{2}{2} = 1$ 가지이므로 구하는 확률은 $\dfrac{1}{6}$ 이다.

문제 3.2.18 주머니에 두 개의 흰 공과 세 개의 검은 공이 들어있다. 주머니 속에서 임의로 두 개의 공을 꺼낼 때, 둘 다 검은 공일 확률을 구하여라.

예제 3.2.19 어떤 테니스 대회에서 두 선수 A와 B가 결승전에 진출했다. 두 사람의 경기에서 A가 한 세트 이길 확률은 0.6이며, 5 세트 경기를 벌여 먼저 3 세트를 이긴 사람이 우승한다고 한다. A가 우승할 확률을 구하고, 그것을 A가 한 세트 이길 확률과 비교하여라.

풀이 A가 우승하려면 경기하는 마지막 세트는 반드시 A가 이겨야 한다. 승패가 결정될 때까지 두 사람이 경기하는 세트 수에 따라 다음의 세 경우가 있다.

(i) 세 세트 만에 A가 이기는 경우: 처음 두 세트를 모두 A가 이겨야 하므로 $\binom{2}{2} = 1$ 가지가 있다. 즉, **A A A**인 경우이며, 이 때 구하는 확률은 $0.6^3 = 0.216$ 이다.

(ii) 네 세트 만에 A가 이기는 경우: A는 처음 세 세트 중에서 두 세트를 이겨야 하므로 $\binom{3}{2} = 3$ 가지가 있다. 즉, **AABA, ABAA, BAAA**인 경우이며, 이 때 구하는 확률은 $3 \times 0.6^3 \times 0.4 = 0.2592$ 이다.

(iii) 다섯 세트 만에 A가 이기는 경우: A는 처음 네 세트 중에서 두 세트를 이겨야 하므로 $\binom{4}{2} = 6$ 가지가 있다. 즉,

AABBA, ABABA, BABAA, ABBAA, BBAAA, BAABA

인 경우이고, 이 때 구하는 확률은 $6 \times 0.6^3 \times 0.4^2 = 0.20736$ 이다.

따라서 이 경기에서 A가 우승할 확률은 0.216+0.2592+0.20736=0.68256이고, 그 것은 A가 한 세트 이길 확률 0.6보다 더 크다.

문제 3.2.19 위 예제 3.2.19에서 3 세트 경기를 벌여 먼저 2 세트를 이긴 사람이 우 승한다고 할 때, A가 이길 확률을 구하여라.

세계의 많은 나라에서 여러 가지 공익사업을 위한 기금을 조성하기 위해 로또 복권을 발 행하고 있다. 현재 우리나라에서도 2002년 12월부터 매주 '로또 복권 6/45'를 발행하고 있 다. 이 복권의 신청자들은 1부터 45까지의 숫자 중에서 서로 다른 6개의 숫자를 자기 마음 대로 골라 적어 제출한다. 그러면 매주 토요일 저녁에 1부터 45까지 쓰인 구슬 중에서 6개 를 임의로 뽑아 당첨번호를 결정하고, 아울러 하나를 더 뽑아 보너스 번호로 한다. 로또 복권 6/45에서 당첨번호와 보너스 번호에 따른 각 순위는 다음과 같다.

1등: 당첨번호와 6개 숫자가 일치
2등: 당첨번호와 5개 숫자가 일치하고 보너스 번호 일치
3등: 당첨번호와 5개 숫자가 일치
4등: 당첨번호와 4개 숫자가 일치
5등: 당첨번호와 3개 숫자가 일치

현재 로또 당첨금은 전체 판매액의 50%만 배당하는 데, 먼저 5등에게 1만원씩 지급하고 5등 당첨금을 제외한 나머지 당첨금의 60%, 10%, 10%, 20%를 각각 1등부터 4등에게 지 급한다. 물론 같은 등수가 여러 명일 경우에는 해당 등수의 배당금을 균등하게 나누어 지 급한다.
이제 로또 복권 6/45에서 각 등위의 확률을 살펴보자.

예제 3.2.20 우리나라의 로또 복권 6/45에 대하여 다음 물음에 답하여라.
(1) 어떤 복권 신청자가 1등에 당첨될 확률을 구하여라.
(2) 어떤 복권 신청자가 2등에 당첨될 확률을 구하여라.
(3) 어떤 복권 신청자가 3등에 당첨될 확률을 구하여라.

풀이 가능한 모든 복권 번호의 개수는 서로 다른 45개에서 6개를 뽑는 조합의 수

$\dbinom{45}{6}$이다.

(1) 1등은 6개의 당첨번호 중에서 모두 일치해야 하므로 $\dbinom{6}{6}=1$개 있다. 따라서 복권 신청자가 1등에 당첨될 확률은

$$\dfrac{1}{\dbinom{45}{6}}=\dfrac{45\cdot44\cdot43\cdot42\cdot41\cdot40}{6\cdot5\cdot4\cdot3\cdot2\cdot1}=\dfrac{1}{8145060}$$

이다. 즉, 약 815만 장의 복권 중에서 단 한 하나가 1등이 되는 셈이다.

(2) 2등은 6개의 당첨번호 중에서 5개가 일치하고 나머지 하나는 보너스 번호이므로 $\dbinom{6}{5}=6$개 있다. 따라서 복권 신청자가 2등에 당첨될 확률은

$$\dfrac{\dbinom{6}{5}}{\dbinom{45}{6}}=\dfrac{6}{8145060}=\dfrac{1}{1357510}=\dfrac{1}{1357510}$$

이다. 즉, 약 136 만 장의 복권 중에서 단 한 하나만 2등이다.

(3) 3등은 6개의 당첨번호 중에서 5개가 일치하고 나머지 하나는 보너스 번호와 당첨번호를 제외한 것 중 하나이므로 $\dbinom{6}{5}\cdot(45-7)=228$개 있다. 따라서 복권 신청자가 3등에 당첨될 확률은

$$\dfrac{\dbinom{6}{5}\cdot(45-7)}{\dbinom{45}{6}}=\dfrac{228}{8145060}=\dfrac{1}{35724}$$

이다. 즉, 약 4만 장의 복권 중에서 단 한 하나만 3등이다.

문제 3.2.20 우리나라의 로또 복권 6/45에 대하여 다음 물음에 답하여라.

(1) 어떤 복권 신청자가 4등에 당첨될 확률을 구하여라.

(2) 어떤 복권 신청자가 5등에 당첨될 확률을 구하여라.

1 명중률이 각각 $\frac{1}{3}$인 두 사냥꾼이 늑대 한 마리에게 동시에 총을 쏘았다. 늑대가 총에 맞을 확률을 구하여라.

2 한 사람의 생일이 어떤 주어진 달에 있을 확률은 $\frac{1}{12}$이다. 이를 이용하여 다음의 확률을 구하여라.
 (1) 두 사람의 생일이 서로 다른 달에 있을 확률
 (2) 세 사람의 생일이 서로 다른 달에 있을 확률
 (3) 13명의 생일이 서로 다른 달에 있을 확률

3 남자 아이나 여자 아이가 태어날 확률을 각각 $\frac{1}{2}$이라 하자. 다음의 확률을 구하여라.
 (1) 두 아이를 가진 가정이 모두 남자 아이일 확률
 (2) 두 아이를 가진 가정이 남자 아이 하나와 여자 아이 하나일 확률
 (3) 세 아이를 가진 가정이 남자 아이 둘과 여자 아이 하나일 확률

4 두 사람이 가위, 바위, 보를 한다. 다음 물음에 답하여라.
 (1) 첫 번째에 승부가 결정된 확률을 구하여라.
 (2) 두 번째에 승부가 결정된 확률을 구하여라.

5 서양 카드는 다음과 같이 빨간색의 다이아몬드와 하트, 검은 색의 크로버와 스페이드네 종류가 있고, 각 종류에는 A, K, Q, J, 2, 3,···, 10의 13장의 카드가 있어 모두 52장으로 구성되어 있다. 다음 물음에 답하여라.

(1) 52장의 카드에서 두 장을 뽑을 때, 두 장 모두 스페이드일 확률을 구하여라.

(2) 52장의 카드에서 두 장을 뽑을 때, 두 장 모두 A일 확률을 구하여라.

(3) 52장의 카드에서 여섯 장을 뽑을 때, 세 장은 크로버나 스페이드이고, 나머지 세 장은 하트나 다이아몬드일 확률을 구하여라.

6 서양 카드 52장을 두 그룹 A, B로 나누었다. 그룹 A에서 한 카드를 뽑을 때, 그 카드가 빨강 카드일 확률은 $\frac{1}{3}$이다. 또 그룹 B에서 빨강 카드(다이아몬드나 하트) 한 장을 A로 옮긴 후 그룹 B에서 한 카드를 뽑을 때, 그 카드가 검정 카드(크로버나 스페이드)일 확률은 $\frac{1}{3}$이라고 한다. 원래 그룹 A와 B에 있었던 카드 수를 각각 구하여라.

7 주머니 A에는 5개의 흰 공과 14개의 검은 공이 있고, 주머니 B에는 10개의 흰 공과 3개의 검은 공이 있다. 주머니 A에서 한 개를 뽑아 주머니 B에 넣은 후 주머니 B에서 한 개를 뽑을 때, 그 공이 흰 공일 확률을 구하여라.

8 각각 두 개의 서랍이 있는 세 책상 A, B, C가 있다. A에는 두 서랍에 모두 100원짜리 동전이 있고, B에는 한 서랍에는 100원짜리, 다른 서랍에는 500원짜리 동전이 있으며, C에는 두 서랍에 모두 500원짜리 동전이 있다. 어느 서랍을 무심코 열었더니 500원짜리 동전이 있었다. 그 서랍이 달린 책상의 또 다른 서랍에 500원짜리가 있을 확률을 구하여라.

9 어느 축구 시합에서 결승에 오른 두 팀 A, B가 연장전까지 승부가 나지 않아 페널티 킥으로 승부를 결정지으려고 한다. A의 선수가 페널티 킥을 성공할 확률은 모두 p이고, B의 선수가 페널티 킥을 성공할 확률은 모두 q이다. A가 먼저 시도하여 A와 B 번갈아 시도한 2라운드까지 각 팀의 결과는 다음과 같다.

	1라운드	2라운드	3라운드	4라운드	5라운드
A팀	O	X			
B팀	X	X			

A가 5라운드에서 성공하여 우승할 확률을 구하여라.

10 두 사람 A와 B는 각각 확률 $\frac{1}{3}$로 거짓말을 한다고 하자. 만약 B가

"A는 참말을 말하였다"

라고 말했다면 A가 참말을 하였을 확률을 구하여라.

11 프로야구 코리안 시리즈는 결승에 올라온 두 팀 A, B가 일곱 경기를 하여 7전 4선승으로 우승 팀을 가린다. 한 경기에서 A가 B를 이길 확률이 p일 때, A가 우승할 확률을 구하여라.

12 영수와 철수는 각각 한 쌍의 주사위를 던지려고 한다. 다음의 확률을 구하여라.
(1) 영수가 던진 주사위가 서로 눈이 같을 확률과 같지 않을 확률
(2) 영수가 던진 주사위의 눈이 철수가 던진 주사위의 눈과 하나도 같지 않을 확률
(3) 영수가 던진 주사위의 눈이 철수가 던진 주사위의 눈과 적어도 하나 같을 확률

13 흰 공 5개와 검은 공 1개가 있는 주머니가 있다. 6명의 학생이 순서를 정하여 차례로 주머니에서 공을 하나씩 꺼낼 때 처음으로 검은 공을 꺼낸 사람이 술래가 된다고 하자.
(1) 꺼낸 공을 주머니에 다시 넣지 않을 때, 첫 번째 사람이 술래가 될 확률과 마지막 사람이 술래가 될 확률을 각각 구하여라.
(2) 꺼낸 공을 다시 주머니에 넣을 때, 첫 번째 사람이 술래가 될 확률과 마지막 사람이 술래가 될 확률을 각각 구하여라.

14 두 사람 A, B가 서울역에서 오후 1시와 2시 사이에 만나기로 약속하였으며 A, B 모두 30분 이상은 기다리지 않기로 하였다. 두 사람이 오후 1시와 2시 사이에 서울역에 임의로 나타났을 때, 두 사람이 만날 확률을 구하여라.

15 1593년부터 최초로 시작된 프랑스의 로또 복권 사업은 시민들 사이에 커다란 인기가 있어, 프랑수아 1세는 복권에서 얻어진 수익금으로 루브르 궁전을 건설하였다고 한다. 그 때 시행된 복권의 당첨금은 다음과 같이 결정되었다.

① 1부터 90까지의 숫자 중에서 1개부터 5개까지 쓰인 티켓을 판매한다.

② 1부터 90까지의 숫자 중에서 서로 다른 5개의 당첨번호를 뽑는다.

③ 당첨금은 구입한 티켓에 있는 숫자의 개수에 따라 아래와 같이 결정한다.

  (a) 숫자가 하나이며 그 숫자가 당첨번호이면 구입 가격의 15배

  (b) 숫자가 둘이며 그 숫자가 모두 당첨번호이면 구입 가격의 270배

  (c) 숫자가 셋이며 그 숫자가 모두 당첨번호이면 구입 가격의 5500배

  (d) 숫자가 넷이며 그 숫자가 모두 당첨번호이면 구입 가격의 75000배

  (e) 숫자가 다섯이며 그 숫자가 모두 당첨번호이면 구입 가격의 1000000배

위에서 경우 (a), (b), (c), (d), (e)의 확률을 각각 구하여라.

문제 해답

1장 1절

문제 1.1.1   (1) A   (2) 없음   (3) B   (4) C   (5) B

문제 1.1.2   (1) 당선자: D   (2) 당선자: B

문제 1.1.3   헤어 방식으로 1위는 B와 C

           (1) 당선자: B   (2) 당선자: B   (3) 당선자: C   (4) 당선자: B

문제 1.1.4   (1) A: 1위, D: 2위, C: 3위, B: 4위

           (2) B: 1위, C: 2위, D: 3위, A: 4위

           (3) B: 4위, D: 3위, A: 2위, C: 1위

           (4) B: 1위, C: 2위, D: 3위, A: 4위

문제 1.1.5   당선자: A, 낙선자 C를 제외하고 다시 계산하면 당선자가 바뀌므로 IC를 만족하지 않음

문제 1.1.6   (1) 당선자: B   (2) A는 어떤 후보보다도 선호되나 당선자가 아니므로 CC를 만족하지 않음   (3) 낙선자 C를 제외하고 다시 계산하면 당선자가 바뀌므로 IC를 만족하지 않음

문제 1.1.7   (1) 당선자: B   (2) C는 어떤 후보보다도 선호되나 당선자가 아니므로 CC를 만족하지 않음   (3) 낙선자 D를 제외하고 다시 계산하면 당선자가 바뀌므로 IC를 만족하지 않음

문제 1.1.8   (CC) 후보 A가 어떤 다른 후보와도 더 선호되면 상호선호비교방식으로 후보자 A는 당선자가 된다.

           (MC) 1위를 차지한 후보 A가 과반수이상 득표를 하였다면 어떤 다른 후보보다도 더 선호되므로 상호선호비교방식으로 후보 A는 당선자가 된다.

           (MOC) 상호선호비교방식으로 당선된 A의 점수는 몇 명의 투표자가 A에게 더 유리하게 선호도의 순서를 바꾸면 A의 점수는 같거나 크고, 다른 후보의 점수는 같거나 작아진다. 따라서 이 경우에도 A는 당선자이다.

문제 1.1.9   후보 D

1장   2절

문제 1.2.1   9표의 투표권을 갖는 사람

문제 1.2.2   각 투표자의 영향력은 모두 1/3

문제 1.2.3 $\varnothing$, {1}, {2}, {3}, {1, 2}, {1, 3}, {2, 3}, {1, 2, 3}

문제 1.2.4   (1) b, c, d, e   (2) a, c

문제 1.2.5   a, b, c의 반자프 영향력지표는 각각 2/6, 2/6, 2/6

문제 1.2.6   a, b, c, d의 반자프 영향력지표는 각각 $\dfrac{5}{12}$, $\dfrac{3}{12}$, $\dfrac{3}{12}$, $\dfrac{1}{12}$

문제 1.2.7   A, B, C, D, E의 반자프 영향력지표는 각각 $\dfrac{3}{19}$, $\dfrac{3}{19}$, $\dfrac{7}{19}$, $\dfrac{3}{19}$, $\dfrac{3}{19}$

문제 1.2.8   acdeb, acedb, adceb, adecb, aecdb, aedcb

       cadeb, caedb, cdaeb, cdeab, ceadb, cedab

       daceb, daecb, dcaeb, dceab, deacb, decab

       eacdb, eadcb, ecadb, ecdab, edacb, edcab

문제 1.2.9   (1) e   (2) c

문제 1.2.10   a, b, c의 샤플리-슈빅 영향력지표는 모두 $\dfrac{2}{6} = \dfrac{1}{3}$

문제 1.2.11   a, b, c, d의 샤플리-슈빅 영향력지표는 각각 $\dfrac{10}{24}$, $\dfrac{6}{24}$, $\dfrac{6}{24}$, $\dfrac{2}{24}$

문제 1.2.12   (1) [5; 2, 1, 1, 1, 1, 1]

(2) A, B, C, D, E, F의 샤플리-슈빅 영향력지표는 각각 $\dfrac{1}{3}$, $\dfrac{2}{15}$, $\dfrac{2}{15}$, $\dfrac{2}{15}$, $\dfrac{2}{15}$, $\dfrac{2}{15}$

1장   3절

문제 1.3.1   C는 1/3 미만인 33%의 가치를 가지기 때문에 공평분배가 아님

문제 1.3.2 1/3보다 작게 가져갈 경우도 있기 때문에 공평분배가 아님

문제 1.3.3 A: 둘째 조각, B: 첫째 조각

문제 1.3.4 (1) A: 셋째 조각, B: 첫째 조각, C: 둘째 조각

(2) A: 셋째 조각, 첫째와 둘째를 합쳐 B와 C에게 공평분배

문제 1.3.5 A: t_2, t_3　　B: s_1, s_2　　C: s_3, t_1

문제 1.3.6 (1) A_4　(2) A_2　(3) A_1　(4) A_3

문제 1.3.7 갑: A, F, G, H, I, J, D, C의 3/7　　을: B, E, C의 4/7

문제 1.3.8 갑: A, E, 현금 -850만원　　을: B, D, 현금 -750만원　　병: C, 현금 1600만원

문제 1.3.9 갑: A, E, 현금 -192만원　　을: B, D, 현금 -1074만원

병: C, 현금 1266만원

문제 1.3.10 (1) A: 1, 2　　B: 10, 11, 12　　C: 4, 5, 6, 7　　(2) 3, 8, 9

문제 1.3.11

	첫 번째	두 번째	세 번째	네 번째	다섯 번째	여섯 번째
갑	A		TV		CD 플레이어	
을		C		G		W

1장 4절

문제 1.4.1 A: $30 \times \dfrac{6}{6+4+5} = 12$, B: $30 \times \dfrac{4}{6+4+5} = 8$, C: $30 \times \dfrac{5}{6+4+5} = 10$

문제 1.4.2 표준쿼터를 내림, 올림, 반올림한 수의 합은 각각 9, 13, 9이고 이는 전체 대표위원의 수 10과 다르므로 각 구역에 표준쿼터를 내림, 올림 또는 반올림한 수만큼의 대표위원을 할당할 수 없다.

문제 1.4.3 A: 23, B: 63, C: 396, D: 87, E: 8

문제 1.4.4 (1) (a) 35명의 대표위원이 할당될 때 A: 14, B: 18, C: 3

(b) 36명의 대표위원이 할당될 때 A: 14, B: 18, C: 4

(c) 37명의 대표위원이 할당될 때 A: 15, B: 19, C: 3

(d) 38명의 대표위원이 할당될 때 A: 15, B: 19, C: 4

(e) 39명의 대표위원이 할당될 때 A: 15, B: 20, C: 4

(f) 40명의 대표위원이 할당될 때 A: 16, B: 20, C: 4

(2) 대표위원이 36명에서 37명으로 증가할 때 앨라배마 역설이 발생

문제 1.4.5   (1) A: 42, B: 27, C: 30, D:1

(2) 인구증가율   A: 2.39%   B: 1.06%   C: 0.56%   D: 0.02%

      할당   A: 43   B: 26   C: 29   D: 2

(3) 구역 B 또는 C에서 인구 역설이 발생

문제 1.4.6   (1) A: 35, B: 48, C: 17

(2) A: 35, B: 47, C: 18, D: 5

(3) 구역 B, C에서 새 집단 역설이 발생

문제 1.4.7   (1) E=45일 때 1학년: 10, 2학년: 5, 3학년: 5

(2) E=42일 때 1학년: 11, 2학년: 5, 3학년: 4

(3) E=48.2일 때 1학년: 10, 2학년: 5, 3학년: 5

(4) E=44.2 또는 44 또는 43.8일 때 1학년: 11, 2학년: 5, 3학년: 4

문제 1.4.8   E=20 또는 21 또는 22일 때 A: 3, B: 1, C: 1

1장 5절

문제 1.5.1   (1)

갑 \ 을	앞면	뒷면
앞면	300	−100
뒷면	−100	−200

(2) 앞면   (3) 뒷면   (4) 도움이 되지 않음

문제 1.5.2   갑: 시트콤   을: 시트콤

문제 1.5.3

갑 \ 을	전략G	전략H
전략A	2	−2
전략C	0	6

문제 1.5.4   (1)

갑 \ 을	하나	둘
하나	−40	30
둘	20	−10

(2) 결정게임이 아님

문제 1.5.5   (1) 결정게임   (2) 비결정게임

문제 1.5.6 $E(p, q) = 120pq - 50p - 50q + 20$

문제 1.5.7   (1) $p = \dfrac{5}{12}$, 게임의 값: $-\dfrac{5}{6}$ (2) $q = \dfrac{5}{12}$

(3) 갑보다 을에게 더 유리

1장 6절

문제 1.6.1   (1) $0 \leq x \leq 150$ (2)

(3) $p = 5000x$, $x = 150$일 때 최대 이익 75만원

문제 1.6.2   (1)

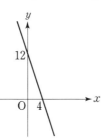

(2)

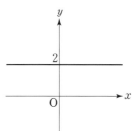

(3)

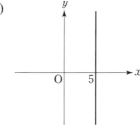

문제 1.6.3   (1) $\left(2, \dfrac{9}{2}\right)$ (2) $(4, 3)$ (3) $(2, 5)$ (4) $(5, 2)$

문제 1.6.4   (1)

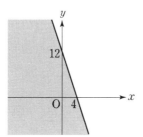

(2)

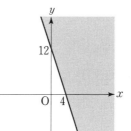

(3)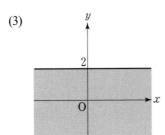

(4)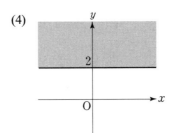

(5)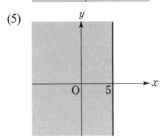

(6)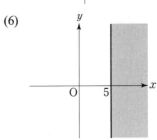

문제 1.6.5 (1)

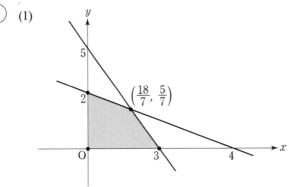

(2)

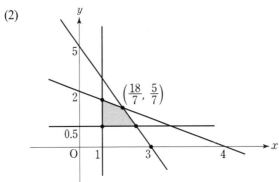

문제 1.6.6 (1) $2x + 3y \leq 240,\ x,\ y \geq 0$

(2)

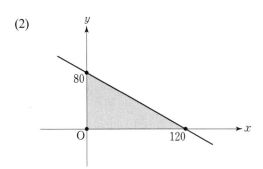

문제 1.6.7 목적함수 $p = 1500x + 2000y$이고 (120, 0)에서 최대이익 18만원

문제 1.6.8 (1) $8x + 10y \leq 120$, $12x + 10y \leq 160$, $x, y \geq 0$

(2)

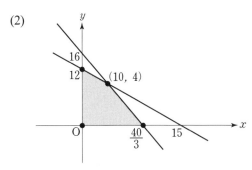

(3) 목적함수 $p = 5000x + 5000y$는 (10, 4)에서 최댓값 7(만원)

문제 1.6.9 (1) $0.08x + 0.04y \geq 48$, $0.09x + 0.45y \geq 216$, $x, y \geq 0$

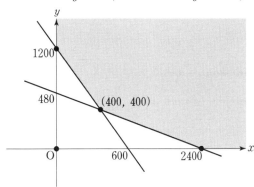

(2) 목적함수 $p = 2x + 1.2y$는 (400, 400)에서 최솟값 1280(원)

문제 1.6.10 (1) $20x + 60y \leq 120$, $7x + 2y \leq 14$, $6x + 6y \leq 18$, $x, y \geq 0$

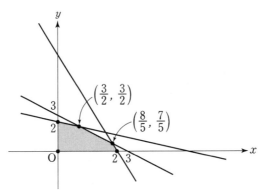

(2) 목적함수 $p = 3x + 4y$(천원)는 $\left(\dfrac{3}{2}, \dfrac{3}{2}\right)$에서 최댓값 1만 500원

문제 1.6.11 (1) $10x + 20y \leq 4000,\ 7x + 6y \leq 1680,\ x \geq 10,\ y \geq 20$

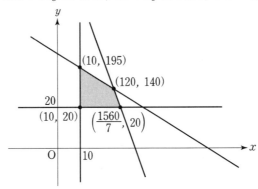

(2) 목적함수 $p = 3x + 4y$(만원)는 (120, 140)에서 최댓값 920만원

2장 1절

문제 2.1.1

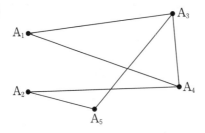

문제 2.1.2 꼭짓점의 집합 V={A, B, C, D, E}
변의 집합 E={{A, B}, {A, C}, {A, D}, {B, C}, {B, D}, {B, E}, {C, D}, {D, E}}

꼭짓점의 차수: d(A)=3, d(B)=4, d(C)=3, d(D)=4, d(E)=2

문제 2.1.3 불가능(홀수점을 점검)

문제 2.1.4 9

문제 2.1.5
(1) A와 대국할 사람: B, E
　　B와 대국할 사람: A, C
　　C와 대국할 사람: B, D
　　D와 대국할 사람: C, E
　　E와 대국할 사람: A, D
(2) 모든 꼭짓점의 차수의 합이 15로 홀수가 되어 대진표를 작성하는 것은
　　불가능

문제 2.1.6

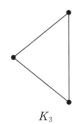
K_3

K_4

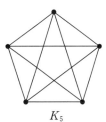
K_5

문제 2.1.7

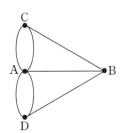

문제 2.1.8

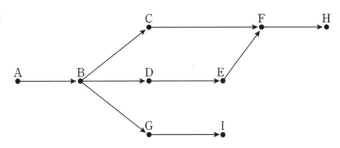

문제 2.1.9
(1) A→B→C→F, A→B→C→D, A→B→E→F, A→B→E→D
　　A→D→C→F, A→D→C→B, A→D→E→F, A→D→E→B
　　A→F→C→D, A→F→C→B, A→F→E→D, A→F→E→B
(2) A→B→C→F→A, A→B→C→D→A, A→B→E→F→A
　　A→B→E→D→A, A→D→C→B→A, A→D→C→F→A

A→D→E→B→A, A→D→E→F→A, A→F→C→B→A

A→F→C→D→A, A→F→E→D→A, A→F→E→B→A

문제 2.1.10 가능(불가능하다고 가정하고 차수를 점검하여 모순을 이끌어 냄)

2장 2절

문제 2.2.1 A→F→E→D→B→F→D→C→B→A (다른 답도 가능)

문제 2.2.2 (다른 답도 가능)

A→B→C→D→E→F→I→K→J→I→H→F→G→C→E→G
→D→F→C→A

문제 2.2.3 모든 꼭짓점의 차수가 짝수이므로 오일러회로가 존재한다.

문제 2.2.4 방이나 바깥을 꼭짓점으로 하고 두 방이나 바깥 사이에 문이 있으면 변이 있는 그래프를 그리면 오일러회로는 존재하지 않으므로 불가능

문제 2.2.5 C→F→G→E→A→D→C→B→A→J→G→H→I→J (다른 답도 가능)

문제 2.2.6 꼭짓점 A에서 출발

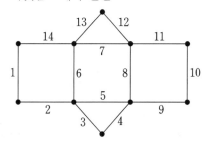

문제 2.2.7 한 홀수점 D에서 출발하여 다른 홀수점 H에서 끝남

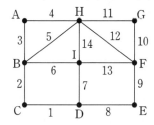

문제 2.2.8 최소로 5개가 필요함

문제 2.2.9 B와 C 사이의 경로의 변을 중복할 때 최소로 2변이 중복

문제 2.3.1 A→B→I→C→D→E→F→G→H→A로 가능(다른 답도 가능)

문제 2.3.2 A→B→C→D→G→E→F→A(다른 답도 가능)

문제 2.3.3 해밀턴회로는 없음

문제 2.3.4 해밀턴회로가 존재

문제 2.3.5 A→B→C→D→A의 순서로 방문할 때 최소 방문 거리는 115km

문제 2.3.6 A→D→C→B→E→A의 순서로 방문할 때 최소 방문 거리는 630km

문제 2.3.7 A→E→B→C→D→A의 순서로 방문하며 이 때 방문 거리는 630km

문제 2.3.8 A→E→B→C→D→A의 순서로 방문하며 이 때 방문 거리는 630km

문제 2.3.9 A→E→B→C→D→A의 순서로 방문하며 이 때 방문 거리는 630km

2장 4절

문제 2.4.1

문제 2.4.2 변의 개수 e는 $n-1 \le e \le \dfrac{n(n-1)}{2}$

문제 2.4.3 $n(n-1)$개

문제 2.4.4 n개

문제 2.4.5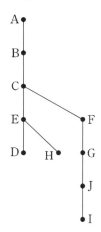

문제 2.4.6

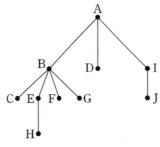

문제 2.4.7 변의 값의 합은 24

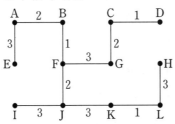

문제 2.4.8 변의 값의 합은 24

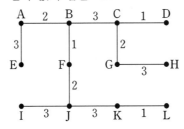

문제 2.4.9 변의 값의 합은 24

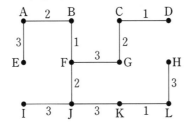

2장 5절

문제 2.5.1 (1)

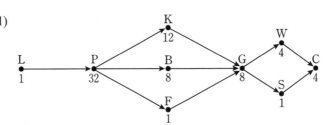

(2) L → P → K → G → W → C: 1+32+12+8+4+4=61(시간)

 문제 2.5.2   11시간

문제 2.5.3   (1) 45분   (2) 86분   (3) 56분   (4) 55분

문제 2.5.4   (1) 61분   (2) 56분

문제 2.5.5   A, C, B, D, E, F

문제 2.5.6   (1)

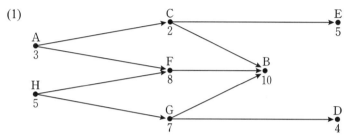

(2) H, A, F, G, C, B, E, D

(3) 23분

문제 2.5.7   (1) 20분   (2) 21분

문제 2.5.8   세 시간

시간	위원회
첫째 시간	인사위원회, 홍보위원회
둘째 시간	교양교육위원회, 복지위원회, 출판위원회, 교과과정위원회
셋째 시간	도서관위원회, 대학원위원회

문제 2.5.9   색채수는 왼쪽부터 3, 3, 2

문제 2.5.10

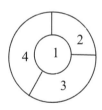

문제 2.5.11   3일

문제 2.5.12   (1) 3개   (2) 각 수조에 3종류씩

2장   6절

문제 2.6.1   품목: 사진기, CD 플레이어   가치의 합: 132

문제 2.6.2	(1) 품목: F, C, A, B, D 품목의 무게: 12.3kg 가치의 합: 82
	(2) 품목: G, H 품목의 무게: 13.3kg 가치의 합: 56
	(3) 품목: G, E 품목의 무게: 13.1kg 가치의 합: 58
	(4) 품목: F, C, B, A, D 품목의 무게; 12.3kg 가치의 합: 82

문제 2.6.3	(1) 최적일 때 품목: B, C 가치의 합: 19
	가벼운 것부터 꾸릴 때 품목: B, C 가치의 합: 19
	(2) 최적일 때 품목: A, B 가치의 합: 2
	무거운 것부터 꾸릴 때 품목: A, B 가치의 합: 22
	(3) 최적일 때 품목: A, B 가치의 합: 22
	가치가 큰 것부터 꾸릴 때 품목: A, B 가치의 합: 22
	(4) 최적일 때 품목: A, C 가치의 합: 190
	kg당 가치가 큰 것부터 꾸릴 때 품목: A, C 가치의 합: 190

문제 2.6.4	10개
문제 2.6.5	10개
문제 2.6.6	8개
문제 2.6.7	8개

3장 1절

문제 3.1.1	(1) 올바른 우편환 번호가 아님 (2) 올바른 우편환 번호
문제 3.1.2	(1) 5 (2) 올바른 우편환 번호가 아님 (3) 올바른 우편환 번호
문제 3.1.3	(1) 올바른 주민등록번호가 아님 (2) 올바른 주민등록번호
문제 3.1.4	(1) 올바른 ISBN이 아님 (2) 올바른 ISBN
문제 3.1.5	(1) $a = 2$ (2) 올바른 ISBN이 아님 (3) 올바른 ISBN이 아님
문제 3.1.6	(1) 올바른 UPC가 아님 (2) 올바른 UPC
문제 3.1.7	(1) $a = 7$ (2) 올바른 UPC가 아님 (3) 올바른 UPC가 아님
	(4) 올바른 UPC
문제 3.1.8	(1) 올바른 신용카드의 번호가 아님 (2) 올바른 신용카드의 번호
문제 3.1.9	$a = 0$
문제 3.1.10	(1) ‖|||‖ |||‖ ‖||| |||‖ ||‖| ‖||| |‖|| |||‖ ||‖| ‖|||
	(2) 68588-3094

문제 3.2.1 pq

문제 3.2.2 $1 - (1-p)(1-q)$

문제 3.2.3 $((1-(1-p)(1-q)) \cdot r$

문제 3.2.4 이런 분포는 나올 수 없음

문제 3.2.5

암컷Aa	수컷Aa	새끼 유전자형	확률
A	A	AA	$\dfrac{2}{3} \cdot \dfrac{2}{3} = \dfrac{4}{9}$
A	a	Aa	$2 \cdot \dfrac{2}{3} \cdot \dfrac{1}{3} = \dfrac{4}{9}$
a	A		
a	a	aa	$\dfrac{1}{3} \cdot \dfrac{1}{3} = \dfrac{1}{9}$

문제 3.2.6 (1) $\dfrac{1}{3}$ (2) 1

문제 3.2.7 (1) $\dfrac{1}{3}$ (2) $\dfrac{1}{2}$ (3) $\dfrac{1}{3}$

문제 3.2.8 $\dfrac{7}{20}$

문제 3.2.9 묻기 전에 A가 사면될 확률: $\dfrac{3}{4}$, 물은 후에 A가 사면될 확률: $\dfrac{3}{4}$

문제 3.2.10 바꾸는 것이 더 유리

문제 3.2.11 $p^3 + 3p^2(1-p) \times \dfrac{1}{2}$, $p = 0, 1$일 때를 제외하고는 p보다 작음

문제 3.2.12 $\dfrac{2}{3}$

문제 3.2.13 $\dfrac{2}{3}$

문제 3.2.14 $\dfrac{2}{7}$

문제 3.2.15 A가 승자가 될 확률은 B를 공격할 때 $\dfrac{3}{14}$

문제 3.2.16 a, b, c a, b, d a, b, e a, c, d a, c, e

a, d, e b, c, d b, c, e b, d, e c, d, e

문제 3.2.17 (1) 84 (2) 1000 (3) 1000! (4) n^2

문제 3.2.18 $\dfrac{3}{10}$

문제 3.2.19 0.648

문제 3.2.20 (1) $\dfrac{\dbinom{6}{4} \cdot \dbinom{45-6}{2}}{\dbinom{45}{6}} = \dfrac{741}{543004} = \dfrac{1}{732.799}$

(2) $\dfrac{\dbinom{6}{3} \cdot \dbinom{45-6}{3}}{\dbinom{45}{6}} = \dfrac{9139}{407253} = \dfrac{1}{44.5621}$

연습문제 해답

연습문제 1.1

1. (1) 금강산   (2) 없음   (3) 제주도   (4) 제주도   (5) 제주도
2. (1) C   (2) 없음   (3) E   (4) E   (5) E
3. (1) 1위: B, 2위: D, 3위: A, 4위: C와 E
   (2) 1위: C, 2위: A, 3위: B, 4위: D, 5위: E
   (3) 1위: D, 2위: B, 3위: A, 4위: C와 E
   (4) 1위: A, 2위: C, 3위: E, 4위: D, 5위: B
4. (1) (i) A   (ii) C   (iii) D   (iv) D
   (2) (i) 1위: A, 2위: C, D, 4위: B, 5위: E
       (ii) 1위: C, 2위: D, 3위: B, 4위: A, 5위: E
       (iii) 1위: D, 2위: A, 3위: C, 4위: B, 5위: E
       (iv) 1위: D, 2위: B, C, 4위: A, E
5. 지리산
6. (1) A와 B 중에서 누가 당선자인지는 결정할 수 없음
   (2) ① D   ② 모든 투표자가 D보다 B를 더 선호함
7. (1) C   (2) 1위를 과반수 차지한 후보는 이 방식에서 당선되므로 MC를 만족
   (3) (i) C   (ii) B는 어느 후보보다 더 선호되지만 당선자는 아니므로 이 선거방식은 CC
       를 만족하지 않음
8. (1) C
   (2) (i) B   (ii) 1위를 과반수 차지한 A가 당선자가 아니므로 이 선거방식은 MC를 만족
       하지 않음   (iii) 후보 A는 어떤 후보보다도 더 선호되나 당선자가 아니므로 이 선거
       방식은 CC를 만족하지 않음
9. (1) 모든 투표자가 B보다 A를 더 선호한다면 B가 1위를 차지한 표수는 0이므로 B는 다수
       결방식에서 당선자가 아님
   (2) 모든 투표자가 B보다 A를 더 선호한다면 보르다 계산 방식에서 B의 점수는 A의 점수

보다 낮으므로 B는 당선자가 아님

(3) 모든 투표자가 B보다 A를 더 선호한다면 B가 1위를 차지한 표수는 0이므로 헤어 방식에서 B가 맨 먼저 제외되어 B는 당선자가 아님

(4) 모든 투표자가 B보다 A를 더 선호한다면 상호 선호 비교 방식에서 B의 점수는 A의 점수보다 낮으므로 B는 당선자가 아님

10. (1) 후보 A가 1위를 과반수 차지했다면 A는 어떤 후보보다도 더 선호되므로 상호 선호 비교 방식에서 A는 당선자임

(2) 다수결 방식으로 당선된 갑은 재선거에서 몇 명의 투표자가 이전보다 갑에게 더 유리하게 투표하고, 나머지는 전과 같게 투표한다면 갑이 1위를 차지한 표수는 전보다 더 많거나 같고 다른 투표자가 1위를 차지한 표수는 전보다 더 적거나 같으므로 A가 다시 당선자임

11. (1) 50점   (2) 3점

1. (1) $7 \leq q \leq 13$ (2) $q = 7, 8$ (3) $q = 7, 8, 10, 11, 12$ (4) $q = 9, 10, 11, 12, 13$
2. (1) $4 \leq a < 13$ (2) $a = 9, 10, 11, 12$ (3) $a = 5, 6, 7, 9, 10, 11, 12$
   (4) $a = 4, 5, 6, 7, 8$
3. (1) a, d, e   (2) b, c
4. (1) b   (2) b

5. (1) A_i의 반자프 영향력지표: $\dfrac{1}{4}$ 샤플리-슈빅 영향력지표: $\dfrac{1}{4}$

   (2) A_i의 반자프 영향력지표: $\dfrac{1}{k}$ 샤플리-슈빅 영향력지표: $\dfrac{1}{k}$

6. 반자프 영향력지표   a: $\dfrac{5}{10}$ b: $\dfrac{3}{10}$ c: $\dfrac{1}{10}$ d: $\dfrac{1}{10}$

   샤플리-슈빅 영향력지표   a: $\dfrac{7}{12}$ b: $\dfrac{1}{4}$ c: $\dfrac{1}{12}$ d: $\dfrac{1}{12}$

7. e는 멍청이이므로 제외하고 가중치선거 [11: 6, 5, 3, 3]으로 생각한다.

   반자프 영향력지표   a: $\dfrac{1}{3}$ b: $\dfrac{1}{3}$ c: $\dfrac{1}{6}$ d: $\dfrac{1}{6}$ e: 0

   샤플리-슈빅 영향력지표   a: $\dfrac{1}{3}$ b: $\dfrac{1}{3}$ c: $\dfrac{1}{6}$ d: $\dfrac{1}{6}$ e: 0

8. a, b, c의 반자프 영향력지표는 각각 $\dfrac{1}{2}, \dfrac{1}{2}, 0$

a, b, c의 샤플리-슈빅 영향력지표도 각각 $\frac{1}{2}$, $\frac{1}{2}$, 0

9. (1) [3: 2, 1, 1, 1]

   (2) A, B, C, D의 반자프 영향력 지표는 각각 $\frac{1}{2}$, $\frac{1}{6}$, $\frac{1}{6}$, $\frac{1}{6}$

   (3) A, B, C, D의 샤플리-슈빅 영향력지표는 각각 $\frac{1}{2}$, $\frac{1}{6}$, $\frac{1}{6}$, $\frac{1}{6}$

10. [39: 7, 7, 7, 7, 7, 1, 1, 1, 1, 1, 1, 1, 1, 1, 1]

11. [27: 5, 5, 5, 5, 5, 1, 1, 1, 1, 1, 1]

12. (1) [5: 2, 1, 1, 1, 1, 1, 1]

   (2) A의 샤플리-슈빅 영향력지표: $\frac{2}{7}$, B, C, D, E, F, G의 샤플리-슈빅 영향력지표: $\frac{5}{42}$

연습문제 1.3

1. (1) 공평분배 (2) 갑은 을보다 적게 차지했다고 생각

2. (1) A: 셋째 조각, B: 둘째 조각, C: 첫째조각

   (2) 첫째 조각을 A에게 주고 남은 두 조각을 합쳐 B와 C가 나누어 가짐

3. (1) A_6 (2) A_1 (3) A_3 (4) A_2 (5) A_4 (6) A_3

4. 영수: C, D, G, E의 $\frac{2}{15}$, 인호: A, B, F, H, E의 $\frac{13}{15}$

5. (1) 일남: D, E, 현금 -7390(만원), 이남: 현금 6080(만원)

    삼순: A, C, 현금 -2610(만원), 사남: 현금 6320(만원)

    오순: B, F, 현금 -2400(만원)

   (2) 일남: D, E, 현금 -1046(만원), 이남: 현금 9183(만원)

    삼순: A, C, 현금 -5809(만원), 사남: 현금 3181(만원)

    오순: B, F, 현금 -5509(만원)

6. A: 7   B: 15   C: 1, 2, 3   D: 11

   남은 물건: 4, 5, 6, 8, 9, 10, 12, 13, 14

7. (1)

	첫번째	두번째	세번째
삼철	경운기	트럭	공구
수철	분무기	이양기	오토바이

   (2)

	첫번째	두번째	세번째
삼철	경운기	트럭	공구
수철	분무기	이양기	오토바이

8. 맨 처음 "정지"라고 외친 사람은 그것이 자기 몫으로 적당하다고 생각하여 외친 것이기에 불만이 없고, 나머지 사람들은 그것이 한 사람의 몫으로 충분하지 않다고 생각하여 외치지 않은 것이기에 그것을 다른 사람이 가져가는 것에 대하여 불만이 있을 수 없다. 나머지 케이크를 남은 사람들이 나눌 때에도 마찬가지 논리를 이용할 수 있으므로 위의 분배는 공평분배이다.

9. 각각의 집안일은 가장 낮은 금액을 제시한 사람에게 할당

   A: 목욕탕 청소, 현금 1200원 지불   B: 식사 준비, 현금 1200원 지불

   C: 설거지, 마당 쓸기 및 쓰레기 버리기, 집안 청소, 현금 2400원 받음

10. 힌트: 사람 수에 대한 수학적 귀납법을 이용

연습문제 1.4

1. (1) A: 1, B: 2, C: 7   (2) A: 0, B: 3, C: 8   (3) A: 1, B: 2, C: 8

   (4) 앨라배마 역설 발생   (5) 인구 역설 발생

2. (1) A: 138,930   B: 100,760   C: 14,190   D: 204,380   E: 223,740

   (2) A: 20   B: 15   C: 2   D: 30   E: 33

3. (1) A: 25   B: 18   C: 2   D: 37   E: 40

   (2) A: 26   B: 19   C: 3   D: 38   E: 41

   (3) A: 25   B: 18   C: 3   D: 37   E: 41

   (4) A: 25   B: 18   C: 3   D: 37   E: 41

4. (1) $E = 12.00$를 이용하여 A:72   B:86   C:51   D:16

   (2) $E = 11.90$ 또는 $E = 11.92$를 이용하여 A:73   B:86   C:51   D:15

   (3) $E = 12.10$을 이용하여 A: 72   B: 86   C: 51   D: 16

   (4) $E = 12.02$를 이용하여 A: 72   B: 86   C: 51   D: 16

   (5) $E = 12.02$를 이용하여 A: 72   B: 86   C: 51   D: 16

5. (1) $E = 1000$를 이용하여 A:45   B:31   C:21   D:14   E:10   F:9

   (2) $E = 972$를 이용하여 A: 46   B: 31   C: 21   D: 14   E: 10   F: 8

   (3) $E = 1025$를 이용하여 A: 45   B: 31   C: 20   D: 14   E: 11   F: 9

   (4) $E = 996$를 이용하여 A: 45   B: 31   C: 21   D: 14   E: 10   F: 9

   (5) $E = 996$를 이용하여 A: 45   B: 31   C: 21   D: 14   E: 10   F: 9

6. (1) A: 33   B: 15   C: 42   D: 21   E: 139

   (2) A: 33   B: 16   C: 41   D: 22   E: 138

구역	인구	표준쿼터	하위쿼터	정수와 소수의 비	할당 대표 수
A	164,600	32.92	32	0.0287 ↑	33
B	76,200	15.24	15	0.016 ↑	15
C	208,100	41.62	41	0.0151	41
D	106,600	21.32	21	0.0152 ↑	22
E	694,500	138.9	138	0.0065	138
합계	1250,000	250	247		250

(3) 인구가 많은 집단에 유리   (4) Lowndes 방식은 인구가 적은 집단에 유리

7. (1) $E = 9999.4 \sim 10000.2$를 이용하여 A:34   B:41   C:22   D:59   E:15   F:29

   (2) $E = 10000.2 \sim 10000.5$를 이용하여 A:34   B:41   C:22   D:59   E:15   F:29

   (3) 이 문제에서는 (1)과 (2)에서 두 결과는 같음

연습문제 1.5

1. (1) 첫째행   (2) 둘째열

2. (1) 셋째행   (2) 셋째열

3. (1) $\begin{pmatrix} 300 & 200 \\ 200 & -1000 \end{pmatrix}$ (2) 첫째행   (3) 둘째열   (4) 갑에게 유리

4. (1) 전략 C   (2) 전략 F   (3) 6

5.

갑 \ 을	F	G
B	8	−5
D	−2	4

6. (1)

갑 \ 을	전략 F	전략 H
전략 B	100	600
전략 D	0	−200

   (2) 전략 B   (3) 전략 F

7. (1)

갑 \ 을	앞면	뒷면
앞면	300	200
뒷면	200	−250

   (2) 결정게임   (3) 앞면   (4) 뒷면   (5) −30000원

8. (1)

투수 / 타자	직구	변화구
직구	0.3	0.2
변화구	0.1	0.4

(2) 직구와 변화구를 3 : 1로 예상 (3) 직구와 변화구를 1 : 1로 던짐

9. (1) 직구와 너클볼을 2 : 3으로 예상 (2) 직구와 너클볼을 1 : 4로 던짐 (3) $\dfrac{13}{50}$

10. (1) 손가락 하나와 둘을 5 : 7로 냄 (2) 손가락 하나와 둘을 3 : 1로 냄 (3) -25 (4) 을에게 더 유리

11. (1) $\dfrac{1}{6}$ (2) $\dfrac{1}{2}$

12. (1) 갑의 최선의 전략은 첫째행 : 둘째행 = 1 : 1, 을의 최선의 전략은 첫째열 : 둘째열 = 1 : 3

    (2) 위 (1)과 같음

    (3) 위 (1)과 같음

    (4) 성과행렬의 각 성과에 같은 수를 더하거나 곱해도 갑과 을의 최선의 전략은 변하지 않는다.

연습문제 1.6

1. 제품 T를 150개 생산할 때 최대 매출 1050만원
2. 제품 S를 100개, 제품 T를 500개 생산할 때 최대이익 58000원
3. 제품 S를 3개, 제품 T를 2개 생산할 때 최대이익 22000
4. (1) S: 180호, T: 180호

   (2) S를 292호, T를 0호 지을 때 최대이익 116억 8천(만원)
5. S를 2g, T를 5g 섭취할 때 최소 비용 3000원
6. 제품 S를 75개, 제품 T를 10개 생산할 때 최대이익 350,000
7. S를 0kg, T를 4 kg 섭취할 때 최소 비용 6,000원
8. (1) 제품 S를 50개, 제품 T를 150개 생산할 때 최대이익 44만 5천원

   (2) 제품 S를 50개, 제품 T를 150개 생산할 때 최대이익 44만 5천원

1.

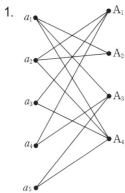

2. L=[−4, 2], M=[0, 1], N=(−8, 2], O=[2, 4], P=[4, 10)라 하면

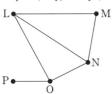

3.

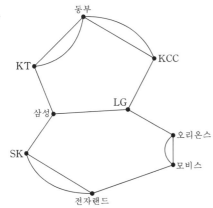

4.

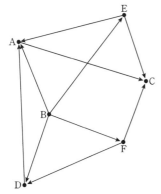

5.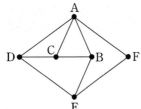

6.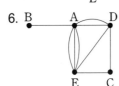

7.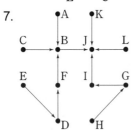

8. 꼭짓점의 집합 V={A, B, C, D, E, F}

변의 집합 E={{A, B}, {A, C}, {A, E}, {A, F}, {B, C}, {B, D}, {B, F}, {C, D}, {C, E}, {C, F}, {D, E}, {D, F}, {E, F}}

꼭짓점의 차수: d(A)=4, d(B)=4, d(C)=5, d(D)=4, d(E)=4, d(F)=5

9. 두 그래프의 꼭짓점의 집합과 변의 집합을 각각 구하면 꼭짓점의 집합도 같고 변의 집합도 같으므로 두 그래프는 같은 그래프이다.

10. (1) 변의 개수: 3

(2) 변의 개수: 12

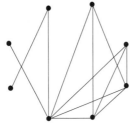

11. (1) 거짓(A, B, C, D의 차수가 모두 4이면 E의 차수도 4이어야 함)

(2) 거짓(꼭짓점의 수가 5인 그래프에서 차수가 각각 0과 4인 두 꼭짓점은 존재할 수 없음)

(3) 거짓(사람을 꼭짓점으로 하고 두 사람이 악수했으면 해당하는 두 꼭짓점 사이에 변

이 있는 그래프에서 차수의 합은 짝수이어야 함)

(4) 거짓(사람을 꼭짓점으로 하고 서로 친구이면 해당하는 꼭짓점 사이에 변이 있는 그래프에서 차수의 합은 짝수이어야 함)

(5) 거짓(직선을 꼭짓점으로 하고 두 직선이 서로 만나면 해당하는 꼭짓점 사이에 변이 있는 그래프에서 차수의 합은 짝수이어야 함)

12. $\dfrac{n(n-1)}{2}$

13. (1) 9개 (2) 6개

14. A에서 J로 가는 경로는 변 $\{A, C\}$나 $\{B, D\}$ 중 하나를 이용해야 한다. 같은 방법으로 생각하면 A에서 J로 가는 경로의 총 개수는 $2^4 = 16$이다.

15. (1) 8가지

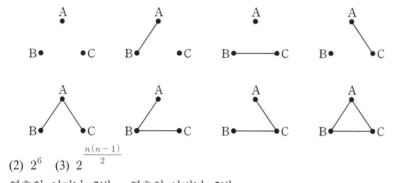

(2) 2^6 (3) $2^{\frac{n(n-1)}{2}}$

16. 영호의 어머님: 2번   영호의 아버님: 2번

17. $2n$개의 점 A_1, A_2, A_3, $\cdots$, A_n와 B_1, B_2, B_3, $\cdots$, B_n을 다음과 같이 연결한다.

A_1은 B_1, B_2, B_3, $\cdots$, B_n과 모두 연결

A_2은 B_2, B_3, $\cdots$, B_n과 모두 연결

A_3은 B_3, $\cdots$, B_n과 모두 연결

$\vdots$

A_n은 B_n과 연결

18. (1) 차수가 홀수인 꼭짓점의 수가 홀수이면 모든 차수의 합은 홀수이므로 모순

(2) 힌트: 각 꼭짓점의 차수는 0부터 $n-1$이다.

19. 힌트: 어떤 두 도시 사이에 여행이 불가능하다고 가정하자. 그러면 도시를 꼭짓점으로 하고 두 도시 사이에 도로가 있으면 해당하는 두 꼭짓점 사이에 변이 있는 그래프는 연결그래프가 아님을 이용하여 모순을 찾는다.

1. (1) 모든 꼭짓점의 차수가 짝수이므로 오일러회로와 오일러경로가 존재한다.

   (2) 차수가 홀수인 꼭짓점이 둘이므로 오일러회로는 존재하지 않으나 오일러경로는 존재한다.

   (3) 차수가 홀수인 꼭짓점이 넷이므로 오일러회로와 오일러경로 둘 다 존재하지 않는다.

2. (1) 연결그래프이다.   (2) 오일러회로가 존재하지 않는다.

3. 오일러경로가 존재하므로 가능

4. 최소 3번

5. (1) 8   (2) 7   (3) 6

6. (1) A→B→C→A→D→B→E→C→D→E→A→F→B→G→C→F→D→G→
   E→F→G→A

   (2) A→B→C→D→E→F→G→H→F→M→E→I→H→M→I→D→J→C→
   L→B→K→J→L→K→A

7. (1) B→A→E→F→B→C→D→H→G→K→J→E→I→J→F→G→C

   (2) H→D→A→B→C→B→F→E→H→G→C→D→A→E→I→F→G→H→
   I→G

8. (1) 4개   (2) 6개

9. (1) 변$\{A, C\}$, $\{B,D\}$, $\{E,G\}$, $\{F,H\}$ 추가 (다른 답도 가능)

   (2) 변$\{B,E\}$, $\{C,J\}$, $\{H,K\}$ 추가 (다른 답도 가능)

10. (1)

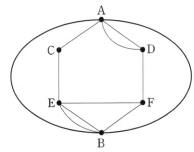

   (2) 차수가 홀수인 꼭짓점이 있으므로 출발한 지점으로 돌아올 수 없으며, 다리 {A, D},
   {B, F}를 두 번 이용하면 가능

11. 2개

1. (1) A→B→F→G→C→D→H→L→K→J→I→E→A (다른 답도 가능)

   (2) A→C→E→F→D→B→A (다른 답도 가능)

2. (1), (2) 힌트: 해밀턴회로가 있다면 그것은 차수가 2인 꼭짓점과 근접한 모든 변을 포함함을 이용하여 모순을 찾는다.

3. A→D→B→C→A 또는 A→C→B→D→A: 6,200m

4. A→C→B→E→D→A 또는 A→D→E→B→C→A: 27,500원

5. (1) A→E→D→C→B→A: 9,100m

   (2) A→D→C→B→E→A: 5,600m

   (3) A→B→D→C→E→A: 9,100m

6. (1) A→E→B→D→C→A: 25,000원

   (2) A→C→E→B→D→A: 22,000원

   (3) A→D→C→B→E→A: 27,000원

7. (1) 집→은행→PC방→서점→제과점→화원→집: 1,800m

   (2) 집→은행→PC방→서점→제과점→화원→집: 1,800m

   (3) 집→은행→PC방→서점→제과점→화원→집: 1,800m

8. (1) A→P→W→H→G→I→N→A: 20,100km

   (2) A→P→W→H→G→N→I→A: 21,400km

연습문제 2.4

1. (1) 수형도가 아님 (2) 수형도 (3) 수형도가 아님

2. 1

3. $n - k$

4. 55게임

5. 힌트: 주어진 조건을 이용하여 $e = v - 1$임을 보인다.

6. (1) 힌트: 모든 꼭짓점의 차수의 합은 변의 수의 2배임을 이용한다.

   (2) 힌트: 모든 꼭짓점의 차수의 합은 변의 수의 2배임을 이용한다.

7. 힌트: 수형도의 가장 긴 경로의 양 끝점의 차수가 2 이상이면 모순임을 밝힌다.

8. (1) $5 \times 2^4 = 80$ (2) $5 + 2 \times 3 = 11$ (3) $4 \times 3 = 12$

9. (1) A, B, C, D, F, G, E, H, I, J, K (2) A, B, H, I, C, D, E, J, K, F, G

10. (A부터 시작하여 탐색)

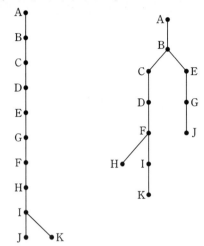

깊이 우선 탐색   너비 우선 탐색

11. 너비 우선 탐색

12. 깊이 우선 탐색

13. (1), (2), (3) 모두 아래와 같은 수형도

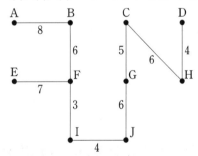

14. (1), (2), (3) 모두 아래와 같은 수형도

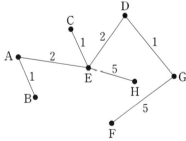

15. (1)   (2)   (3)

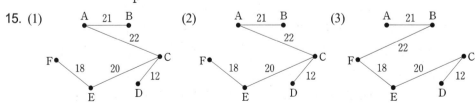

16. (1)

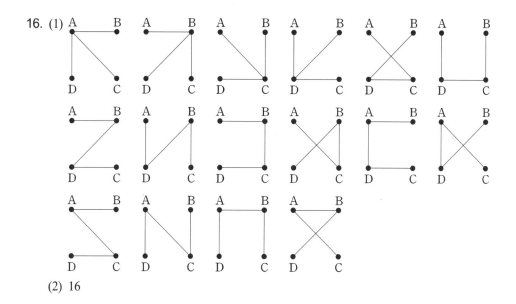

(2) 16

연습문제 2.5

1. (1) 27시간 (2) D, G, H
2. (1)

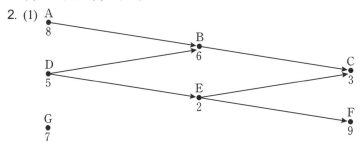

(2) 40시간 (3) 23시간 (4) A, D, E, B, F, G, C (5) 21시간

3. (1) 10분 (2) 9분 (3) 9분
4. (1) B, A, C, E, F, H, D, G, I (2) 51분 (3) 56분
   (4) 각 작업 시간이 1분씩 단축되었는데 전체 작업시간은 오히려 늘었음
5. (1) A, B, C, D, E, F, G, H (2) 48분 (3) 56분
   (4) 처리기가 하나 늘었는데 총 작업시간은 오히려 더 늘었음
6. (1) 4 (2) 3 (3) 2
7. (1) n (2) 2 (3) ① n이 짝수: 2 ② n이 홀수: 3 (4) 2
8. (1) 4시간 (2) 3개
9. (1) 3개 (2) 각 주파수마다 2개

1. A, B
2. (1) 품목 : 망원경, 가치의 합 : 105
   (2) 항목 : 책, 자명종 시계, CD 플레이어, 가치의 합 : 79
   (3) 항목 : 망원경, 가치의 합 : 105
   (4) 항목 : 자명종 시계, 사진기, 가치의 합 : 110
3. 5개
4. ① 바로 앞에서 사용한 상자에 넣을 때: 13개
   ② 사용 가능한 최초의 상자에 넣을 때: 11개
   ③ 사용 가능한 상자 중 가장 여유가 많은 상자에 넣을 때: 11
5. ① 바로 앞에서 사용한 상자에 넣을 때: 13개
   ② 사용 가능한 최초의 상자에 넣을 때: 10개
   ③ 사용 가능한 상자 중 가장 여유가 많은 상자에 넣을 때: 11
6. 14개
7. 14개
8. 16개
9. (1) 각각 50만 원짜리 휴대전화, MP3 플레이어, 전자수첩
   (2) 50만 원짜리 휴대전화, 40만 원짜리 MP3 플레이어, 30만 원짜리 전자수첩
   (3) 40만 원짜리 휴대전화, 30만 원짜리 MP3 플레이어, 30만 원짜리 전자수첩
   (4) 30만 원짜리 휴대전화, 20만 원짜리 MP3 플레이어, 10만 원짜리 전자수첩
   (5) 20만 원짜리 휴대전화, 10만 원짜리 MP3 플레이어

1. (1) $a = 3$ (2) $a = 6$ (3) $a = 2$ (4) $a = 9$ (5) $a = 6$
2. (1) ‖‖‖ ‖‖‖ ‖‖‖ ‖‖‖ ‖‖‖ ‖‖‖ ‖‖‖ ‖‖‖ ‖‖‖
   (2) 83885-0964
3. (1) $a = 4$ (2) $a = 4$ (3) $a = 2$ (4) $a = 0$ (5) $a = 4$
4. (1) (i) 올바른 여행자 수표 (ii) 올바른 여행자 수표가 아님
   (2) a_1, a_1'는 각각 0, 9 또는 9, 0
   (3) 모두 올바른 여행자수표 번호이거나 둘 다 올바른 여행자수표 번호가 아님

5. (1) (ⅰ) 올바른 송품장 번호 (ⅱ) 올바른 송품장 번호가 아님
   (2) a_1, $a_1{}'$는 각각 0, 9 또는 9, 0
   (3) 모두 올바른 송품장 번호이거나 둘 다 올바른 송품장 번호가 아님

6. (1) (ⅰ) 올바른 개인수표 번호가 아님 (ⅱ) 올바른 개인수표 번호가 아님
   (2) 모두 올바른 개인수표 번호일 수는 없음
   (3) $a_1 = a_2 + 5$이거나 $a_2 = a_1 + 5$인 경우에만 모두 올바른 개인수표 번호

7. 올바른 제품 번호

8. (1) $a = 3$　(2) 두 번호 모두 올바른 운전면허번호일 수는 없음
   (3) 두 번호 모두 올바른 운전면허번호일 수는 없음

연습문제 3.2

1. $\dfrac{5}{9}$

2. (1) $\dfrac{11}{12}$　(2) $\dfrac{55}{72}$　(3) 0

3. (1) $\dfrac{1}{4}$　(2) $\dfrac{1}{2}$　(3) $\dfrac{3}{8}$

4. (1) $\dfrac{2}{3}$　(2) $\dfrac{2}{9}$

5. (1) $\dfrac{\binom{13}{2}}{\binom{52}{2}}$　(2) $\dfrac{\binom{4}{2}}{\binom{52}{2}}$　(3) $\dfrac{\binom{26}{3}\binom{26}{3}}{\binom{52}{6}}$

6. 그룹 A: 9장, 그룹 B: 43장

7. $\dfrac{195}{266}$

8. $\dfrac{2}{3}$

9. $p^3q^2+4p^2q(1-p)(1-q)+p(1-p)^2(1-q)^2+2p^2q^2(1-p)(1-q)+2pq(1-p)^2(1-q)^2$

10. $\dfrac{4}{9}$

11. $p^4+4p^4(1-p)+10p^4(1-p)^2+20p^4(1-p)^3$

12. (1) 서로 눈이 같을 확률: $\dfrac{1}{6}$　서로 눈이 같지 않을 확률: $\dfrac{5}{6}$
    (2) $\dfrac{35}{72}$　(3) $\dfrac{37}{72}$

13. (1) 첫 번째 사람이 술래가 될 확률: $\dfrac{1}{6}$, 마지막 사람이 술래가 될 확률: $\dfrac{1}{6}$

(2) 첫 번째 사람이 술래가 될 확률: $\dfrac{1}{6}$, 마지막 사람이 술래가 될 확률: $\left(\dfrac{5}{6}\right)^5 \times \dfrac{1}{6}$

14. $\dfrac{3}{4}$

15. (a) $\dfrac{\binom{5}{1}}{\binom{90}{1}}$　(b) $\dfrac{\binom{5}{2}}{\binom{90}{2}}$　(c) $\dfrac{\binom{5}{3}}{\binom{90}{3}}$　(d) $\dfrac{\binom{5}{4}}{\binom{90}{4}}$　(e) $\dfrac{\binom{5}{5}}{\binom{90}{5}}$

참 고 문 헌

1. 신현성 외 10명, **이산수학**(고등학교 교과서), 교육인적자원부, 2003

2. 박종안, 이재진, 이준열, **이산수학**, 경문사, 2013

3. 황석근, 이재돈, 김익표, **Easy New Visual** 이산수학, 블랙박스, 2001

4. Norman L. Biggs, *Discrete Mathematics*, 2nd edition, Oxford University Press, 2002

5. Steven J. Brams and Alan D. Taylor, *Fair Division: From Cake-cutting to Dispute Resolution*, Cambridge University Press, 1996

6. Gray Chartrand and Ping Zhang, *Introduction to Graph Theory*, McGraw-Hill, New York, 2005

7. COMAP, For All Practical Purposes: *Introduction to Contemporary Mathematics*, 5th edition, Freeman, New York, 1996

8. Nancy Crisler, Patience Fisher and Gary Froelich, *Discrete Mathematics Through Applications*, Freeman, New York, 1994

9. Neville Dean, *The Essence of Discrete Mathematics*, Prentice Hall, New York, 1997

10. Dmitri Fomin, Sergey Genkin and Ilia Itenberg, *Mathematical Circles*, AMS, 1996

11. Eric Gossett, *Discrete Mathematics with Proof*, Prentice Hall, Upper Saddle River, 2003

12. O. Jacoby and W. H. Benson, *Intriguing mathematical problems*, Dover Pub., 1996

13. A. Levine, *Theory of probability*, Addison-Wesley Pub., 1971

14. F. Mosteller, *Fifty challenging problems in probability with solutions*, Dover Pub., 1965

15. Ostein Ore, *Graphs and Their Uses*, MAA, 1990

16. Graham Romp, *Game Theory: Introduction and Applications*, Oxford University Press, 1997

17. Kenneth H. Rosen, *Discrete Mathematics and Its Applications*, 4th edition, McGraw-Hill, New York, 1999

18. Saul Stahl, *A Gentle Introduction to Game Theory*, AMS, 1997

19. Peter Tannenbaum and Robert Arnold, *Excursions in Modern Mathematics*, Prentice Hall, Upper Saddle River, 1997

20. Alan Tucker, *Applied Combinatorics*, 3rd edition, Wiley and Sons, New York, 1995

21. J. V. Uspensky, *Introduction to mathematical probability*, McGraw-Hill, 1937

22. Robin J. Wilson, *Introduction to Graph Theory*, Academic Press, New York, 1972

23. A. M. Yaglom and I. M. Yaglom, Challenging mathematical problems with elementary solutions Vol. 1. combinatorial analysis and probability theory, Dover Pub., 1964

찾아보기

‖ 제2판 ‖

수학과 사회

지은이	박종안·이재진·이준열
펴낸이	조경희
펴낸곳	경문사
펴낸날	2010년 3월 5일 1판 1쇄
	2020년 3월 2일 2판 5쇄
등 록	1979년 11월 9일 제1979-000023호
주 소	04057, 서울특별시 마포구 와우산로 174
전 화	(02)332-2004 팩스 (02)336-5193
이메일	kyungmoon@kyungmoon.com
facebook	facebook.com/kyungmoonsa

값 22,000원

ISBN 978-89-6105-817-9

★ 경문사 홈페이지에 오시면 즐거운 일이 생깁니다.
http://www.kyungmoon.com

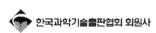 한국과학기술출판협회 회원사